PAQUEBOT

Dépôt légal : mai 2007
ISBN : 978-2-7557-0248-4
N° 0248-1

www.editionsdupanama.com
www.hervehamon.fr

HERVÉ HAMON ⚓
PAQUEBOT
ROMAN

Éditions du Panama, 26 rue Berthollet, 75005 Paris

Ce livre est un roman d'aventures sans gravité. Tout est fiction. Rien n'est vrai ni vraisemblable. Je le jure sur la tête de Shrimp.

H. H.

Pour Anne

... et en hommage obligé à Stanley Donen.

Il vous faut des hommes communs et des événements rares ;
je crois que j'aimerais mieux le contraire.

J.-J. ROUSSEAU, deuxième préface de *La Nouvelle Héloïse.*

CHAPITRE I
OÙ LE PROFESSEUR KORB SE FÂCHE AVEC DALIDA

Ce qui était délicieux, malgré tout, c'était la sensation de flottement, d'amorti ouaté. L'*Imperial Tsarina* progressait sans heurt, sans rencontrer la moindre objection sur une mer de bronze. Et Korb, installé sous la passerelle, près de la bibliothèque, jouissait de cette lenteur. Il aimait que le paquebot ne fût pas un monstre de la dernière génération, plate-forme surmontée d'un building avec balcons à tous les étages, mais un bateau rondouillard percé de sabords, une coque en forme dont l'acier riveté, sous la peinture fraîche, avouait l'âge et la ride. Un bateau qui ne « labourait » pas les flots, comme on dit souvent, mais s'y lovait, y creusait son trou.

Korb s'imaginait en particule suspendue, légère et provisoire. Son cerveau parvenait à reléguer assez loin l'*Adagio* d'Albinoni dévidé par une kyrielle de violons électroniques. Il s'alanguissait, conquis par la tiédeur ambiante, par l'hygrométrie sirupeuse à l'approche de la nuit. Plus haut, dans l'univers tempéré, on aurait juré que ça promettait un orage épouvantable. Mais ici, le soir était paresseux et sucré. Au moins, songeait Korb, l'océan Indien n'est pas bleu. Ni le ciel ni les flots. Il goûtait l'éventail des nuances, gris sur vert, gris sur gris, et surtout la langue sombre, presque violette, qui marquait l'extrême limite des eaux. Pas une île en vue. Je deviens mou, constatait Korb, étonné d'y prendre obscurément plaisir.

Et soudain Dalida. Il avait oublié. Regardant sa montre, il vérifia qu'il était bien 18 h 15. L'heure de Dalida.

Les yeux battus la mine triste
Et les joues blêmes
Tu ne dors plus
Tu n'es que l'ombre de toi-même

Pajetta ! Massimo Pajetta ! Deux jours de mer suffisaient à Korb pour savoir que, sur le coup de 18 h 15 précises, Massimo Pajetta poussait la sono et envoyait Dalida. Il se réfugia dans la pièce étriquée – l'appellation « bibliothèque » mariait l'ironie et la désinvolture – où s'entassaient les ouvrages abandonnés par les croisiéristes en fin de parcours, ouvrages jetables et donc jetés. Elle était déserte, comme d'habitude, et il lui avait fallu un sérieux temps d'exploration pour dénicher ces quelques mètres carrés offrant un espoir de solitude. Espoir chimérique, du reste, tant les haut-parleurs de la coursive forçaient portes et fenêtres.

Avec tes cheveux si blonds, Bambino, Bambino
Tu as l'air d'un chérubin, Bambino, Bambino

Korb n'avait rien contre la chanson populaire en général, ni contre Dalida en particulier. Au contraire. Il se rappelait avec émoi (il avait treize ou quatorze ans) une émission en direct et en noir et blanc où la robe de la belle Égyptienne avait brusquement glissé, dénudant une poitrine qui ne réclamait nul soutien : tout en poursuivant le refrain et en dansant sur place, Dalida, imperturbable, avait saisi les deux brides et les avait gracieusement renouées derrière sa nuque. Il avait trop fugitivement admiré la maîtrise de l'artiste, les seins de l'artiste, les aréoles des seins de l'artiste, les mamelons des seins de l'artiste, et, prémices de sa vocation scientifique, violemment déploré que le magnétoscope fût encore une machine non commercialisée.

Il vouait à Pajetta, le Grand Animateur, une sorte de haine, il rêvait de lui tordre le cou, de lui clouer le bec, de lui arracher sa veste à carreaux et son entrain perpétuel. Deux jours seulement et, par instants, comme les gosses qui ont changé d'avis, il aurait voulu descendre en marche, échapper au ridicule, gagner un aéroport, retrouver le labo et le reste. Deux jours sur quatorze. La mer le consolait, les nuages. Mais il mesurait dorénavant sa naïveté, il apprenait qu'une croisière en paquebot, une croisière à vendre, n'a pas pour objectif la vague et l'horizon. Qu'une fois le décor planté, le but du jeu est tout autre.

Va le dire à ta maman, Bambino, Bambino
Les mamans c'est fait pour ça

Dalida était en train de conclure. À suivre, il y aurait *My Way*, par Sinatra. Fatalement. Sachant que la moyenne d'âge, à bord, est de cinquante-deux ans, sachant que les Italiens et les Français forment les gros bataillons des sept cent cinquante passagers, sachant aussi que la composante américaine, quoique fortement minoritaire, n'est pas négligeable parce que bourrée aux as, déterminez l'enchaînement conçu par Massimo Pajetta et répété, chaque jour que Dieu fait, en boucle inaltérable.

And now the end is near
And so I face the final curtain...

Korb pouvait, d'ores et déjà, pronostiquer la suivante, à coup sûr *L'Été indien*. Bout de ficelle, selle de cheval, cheval de course, course à pied. Il fallait, ruminait-il, qu'il prenne des notes, qu'il soit rigoureux, qu'il démonte, faits à l'appui, la besogneuse routine. L'observation aiguë, c'était sa spécialité, nom de nom ! Les mille occupants de l'*Imperial Tsarina*, équipage compris, seraient témoins du triomphe des sciences dures face à Massimo Pajetta... Korb eut soudain honte de sa propre rage. Qu'était-il devenu, tantôt larve avachie, tantôt garnement intriguant contre le pion dans la cour de récréation ?

C'est le mirage italien : Pajetta l'avait d'abord fait rire. Traînant sa valise, Korb était arrivé fourbu sur le quai de Durban. L'*Imperial Tsarina*, coincé entre un vraquier malgache et un roulier coréen, éclatait de blancheur sous un soleil effroyable. Les deux cheminées bleues fumaient déjà. Une noria d'autocars déversait en lisière d'un long tapis rouge son chargement de vacanciers cueillis à l'aéroport. La « croisière mystère », la « croisière des *happy few* » débutait par des ablutions rituelles, par un bain de sueur collectif. Les velums tendus jusqu'à la porte basse ne procuraient qu'une ombre fictive. Les grappes de ballons, les jolies filles aux jupes pastel offrant à chaque hôte une fleur agonisante n'y pouvaient rien. Ni l'orchestre qui jouait *Kalinka*.

À la porte, un gigantesque Noir en tenue Banania débitait « Bienvenue », « *Buon giorno* », « *Welcome* », « Bienvenue », « *Buon giorno* », « *Welcome* » aux impétrants asphyxiés qui ne discernaient plus le quai, ni le navire, ni les bagagistes, ni les deux matelots coréens veillant à ce que les plus grands passagers ne se fracassent pas le crâne contre l'ouverture. Ils s'avançaient par couples, accrochés l'un à l'autre, tendus vers le trou noir qui marquait l'orée d'un autre monde : le monde climatisé. Ils avaient, pour l'atteindre, déboursé des fortunes, survolé des océans, comparé les catalogues, hésité entre mille destinations propices à leurs noces d'étain ou de flanelle.

Pur style 1975-1980, avait tranché Korb en découvrant le hall d'accueil semblable à celui d'un grand hôtel, avec ample *desk* et casier à clés. Après la fulgurance du soleil sud-africain, on se croyait ici dans une cathédrale ténébreuse, malgré la profusion des spots, malgré les faux plafonds en faux miroir qui évoquaient la décoration ordinaire des salons de coiffure. Du plastique, du plastique à gogo, réfléchissant les ampoules, les dupliquant en guirlande. L'ascenseur central était encadré de colonnes fuchsia et turquoise qui lui donnaient une allure de juke-box. Ça grouillait dans tous les sens. Hôtesses à la peau claire en tailleur sombre, boys à la peau sombre en tenue blanche, touristes hagards brandissant coupon, *voucher*, passeport, certificat de mariage, terrifiés à l'idée que leur cabine, leur cabine à eux, pourrait être attribuée à quelqu'un d'autre, un coucou, un aigrefin, voire ne pas leur être attribuée du tout, la compagnie Splendid ayant pratiqué le surbooking. La dernière fois que Korb s'était fourvoyé dans une cohue pareille, c'était à Delhi, lors du séminaire sur le télescope Hess et la lumière de Cherenkov.

De cette fermentation anxieuse, Massimo Pajetta, le Grand Animateur, comme une colonne d'or noir libérée par le forage, avait subitement jailli. Il portait autour de la mâchoire un de ces microphones articulés qu'emploient les premiers rôles de comédie musicale. Il était taillé en faucheux et avait monté sur ressorts sa probable cinquantaine. Son crâne était passablement dégarni, ses yeux en boules de loto. Mais de lui, on ne voyait d'abord que la barrière des dents, comme eût écrit Homère, barrière d'émail ou de porcelaine, peu importe, mais constamment dévoilée. Est-il possible, s'était demandé Korb, qu'un homme réussisse à parler sans que ses lèvres, à un moment ou à un autre, dissimulent incisives et canines ? C'était possible.

– *Signore e signori*, mesdames et messieurs, *you come from all over the world, bravo, bravissimo, mille grazie, ari-*

gatô gozaimasu, it was a long trip, el camino era largo aber nun sind Sie mit uns, here you are, et comme je parle toutes les langues mais que je ne peux pas les parler toutes *at the same time*, je vais, pour vous saluer, n'utiliser que trois mots, *only three little words* (courte respiration, puis à plein gosier) : BONJOUR LES AMIS !

Là-dessus, tel un chef scout expliquant aux louveteaux les consignes du grand jeu, il avait entrepris d'assigner à chacun sa destination. Les fiches mauves se rassemblent au casino Raspoutine sur le pont Bolchoï. Les fiches jaunes au restaurant Samovar sur le pont Bélouga. Les fiches vertes au théâtre Balalaïka sur le pont Astrakhan. Les fiches bleues au bar Tarass Boulba sur le pont Spoutnik. Enfin, les fiches roses au cinéma Babouchka sur le pont Oural. Et le personnel de cabine viendra vous chercher.

Korb était exaspéré par le rictus de ce type. Mais il souriait lui-même sans y prendre garde. Le Grand Animateur, qui parlait toutes les langues étrangères à défaut d'en dominer aucune (en français, il mélangeait les accents et remplaçait les *j* par des *i*), possédait au moins un talent : le pouvoir de se rendre contagieux, comme on le dit d'une blague ou d'un microbe.

La fiche de Korb était mauve. Il ignorait, à cette heure, que c'était la couleur des VIP. Il ignorait aussi l'exacte nature des privilèges attachés à son statut.

– La baignoire, lui avait expliqué une voisine, mauve elle aussi. La baignoire. Les cabines mauves sont avec baignoire.

Korb votait plutôt à gauche. Mais, tant qu'à jouir de privilèges, il lui plaisait assez que le privilège suprême fût de se tremper dans l'eau douce sur l'eau salée. En privé et à discrétion.

La foule se fragmentait déjà quand le grand Massimo avait poussé un hurlement.

– Mais c'est Brad Pitt ! *Hi Brad ! Thanks for coming !*

Pajetta s'était aussitôt immobilisé, dressé sur la pointe des pieds, le bras tendu, arborant un sourire grand modèle mais figé.

Un silence s'était abattu. Un silence très particulier, compact. Un silence de baguette magique, d'arrêt sur image, d'affût mortel. Un bloc de silence aux arêtes brutes. Les passagers, haletants une seconde plus tôt, avaient cessé de respirer. Puis le silence, aussi vite, était tombé en poussière tandis que s'élevait un brouhaha d'exclamations. « Il est où ? » « *I can't see him !* » « *Prego, prego...* »

– C'est une plaisanterie ! *Just a joke !* enchaînait Pajetta dans un hennissement triomphal. Brad n'est pas avec nous cette fois-ci. Mais l'homme que j'aperçois est plus rare encore. *Professore ! Professore !* Je vous présente, *signore e signori*, un de nos grands maîtres du mystère, un savant qui pénètre l'infini des étoiles.

Korb possédait une habitude certaine des interventions publiques. Les cours, bien sûr. Mais aussi les congrès où l'on vous accorde douze minutes montre en main, où l'orateur avale en douce une pilule de bêtabloquant – censée prévenir le trac – avant de s'emparer du micro sous l'œil teigneux des confrères. Cette fois, il avait compris qu'il perdrait pied.

– Il nous vient de Paris et, pour la compagnie Splendid, c'est un immense honneur. Le professeur Martin Korb, grand prix de l'Académie des sciences, médaille Slodjian pour ses recherches sur les rayons gamma, sera le conférencier scientifique de la croisière mystère. *Maestro*, l'inculte, l'analphabète vous salue très bas.

Et il s'était cassé en deux, révélant une belle souplesse des reins, des quadriceps et des jumeaux.

L'assistance était demeurée perplexe, contemplant ce *professore* qui, soudain, ressemblait à un communiant frappé par le Saint-Esprit. Elle s'était pourtant ressaisie. Ça n'était certes pas Brad Pitt. Ni Sharon Stone. Ni Robert Redford. Ni même Céline Dion. Mais enfin ça n'était pas rien. Une espèce de Nobel, avec sa médaille, sa médaille comment déjà ? L'idée que les paquebots de croisière, du moins sur les mers chaudes, transportent aussi des intellectuels paraissait assez neuve pour qu'un courant de sympathie pût s'établir. Et puis il n'était pas si mal, le Nobel, dans le genre râblé milieu de quarantaine. En pareille circonstance, le public italien est le plus généreux. Quelques applaudissements avaient commencé à retentir. Quelques *maestro* également. Massimo, qui s'était redressé, jouait les chefs de chœur et donnait le tempo. *Ma-estro, ma-estro, ma-estro !* Courbé sous l'avalanche, Korb n'avait eu d'autre alternative que de sourire, l'air complice et modeste, tandis que Pajetta, battant toujours la mesure, lui signifiait de l'œil « Je te tiens ».

Angelo Romano s'étonnait toujours du goût que manifestent ses semblables pour la cérémonie, toutes les formes de cérémonie. Il était bien placé pour le savoir : c'était peu ou prou son métier d'origine. Mais pas sa vocation. Enfant de chœur, déjà, il observait avec perplexité les dentelles blanches sur aube rouge, la componction des célébrants, la manière qu'ont les prêcheurs de chantonner leur homélie. Tout ce qui fascinait ses camarades. Lui, à l'inverse, ne pouvait s'empêcher de revendiquer mentalement quelque droit de retrait. Pour garder *in petto* ses distances, il mettait par exemple une châtaigne à cuire dans l'encensoir, non sans l'avoir préalablement fendue afin qu'elle n'explose pas en pleine élévation, et il gageait que les narines du Seigneur goûteraient autant le marron chaud toscan que les résines de Burséracées d'Abyssinie. Il n'avait jamais été dupe. Depuis le commencement, quatre bonnes décennies plus tôt, il flairait qu'entre sa passion théologique et le besoin qu'ont les mortels de déchaîner cloches et cymbales, de gesticuler pompeusement, il se trouverait en porte-à-faux. Chacun sa croix, c'était la sienne.

Même sur cette île flottante où tout respirait l'indolence et la futilité, où l'identité sociale semblait mise entre parenthèses, nombre de gens lui donnaient du « mon père » ou du « *padre* » sans que cette révérence eût, selon lui, la moindre authenticité. Tant de courbettes ressemblaient à une mue de serpent – écailles transparentes, coque vide, trace desséchée. Il était prêt à parler de ses travaux, de ses hypothèses, de sa foi, de ses incrédulités. Prêt à donner trois ou quatre conférences, puisque c'était le contrat. Mais, *per favore*, qu'on le laisse respirer en civil.

La scène de ce soir l'amusait beaucoup. Enfin une cérémonie où il ne jouait presque aucun rôle... La tradition voulait qu'au terme de la deuxième journée de mer, le commandant offrît un cocktail. L'appareillage, à Durban, s'était accompli la nuit tombée. Les croisiéristes avaient eu fort besoin des vingt-quatre heures suivantes pour trouver leurs repères, s'habituer à la houle diffuse, au rythme du bord, à sa monnaie virtuelle, aux horaires des repas en deux services, au moyen de harponner une chaise longue près de la piscine (recette d'astuce et d'esquive), à l'ennui qui est un puissant ressort des voyages. Maintenant, on était amariné, on était en famille et l'on allait fêter ça.

Le buffet avait été disposé dans la cafétéria jouxtant le théâtre. Un buffet tout en relief : colline de carton sous la nappe, monceau de glace sous les canapés à la crème d'anchois, pyramide de tranches d'ananas ou de pastèque – les mêmes denrées qui, à plat, auraient paru fades, semblaient magnifiées, multipliées. Le passage à la troisième dimension procurait aux yeux l'illusion de l'abondance et plus encore : d'une ressource infinie. On n'a plus de pétrole, on a du caviar. Ou plutôt des œufs de lump. Ou de hareng. Mais à volonté.

Au-delà, les portes ouvraient sur le bridge deck, sur le grand large. Quelques marches, quelques tables sous des parasols jaunes et bleus, et l'on atteignait la rambarde qui surplombait les remous de l'hélice. Par contraste, l'océan était couleur d'algue bistre ; la nuit, très noire, escamotait les nuages, enveloppait chacun de son exhalaison chaude. Il ne pleuvrait pas avant minuit. Des lampions se balançaient allègrement et l'orchestre, après la danse de *Zorba*, entonna *Plaine, ma plaine*.

Angelo, qui ne voulait pas être le père Angelo, suivit des yeux Martin Korb. Ce dernier trinquait avec le commandant. Voilà, pensa-t-il, intrigué, un homme singulièrement agité, et un homme qui se donne beaucoup de peine pour enrober ce qui l'agite. Un astrophysicien. Que vient donc faire un astrophysicien dans un endroit pareil ? Puis il se prit à glousser silencieusement, retourna contre lui-même l'interrogation : et toi, clerc en disgrâce, ex-cureton sans ministère, papiste banni du Vatican, quelle est donc ta fonction ici, serais-tu l'aumônier supplétif de cette baleine en goguette, de ce cachalot en rut ? Vas-tu entendre leurs confessions, l'un après l'autre, entre deux séances d'aérobic, entre deux soins au centre de beauté Zibeline ?

Autour du buffet, le combat faisait rage comme autour de tous les buffets du monde. Plusieurs tactiques s'entrelaçaient. Celle dite du saumon l'emportait – on remonte lentement de table en table, à contre-courant, tel l'animal en route pour frayer. Mais cette méthode dynamique était mise à mal par celle, plus rustique, de la sangsue. Il s'agit de s'adosser à la table, ce qui en interdit l'accès aux autres et permet, moyennant un simple quart de tour, le ravitaillement furtif. La technique du galant homme n'était pas non plus délaissée. Empruntez leur coupe à deux dames assoiffées, puis foncez avec la fougue du mousquetaire au service de la Reine. Abandonnez enfin les dames mais conservez les verres…

De son passé diplomatique et romain, Angelo avait hérité une science très sûre des petites manœuvres. Lui-même se tenait à l'écart, dans une quasi-pénombre. Il ne bougeait plus, les bras croisés, la mine tranquille, paraissant ignorer que la lumière indirecte dessinait harmonieusement son profil aigu, son nez fort et fin.

Il oublia l'orchestre (*Les Yeux noirs*). Il négligea les mouvements browniens qui l'intriguaient : ces bouches avides de s'empiffrer comme si elles n'allaient point, dans l'heure, passer à table. Il contemplait les femmes. À volonté. Il aimait contempler les femmes en action, il aimait la façon dont elles s'engagent, dont elles trahissent l'excitation, il aimait que les femmes, créatures endurantes et courageuses, fussent capables de s'exalter à la vue d'une paire de chaussures. Et, précisément, ce soir, il aimait le flottement qu'avouaient leurs tenues. Une croisière, c'est « chic », n'est-ce pas ? Et le « cocktail du commandant » *a fortiori*. Mais elles avaient hésité et elles avaient eu raison. Certaines avaient opté pour la robe longue, d'autres pour la jupe légère. Les unes avaient choisi le talon haut, les autres la sandale. Ainsi du mascara, du fond de teint, du blush. Des bijoux et des accessoires. Et Angelo Romano était ravi qu'elles divulguent la palette de leurs fantaisies.

Il était heureux d'être né dans un pays où les femmes osent tout, réellement tout, et son contraire, son contraire intégral, où rien ne les endigue, ni la vulgarité ni le raffinement. Où les lèvres des filles, en éclat, le disputent à la pourpre cardinalice. Angelo n'aimait pas les cérémonies mais il aimait les femmes sans réserve, et leur savait gré de ne jamais étancher la curiosité qu'il leur portait. Son hypothèse, quand Don Juan conte fleurette à deux servantes en même temps, n'était pas que le séducteur déploie froidement des astuces recuites pour les abuser l'une et l'autre mais qu'il les désire vraiment toutes deux, avec la même disponibilité, la même conviction, et que l'intérêt du personnage est là, dans cette fringale vertigineuse. Vu son état, semblable inclination constituait chez Angelo ce que son professeur de grec, jadis, au grand séminaire gris, eût appelé solécisme – soit une construction syntaxique incorrecte.

L'expérience lui avait appris que, lors de chaque soirée, une femme émerge. Une seule. D'elle-même. Il suffit de garder les yeux ouverts. Angelo ignorait l'instinct du chasseur, dédaignait l'embuscade. Il ne traquait pas les femmes, il ne voyait en elles ni proies ni objets de collection, et il plaignait sincèrement les hommes qui s'imaginent les posséder, qui s'abaissent à les harceler ou à les payer. Il attendait, il suffisait d'attendre.

Elle riait toute seule. Elle avait empoigné une bouteille de champagne, s'était installée à distance de la cohue, avait commencé de remplir la flûte qu'elle tenait dans la main gauche puis s'était interrompue, secouée. Elle riait vraiment de bon cœur et se dirigea vers lui, comme désireuse de partager, toutes affaires cessantes, les raisons de sa bonne humeur. C'était une femme grande, élégante et fluide, certainement pas toute jeune. Elle portait une robe sombre et droite, égayée, sur les épaules, par un carré de mousseline. Des chaussures hautes à bride. Pas de bijoux, hormis deux longues boucles d'oreilles qui accentuaient l'ovale du visage. La bouche et les pommettes étaient hardiment maquillées à la gloire de deux yeux violets.

– Vous aimez le champagne ?

Pas de « *padre* », pas de « mon père ». Elle savait pourtant à qui elle avait affaire : Angelo Romano n'avait pas été présenté avec moins de pétulance que Martin Korb auquel il devrait donner la réplique. Ancien conseiller, au Vatican, près de la deuxième section de la secrétairerie d'État. Auteur de *L'Église irréformée*, ouvrage qui lui valait de purger un quasi-exil à Heidelberg, suivi d'une *Apologie des libertins* traduite en quinze langues, détail propre à garantir son indépendance financière, non à dissoudre les contentieux avec sa hiérarchie.

Il tendit une flûte vide.

– Je ne vais pas bouder mon plaisir.

– Je vous préviens. Vous allez être déçu...

Elle lui montra l'étiquette. Le « champagne » était, en fait, un crémant baptisé Marquise de Pompadour et *made in India*. Il goûta, réfléchit une seconde.

– C'est ce qu'on appelle un transfert de technologie. Cela pourrait être pire.

– Vous êtes un homme indulgent…

Une Milanaise. Une Milanaise branchée. L'habitude des cocktails, l'art d'aborder n'importe qui, d'évoquer n'importe quoi. L'art, encore, d'effleurer et d'être effleurée sans égratignure. Elle doit, rumina-t-il très vite, travailler dans une galerie. Ou une maison d'édition. Ou une société de production télévisée. Non, pas ça, elle n'est pas assez jeune, elle n'est pas assez dure, elle s'intéresse trop à ses interlocuteurs. Qu'est-ce qu'elle fiche ici ?

Elle ne disait rien, le laissait chercher. Elle n'essayait pas de meubler le silence et le regardait comme il la regardait, avec quiétude. Ses yeux enregistraient la stature tout en hauteur, le costume de lin.

– Je m'appelle Ines Magri, dit-elle. Dans la vie, je travaille aux pompes funèbres. Nous devons dîner ce soir à la même table, je crois…

Ils furent interrompus par Massimo Pajetta. Le Grand Animateur annonçait que le commandant Santucho était tout disposé à serrer personnellement la main des passagers qui le souhaitaient, et que cet échange serait immortalisé par les photographes du bord.

– On y va ? suggéra Ines.

– Vous êtes sérieuse ?

– Bien sûr. Je serre la main du capitaine. Demain dès l'aube, le garçon de cabine m'apporte la photo pour quinze dollars. Et après, j'épate mes copines.

– Ça épate encore les copines, un uniforme et des galons dorés ?

– Si vous aviez bien voulu devenir évêque, vous n'auriez aucun doute là-dessus.

– Même pour épater mes copines, je ne serais pas allé jusque-là…

Ils rirent à nouveau. Une longue file s'était formée. L'orchestre attaqua *Nous irons à Valparaiso*. Deux photographes encadraient le commandant et mitraillaient à tour de rôle les croisiéristes qui s'avançaient d'un pas solennel. Angelo nota que beaucoup d'entre eux accompagnaient leur poignée de main d'une inclinaison de la tête, comme s'ils saluaient le shah de Perse ou l'ambassadeur plénipotentiaire de Vanuatu. Santucho, lui, restait souriant et stoïque comme sont les gens de mer soumis à la retenue. C'était un personnage ramassé sur lui-même, musculeux, avec une vraie gueule d'homme du vent : pommettes bleuies, paupières froncées, et, dans le dessin de la bouche, l'annonce que, s'il se prêtait de bonne grâce à la mascarade, c'est qu'il en avait ainsi décidé.

– Au suivant ! bramait un des photographes. Allons mesdames et messieurs, avançons, avançons !

Ines prit docilement la file.

– Vous m'étonnez, dit Angelo.

– Je suis invitée sur ce bateau. Ça fait partie du jeu, donc je joue le jeu. Rien ne m'obligeait à venir.

La file ne progressait guère. Angelo Romano s'aperçut que le professeur Korb l'observait avec une pointe d'ironie dans l'œil.

– Alors, on s'amuse ? questionna le scientifique.

– On est là pour ça, non ?

Korb s'éloigna avec un petit geste fataliste de la main. Ines Magri reprit la parole :

– Vous m'avez déconcertée, tout à l'heure…

Angelo lui répondit par un haussement de sourcils.

– Oui. Quand je vous ai parlé de mon métier, des pompes funèbres, vous êtes bien la première personne qui n'ait pas réagi au quart de tour.

– C'est une blague, voyons. Un test.

Il s'exprimait sur le ton de l'évidence.

– Eh non. Ça n'est pas une blague. Mais peut-être un test. Vous avez quelque chose contre les croque-morts ?

Non, pensa-t-il en sondant les yeux violets d'Ines. Rien. Absolument rien contre.

À bord de l'*Imperial Tsarina*, la nourriture était le fil conducteur de la vie sociale, le sujet majeur des discussions, l'arme suprême des maîtres du navire. Le petit déjeuner, servi fort tard, se prolongeait par un apéritif accompagné de pizzas, de quiches, de nems, de friands à la saucisse, bref de ces choses empâtées qui calent sans appel. Puis venaient les deux services du déjeuner (fromage *et* dessert). À cinq heures, le « thé » drainait tout un cortège de pâtisseries, de madeleines, de palmiers, d'amandines. Vers dix-neuf heures, tapas, mezzés ou zakouskis. Et le dîner, lui-même (fromage, dessert *et* mignardises), n'avait rien d'une conclusion. Au sortir du spectacle – chaque soir, le théâtre Balalaïka offrait quelque nouveau programme –, un buffet tentait d'entraîner vers le bar les spectateurs prêts à se coucher. Mais ce n'était pas fini. Sur le coup de minuit, pour les oiseaux nocturnes, pour les accros de la piste de danse ou du casino Raspoutine, un barbecue, aux quatre coins du bridge deck, allumait sa braise. Vers trois heures du matin et jusqu'au petit jour, des plateaux de sandwiches assuraient la liaison avec les croissants de l'aube. Car il fallait que la continuité ne fût jamais rompue, que le rempart de la bouffe fût sans lézarde aucune.

Dans quel but ? se demandait Korb. La question était vaste et les réponses multiples. Faire s'abattre sur les passagers une chape de satiété. Les inciter à boire, à boire constamment et de tout : si le solide était compris dans le tarif global, le liquide – qui reste une affaire personnelle – se trouvait facturé en extra. Les lester jusqu'à ce qu'ils végètent aussi passivement que possible, perdent le sens du rythme, de l'espace. Autour de la piscine, sur le pont supérieur, nombre de créatures plus ou moins nues demeuraient ainsi pratiquement immobiles, épandues à plat dos, cuisses entrouvertes, main sur le ventre, dans une pose trop languide pour parachever la masturbation dont elle figurait le prélude. Plus généralement, il s'agissait, selon Korb, d'assimiler la fête à l'incontinence. D'inciter les passagers à se lâcher – et à lâcher l'oseille.

C'était plus fort que lui, c'était inscrit dans ses gènes : Korb appartenait à l'espèce des fouineurs. Non seulement il collectionnait les détails, les symptômes, mais il en devenait l'accoucheur. Il savait par profession qu'un fait scientifique n'est pas une découverte mais une invention, qu'il faut le construire, sur terre comme au ciel. Et il accumulait, contre le système Pajetta, une foule d'indices concordants. Les signes d'une manipulation réfléchie, analogue au jeu des glissières qui, en laboratoire, façonnent et transforment le chemin labyrinthique des rats. C'étaient, ce sont toujours des petites choses. Huit bouteilles de vin chilien pour le prix de sept, pourvu que la commande soit passée avant midi. Le maillot offert en supplément des jambes au centre de beauté Zibeline. La manucure gratuite, ce jour et ce jour seulement, au salon de coiffure Éléna, pour le prix d'une couleur. Un lot de nuisettes pure soie, il n'en reste que vingt et une. Et le bon docteur syrien qui, las des coups de soleil et des gastro-entérites, avait enrichi son cabinet de paravents japonais et proposait aux clientes, « tant qu'à faire », de « se débarrasser du frottis annuel ». J'aurai tout vu, ricanait Martin Korb. Même un gynécologue de marine…

Ce n'était pas seulement la ruse commerciale qui l'exaspérait. Le supplément gratuit du service payant, le supplément payant de la croisière payée. C'était le côté *cheap* de la manœuvre. La croisière des *happy few*, tu rigoles ! En tête de gondole, les *happy few* ! Korb était déçu d'être déçu. Conférencier sur un paquebot, cela lui était apparu, quand l'invitation avait été formulée, comme une offre plus ou moins luxueuse. Il n'aurait certes pas accepté si Véra ne l'avait laissé seul et si la dernière vague des crédits de recherche avait été honorée. Mais, abandonné et trahi – dans l'ordre –, sans épouse et sans budget, il avait estimé que c'était un moindre mal, une manière de répondre au mépris par le mépris. Et maintenant, il se demandait quelle place il occupait dans l'économie ajustée de la croisière, à quelle promotion il servait d'appât. Une « croisière mystère » dont les étapes se dévoilent au fur et à mesure, pourquoi pas ? Mais des causeries sur le mystère devant un public de femelles rougies et de mâles cuits au bar, quel intérêt ? Et puis il ne sentait guère ce curé mondain...

– Professeur ?

C'étaient de vieilles gens, terriblement intimidés. Ils s'étaient « habillés » pour dîner. Elle arborait toute sa réserve d'or, lui portait un nœud papillon.

– Professeur, voudriez-vous nous accorder un autographe ? Ça nous ferait un souvenir.

Il sortit un stylo et inscrivit son paraphe sur le carnet qu'ils lui tendaient.

Tandis qu'il opérait, il devina une présence obscurément néfaste. Un des deux photographes de tout à l'heure s'était mué en vidéaste et filmait. Pour la postérité ? Certes non. Pour le DVD qui serait, à la fin du périple, vendu aux passagers (Korb entendait la voix de Peter Ustinov racolant pour le spectacle de Lola Montès : « Entrez entrez, mesdames et messieurs, un souvenir inoubliââble... »). Il faisait partie de la troupe, désormais, au chapitre des attractions et phénomènes. Ses solliciteurs le remercièrent avec effusion. Et lui, sous l'œil de la caméra, sous l'œil de Pajetta, opinait comme un veau.

La coursive qui conduisait au restaurant était affligée d'une décoration spéciale. Tentures aux fenêtres, aquarelles aux murs, arche de rideaux à volants. Et comité d'accueil. Chaque soir, les quatre meneuses de la revue attendaient les dîneurs en tenue de combat. Cette dernière variait suivant le thème du spectacle. Hier, elles étaient tsiganes. Aujourd'hui, elles dansaient le cancan. Elles se tenaient, donc, devant la grande porte, jupe écarlate relevée à deux mains, en culotte blanche et porte-jarretelles noir, épanouies sur commande. Un photographe, bien sûr, était de la partie (huit dollars le petit format, quinze le grand) et invitait les hommes à prendre la pose entre deux « créatures ». « Moulin des amours, tu tournes tes ailes », serinaient les haut-parleurs.

Korb ralentit le pas pour mieux voir les filles, et plus longtemps. Elles étaient ravissantes. Des Russes aux longues jambes, à la peau rose. Elles avaient l'arrogance de la beauté, de la jeunesse, et plus encore : l'absolue détermination des transfuges qui ont gagné l'autre rive. Korb avait fréquenté l'ex-Union soviétique pour toutes sortes d'échanges, de colloques et de programmes. Il avait taillé sa route à bord de wagons incroyablement lents, guettés par des hordes de chiens à chaque arrêt. Il se rappelait le défilé des bouleaux sur la vitre, durant des nuits entières. Il se rappelait aussi la manière dont beaucoup de jeunes femmes, par moins vingt degrés, s'obstinaient à marcher en talons hauts sur la glace, à refuser la silhouette engoncée, désexualisée, de la babouchka toute ronde, à braver la dèche et les éléments, superbes. Depuis, il ne tolérait plus les blagues anti-blondes.

Une des quatre danseuses le troublait. Elle chantait aussi. Et bien. La veille, malgré Pajetta déchaîné sous les projecteurs dans le rôle de Monsieur Loyal, il n'avait pu quitter le théâtre à cause d'elle. Peu importait la fausse puszta et tout le bazar. Cette femme avait une voix et surtout un timbre qui vous arrachaient la tripe et la testostérone. Plus la chanson était ringarde, mieux elle l'habitait, la détournait, transformait mon-amour-tu-me-manques-mon-amour en blues d'outre-Don. C'en était presque indécent. Personne, ici, ne demandait aux artistes d'être bons ni de réciter Shakespeare. Un Bulgare (qui, par ailleurs, à table, jouait le sommelier) se prenait pour Balanchine, massacrait ingénument des entrechats grotesques, et tout le monde trouvait cela épatant. On n'était pas là pour Claudel ou Tennessee Williams. On n'était pas non plus à Las Vegas où les meilleurs mafieux de la planète affichent les meilleurs shows de la planète. On était sur l'*Imperial Tsarina*, ex-*Aphroditi*, ex-*Sea Miss*, ex-*Firmament*, ex-*Eagle*, ex-*Haïfa Star*, ex-*Loukoum II*.

N'empêche. Korb ne bougeait plus et la fille l'avait remarqué. Malgré la vulgarité de la tenue et de la situation, il restait interdit. Une belle voix, tu parles ! C'était une belle bouche qui le clouait sur place, tandis que le contournaient les hôtes du restaurant. Une bouche de poupée russe, charnue, ourlée, ponctuée, aux commissures, de fossettes vermeilles. Une bouche ronde dans un visage rond, oriental. La bouche sourit et Korb se sentit en faute.

– Vous semblez sous le charme, professeur ! On s'amuse ?

Angelo Romano le regardait avec une affabilité trop ironique pour être honnête. Korb eut envie de lui coller son poing dans la gueule.

La grande salle à manger était organisée par tables de huit convives. Une fois pour toutes, lors du premier repas, chacun avait reçu son affectation. Personne n'en était vraiment satisfait mais le caractère inéluctable de la chose contraignait les uns et les autres à composer. Et c'était le but recherché. Le commissaire de bord, un grand garçon joufflu assez mal rasé, avait pour politique, d'accord avec l'armateur grec, d'embarquer un maximum de couples, ce qui simplifie tout : le logement, la cuisine, le programme d'excursions, l'hygiène, et la sécurité dans les coins sombres. Une table, en principe, réunissait donc quatre couples dont deux, rapidement, sympathisaient avec enthousiasme tandis que les deux autres boudaient en silence.

Pour paraître plus nombreux, les serveurs avaient consigne de se déplacer très vite. Ils excellaient à l'ouvrage, se croisaient habilement en tous sens, et avaient le pied marin. L'enchaînement des deux services imposait un respect minutieux de l'horaire. Pas de temps, donc, pour les chichis et les révérences. Mais d'autres astuces procuraient l'illusion du grandiose. Le menu, petite feuille volante, était inséré dans une chemise cartonnée spectaculaire, à l'effigie de Neptune et d'Amphitrite, qui s'ouvrait théâtralement. Le chef de rang, d'une seule main prompte et sûre, déroulait leur serviette sur les genoux des dames. Et l'on souriait, constamment, à pleines dents. Le corps de ballet étant intégralement originaire de l'Inde et recruté parmi les castes inférieures dont la peau est foncée, ces sourires concomitants s'allumaient comme des phares à éclipse, palliaient la lumière trop froide des appliques rococo.

Tous les croisiéristes connaissaient déjà le premier maître d'hôtel, Ronnie. Petit, rond de corps, rond de visage, rond de l'œil, rond de verbe, Ronnie donnait l'impression de ricocher d'un angle à l'autre comme une boule de billard. En deux jours, c'était acquis, il était universellement populaire et chaque passager aurait juré qu'il avait reçu de lui une confidence privée. À l'un il racontait, en onze mots, le cyclone Hugo. À l'autre, en sept, les plages baba cool de Goa, son île natale. Marin aguerri, Ronnie ne déviait jamais de sa route. Mais, virtuose de l'hôtellerie, il s'appliquait à posséder et inculquer les propriétés du caoutchouc, matière qui se déforme à volonté sans jamais renier sa configuration d'origine. Ronnie, évidemment, ne s'appelait nullement Ronnie. Pas plus que ses acolytes ne s'appelaient Charlie, Woodie, Bertie, Freddie ou Dodie. Il avait simplement été convenu que les Indiens du restaurant porteraient des pseudonymes yankees tandis que le personnel de cabine, philippin et catholique, emprunterait à l'Évangile une kyrielle de Joseph, Matthieu, Thomas, Lazare ou Jean-Baptiste.

Korb avait étudié tout cela. Il avait aussi remarqué que les seuls à se déplacer lentement, à écouter sans compter, à parler sans hâte, au restaurant, étaient les sommeliers. Tous bulgares (comme le faux Balanchine) mais tous affublés de surnoms italiens. C'est que le vin, avait-il conclu, mérite négociation, surtout quand il est vendu huit fois le prix d'origine. En outre, la nourriture était si congelée, si « internationale », si fade sous un océan d'émulsions rosâtres, que les échansons recommandaient aux clients de choisir un vin pour lui-même, pour le plaisir de la découverte, non dans l'inaccessible but d'assortir la boisson et le mets. Et ils avaient raison.

La seule table à géométrie variable était celle du commandant. Il ne l'occupait pas toujours, laissant à ses officiers le soin d'assurer un brin de figuration en uniforme blanc. On passait ainsi du second capitaine slovène au second mécanicien crétois. Mais ce soir, après « son » cocktail, le pacha était de quart. Santucho en personne présidait les agapes – « timbale de princesses de la mer au citron des îles », « sole Dugléré », « pousses vertes et rouges au vinaigre de Modane », « quadrille de fromages », « délice des Mascareignes avec son coulis de fraîcheur tropicale ». Étaient priés, pour la circonstance, les deux conférenciers, le magicien russe Aliocha (troisième et dernier « maître du mystère »), Ines Magri, et une Américaine vive et potelée, en froufrous vert pomme, répondant au nom de Pamela Hotchkiss. Un carton, devant chaque assiette, affichait les patronymes.

Il paraissait nerveux, le commandant, contrarié même. Il fit signe à Ronnie.

– Vous n'avez pas vu le chef mécanicien ?

– Non, commandant.

– Rappelez-lui par l'interphone que nous l'attendons à la salle à manger.

– Bien, commandant.

Tandis que les dîneurs étaient presque tous assis et que les voltigeurs de Ronnie se lançaient sur la piste, le capitaine et ses invités, eux, restaient debout près de la table, les bras ballants.

– Normalement, il est ponctuel, insista Santucho, cachant de moins en moins sa gêne devant le retard grossier du chef.

Il parlait français et Angelo s'en étonna pour tenter une diversion.

– Mon père était espagnol, expliqua le commandant. Il s'est réfugié en France après la guerre d'Espagne et s'est retrouvé dans un camp. Ma future mère, une Toulousaine, l'a aidé à s'évader. Et je suis né français.

– Moi aussi, figurez-vous, annonça Pamela Hotchkiss avec une touche d'accent parisien fort inattendu. Avant de rencontrer mon mari, j'habitais métro Pyrénées. Il y avait des vignes à l'angle de la rue Piat et de la rue des Envierges, des dealers, des squatters, c'était un monde !

– Je ne savais pas que Pamela était un prénom français, plaisanta Angelo.

– Moi non plus, rétorqua Mme Hotchkiss. Mes parents m'avaient baptisée Jeanne-Yvonne. Mais mon mari trouvait ça imprononçable.

– M. Hotchkiss ne se joindra pas à nous ? questionna le commandant.

– Non, il se couche généralement avant huit heures avec un potage. Dès que la nuit tombe, il s'effondre…

Ines traduisit l'échange en anglais pour Aliocha, le magicien. Lequel resta impassible. C'était un homme longiligne qui n'avait guère plus de trente ans. Son teint était si pâle qu'on l'aurait cru maquillé. Ni son corps ni les traits de son visage n'exprimaient la moindre émotion mais ses yeux liquides, par contraste, saillaient et semblaient très mobiles.

– Bon, assez attendu, on commence, dit Santucho. Madame Hotchkiss, venez ici, à ma droite. Madame Magri, à ma gauche s'il vous plaît… Professeur, près de Mme Hotchkiss. Mon père, près de Mme Magri…

– S'il vous plaît, commandant, je préférerais que vous m'appeliez par mon nom, très simplement. Je suis ici en tant que théologien, en tant qu'intellectuel. Pour le reste, Rome m'a relevé de tout ministère.

– Comme vous voudrez, monsieur Romano.

– Angelo. Ça serait plus simple encore.

Santucho se fendit d'un grand sourire.

– D'accord Angelo. Appelez-moi Shrimp !

– Pardon ?

– *Captain Shrimp*. Crevette. C'était déjà mon surnom à l'école du Havre parce que j'étais le moins baraqué.

– Ils ne vont pas tarder à se tutoyer, ces deux-là ! observa Pamela Hotchkiss.

Ronnie, Woodie et Freddie apportaient les « princesses de la mer », c'est-à-dire des moules à l'avocat. Et le sommelier débouchait un bordeaux rouge. L'Américaine de Belleville suspendit son geste :

– Là, mon garçon, vous avez tout faux. Je sais que la mode est à la dictature du *vino rosso*, mais avec ces choses-là, ça ne passera pas. Vous n'auriez pas un petit blanc de Loire, un quincy, un savennières ? Ça nous ferait oublier le carton bouilli qui est dans notre assiette…

Le Bulgare italien ignorait tout de ces appellations mineures. Il fila prendre conseil en coulisses. La table devenait presque joyeuse, hormis le magicien qui ne bronchait guère. Korb lui-même s'assouplit quelque peu, comme étonné de découvrir, dans le troupeau des croisiéristes, des êtres pensants. À l'heure de la sole Dugléré (filets congelés nappés d'une sauce dégelée), il tenta d'expliquer dans la langue des profanes comment les couples d'étoiles à neutrons se forment après l'explosion des supernovae.

Il n'était pas mauvais pédagogue mais Angelo Romano n'écoutait que d'une oreille distraite. Se baissant pour ramasser sa serviette, il s'était aperçu qu'Ines, sa voisine, avait des jambes exquises. Il faillit même lui en faire compliment à l'oreille mais l'arrivée du chef mécanicien bouscula tout.

Ce dernier était rouge brique, haletant. Il traversa la salle comme un météore, au risque d'expédier à terre les serveurs. Ses yeux étincelants de fureur encadraient un nez curieusement aplati, comme s'il avait pratiqué la boxe au-delà du dernier round. Il se laissa choir sur une chaise.

– Creux est un enculé, cracha-t-il.

Santucho montra qu'en toutes circonstances un capitaine reste maître de ses émotions.

– Je vous présente Robert de la Mare. En trois mots. Notre chef. Pour nous, c'est Be-bop. Il était fameux à la batterie dans son jeune temps.

– Enchantée, répondit Pamela, très mondaine. Peut-on savoir qui s'appelle Creux ? C'est un homme ou c'est un chien ?

– Entre les deux, expliqua le chef mécanicien. Plutôt un chien mais ça me gêne de parler comme ça parce que j'aime bien les chiens. C'est mon graisseur depuis douze ans et le pire connard que j'aie jamais rencontré. Pourtant j'ai fait sept fois le tour de la terre. On l'appelle Creux parce qu'il n'a rien dans le chou et, moi je vous le dis, c'est pas rien qu'il a, c'est moins que rien.

– Peut-être pourrions-nous garder les questions de service pour plus tard, lança le commandant d'un ton sans appel.

– Écoute, Shrimp, répondit Be-bop sans se démonter, tu sais pourquoi on a perdu cinq nœuds cet après-midi ? Tu sais pourquoi ? Parce que l'autre abruti de Creux n'a même pas été foutu de me passer un coup de Kärcher dans les filtres de la pompe 3. Je le lui ai demandé à Mombasa ! Pas hier : à Mombasa, quand on a fait le refuelling, mais faut croire que c'était trop demander. T'aurais vu le filtre primaire, bourré de merde bien grasse, de quoi s'enfiler la septième compagnie même avec une poignée de clous !

– Be-bop !

– Ça ne peut plus durer, Shrimp. Elle a vingt-huit ans, cette putain de bécane. Si on laisse filer, on part à la déchetterie. Je les ai inversés, les filtres, tu as dix-huit nœuds maintenant. Mais dès que je tourne le dos, il recommence. Tu le sais bien, Shrimp, tu le sais bien ! Ma particule, elle fout peut-être le camp, mais la partie tête, elle tient encore !

Il tremblait d'indignation. Ines et Pamela retenaient mal un rire partagé. Korb ne cachait guère sa perplexité, Angelo souriait, et Aliocha, qui paraissait ne rien comprendre, s'était transformé en statue de cire. La plupart des dîneurs, autour d'eux, avaient achevé leur repas et gagnaient la sortie. Dans peu de temps, les décibels émis par Robert de la Mare seraient audibles par tous. Santucho avait perçu que ses hôtes n'étaient pas de ceux qui s'indignent d'un gros mot, ni même de plusieurs. L'incident diplomatique n'était pas le sujet du moment. Il s'agissait plutôt de calmer le chef. Le commandant connaissait la parade, et Ronnie aussi. Un regard suffit. Vingt secondes après, une assiette de charcuterie était déposée devant Be-bop qui se jeta dessus. Tant qu'il mâchait, il se taisait, et tant qu'il se taisait, il reprenait ses esprits.

Ines éprouvait de la sympathie pour le capitaine. Cet homme-là n'avait rien de guindé, ne se souciait guère de paraître, évitait les enfantillages ordinaires des mâles ravis de jouer au commandant. Elle lui tendit la perche cependant que le dessert était servi :

– D'où vous est venue cette idée de croisière mystère, d'itinéraire caché aux passagers ?

– C'est une idée...

La perche était généreuse mais le chef avait terminé sa mortadelle.

– C'est pas une idée, Shrimp, sois honnête. C'est un truc, un truc à Marios Soteriades. L'armateur. Soteriades, moi, je l'aime bien. Dans le genre truand, c'est un bon truand. Il a imaginé une astuce pour qu'on aille chercher le fuel où il est le moins cher, les taxes portuaires où elles sont les moins chères, et les ananas où ils sont les moins chers. Comme à l'époque où, Shrimp et moi, on faisait du tramping en cargo. On partait plein nord, puis on recevait l'ordre d'aller ici ou là, suivant le cours du cacao ou de la mélasse. Et voilà : Marios Soteriades a inventé le tramping avec passagers !

Pamela libéra son rire. Les autres suivirent. Même Korb. Et même Santucho.

– Vous alors, vous n'êtes pas faux cul, dit l'Américaine. Si mon mari vous avait connu plus tôt, il vous aurait embauché comme secrétaire – il disait toujours que les secrétaires racontent des craques et dorent la pilule.

– Qu'est-ce qu'il fait votre mari ? demanda Be-bop.

– Tueur. Tueur professionnel. À la Bourse, il repérait les entreprises qui étaient mourantes, il les achevait et il leur faisait les poches. Ça m'a toujours indignée !

– Vous l'avez épousé pour son fric ?

– Bravo ! vous avez compris que mes caisses sont pleines, c'est même pour ça que je suis assise à la droite du commandant. Et pourtant non, ça n'est pas son fric que j'ai épousé. C'est un mariage d'amour. Je le trouvais intelligent et d'ailleurs il l'était, il l'est encore par moments. C'est assez rare, vous savez, un homme intelligent.

– Au temps pour nous ! plaisanta Korb sans même se rendre compte qu'il était presque détendu.

La voix de Massimo Pajetta, relayée par tous les haut-parleurs du bord, le ramena vers l'aigreur.

– Comme promis, comme promis les amis, voici l'indice du soir, l'indice qui vous permettra de deviner notre prochaine destination et de remporter le prix de sagacité. Attention, écoutez bien : *Je vous emmène en enfer. JE VOUS EMMÈNE EN ENFER.* Réfléchissez. C'est facile, c'est très facile. Et n'oubliez pas qu'à 20 h 45 nos danseuses emplumées vous attendent pour une grande soirée Moulin-Rouge au théâtre Balalaïka.

Ce fut répété en anglais international, allemand international, espagnol international. L'italien était italien.

Santucho se leva de table, imité par ses convives.

– Vous supportez ça, commandant ? questionna Korb.

– Les marins sont par définition habitués au compromis. Ni la mer ni le vent ne nous obéissent. Alors le reste…

– Le reste on s'assoit dessus, confirma le chef mécanicien.

– Savez-vous au moins où nous sommes, à défaut de savoir où nous allons ? demanda ironiquement Ines.

Captain Shrimp releva sa manche gauche et consulta la grosse montre qu'il portait :

– Latitude 19 degrés 51 minutes 15 secondes sud. Longitude 40 degrés 56 minutes 25 secondes est. Cap 27 compas.

 Vitesse fond 19 nœuds. Si Magellan avait eu ce gadget, il ne serait pas entré dans la légende.

– Au jusant, ça fera un bon nœud et demi de moins, dit Pamela. Le canal du Mozambique a des marnages non négligeables. Et en baie d'Andavakotoko, les fonds remontent très vite. Et puis tâchez d'expliquer à votre gentil organisateur que M. Hell n'était pas le diable mais l'amiral français qui gouvernait l'île Bourbon. Il a donné un coup de main à la reine de Nosy Be, c'est pour ça que la ville porte son nom.

Shrimp ouvrait des grands yeux.

– Vous naviguez ?

– J'ai navigué, répondit Pamela. J'ai navigué dans une autre vie. J'aimais les cartes marines, elles vous obligent à penser qu'il y a quelque chose sous la mer. Notre yacht s'appelait *Ylang-Ylang*. Il faut être fou pour ne pas aimer Madagascar. Ça paraît loin, captain Shrimp, j'avais des cuisses minces en ce temps-là…

Après un mot de remerciement, les autres s'égaillèrent. Shrimp retint Pamela. Il la regardait avec une sorte d'affection intriguée.

– Il faut que je monte à la passerelle. Voulez-vous m'accompagner puisque vous vous intéressez aux cartes ?

– Eh ! Je l'ai vue le premier, dit le chef mécanicien, épanoui.

– Va tuer Creux et fais-toi tout petit, répliqua sèchement le commandant.

Robert de la Mare s'éloigna en ricanant. Dans la coursive, la musique était d'Offenbach et, franchement, ç'aurait pu être pire. Chacun, ce soir, croyait s'être installé, pensait avoir déchiffré les codes et les usages des semaines à venir. Le faux champagne Marquise de Pompadour avait produit l'effet attendu, celui d'un baptême, d'un rite de passage, comme on franchit l'équateur, comme on se range parmi les initiés.

Et pourtant – nul, à bord, ne s'en doutait une seconde –, la croisière mystère n'avait pas même débuté.

CHAPITRE 2
OÙ CREUX GARDE SON SECRET

Ines Magri aurait cru le sexe d'Angelo Romano plus grand. Plus long, en tout cas. À cause de son nez. La rumeur soutient que le pénis et le nez sont de proportions équivalentes. Tel n'était pas le cas. Il était certes de dimension admissible et de diamètre intéressant, le pénis d'Angelo. Mais sa particularité se trouvait ailleurs : il n'était pas rectiligne. À l'approche du gland, il bifurquait soudain, et cette sinuosité était, dans l'étreinte, cause de palpitations insolites. Nue près d'Angelo nu et endormi, tous deux côte à côte sur le dos, Ines caressait très légèrement ce sexe opportun, l'entourant du pouce et de l'index, et profitait de la bizarre érection mécanique dont héritent les hommes en fin de nuit pour mener son compagnon vers un réveil suave.

S'était-il aperçu qu'elle n'avait pas fait l'amour depuis une éternité ? Elle ne le pensait pas. Les choses s'étaient enchaînées de manière très simple, sans aucune fébrilité, sans ivresse, sans désordre, et cela lui convenait à merveille. Après le dîner, ils avaient marché sur le pont, laissant la plupart des croisiéristes confluer vers le théâtre. Un peu de vent s'était levé et des éclairs lointains illuminaient, sans autre conséquence, la bordure des nuages. Ils s'amusaient de l'ambiance entretenue par la programmation musicale.

Sous les ponts de Paris
Le soir quand vient la nuit...

Puis ils avaient croisé le chef mécanicien, très affairé mais l'air beaucoup plus amène qu'à table.

– Vous n'allez pas voir le spectacle ? avait demandé Be-bop.

– Je ne crois pas, non, avait répondu Ines.

– Vous savez, le soir, il y a trois catégories de passagers sur un paquebot. Ceux qui sont sûrs de ne pas baiser et qui oublient ça au casino. Un tout petit paquet. Ceux qui ne vont probablement pas baiser et qui tuent le temps au théâtre parce qu'on ne sait jamais. Ça, c'est le gros de la troupe. Et puis ceux qui ont tellement hâte de baiser qu'ils filent au lit à neuf heures. Ça, c'est les jeunes mariés pendant la première semaine, et quelques veinards. Allez ! bonne nuit !

Il avait disparu vers un escalier.

– Ce lascar ne fait pas dans la dentelle, avait commenté Angelo, plus prudent qu'offusqué.

Ines l'avait regardé droit en face, sans ciller.

– À votre avis, nous appartenons à quelle catégorie ?

Puis elle avait marqué un temps d'arrêt, regardé sa montre.

– 9 h 10. On va être en retard, non ?

Elle aussi occupait une cabine mauve, mais de l'autre côté du navire. Elle avait insisté pour qu'il vienne chez elle, arguant que c'était à la fois plus pratique et plus discret. Il l'avait déshabillée lentement, l'avait touchée, léchée, fouillée, et, après un temps de passivité délicieuse, elle lui avait répondu dans la même langue. Elle tremblait, non parce que son corps n'était plus jeune – cela, elle l'avait admis à la dure et maintenant elle se livrait sans réserve, presque sans pudeur – mais parce que ces gestes lui paraissaient arrachés au passé, au monde enfui. Angelo l'avait-il perçu ? Il s'était montré généreux, il l'avait remerciée du désir qu'elle lui inspirait.

Je sais à présent, songeait Ines tout en effleurant le sexe de son amant, pourquoi j'ai accepté ce cadeau invraisemblable, cette croisière. J'avais envie de faire l'amour. J'avais sacrément envie de faire l'amour. Je ne me l'étais pas avoué, mais je partais en goguette comme les dames esseulées qui rêvent de moniteur velu au Club Med. Ma vieille – c'est le cas de le dire –, ton hypocrisie est abyssale.

Un curé, c'était parfait. Surtout un beau curé, cultivé – par les temps qui courent, l'affaire n'est pas dans le sac –, doté d'un vrai sens de l'humour, pas clérical pour deux sous, et muni d'un sexe coudé dont il maîtrisait l'usage. Un curé entier. Un anticuré, en quelque sorte. Mais assez curé pour qu'il ne fût pas question d'attaches sentimentales, de brûlures et de jalousies, bref de tout ce dont elle avait achevé le deuil depuis la mort de Marcello. J'ai trouvé l'homme idéal, ironisait-elle silencieusement.

Ses caresses avaient éveillé Angelo mais il se gardait bien de le trahir, continuant de respirer lentement, régulièrement, ce qui n'était pas si facile en pareilles circonstances. Ines lui plaisait doublement. Parce qu'elle était libre, parce qu'elle avait l'esprit clair, la parole franche. Et parce que son âge, sa beauté menacée tempéraient ce qu'une aussi farouche autonomie aurait pu susciter de morgue. Nue, il la jugeait superbe. Il appréciait les défauts de son corps, le ventre et les muscles relâchés, la peau friable. Il regardait les jeunes filles, les jeunes femmes, parées de leur fraîcheur irréfléchie, comme des dons du ciel, des oiseaux de paradis. Mais il les désirait moins – c'était déjà vrai vingt-cinq ans plus tôt – que celles dont la beauté est volontaire, celles qui regimbent fort au-delà du lifting et des baumes, qui cultivent leur faim comme une énergie précieuse, qui ne basculent pas vers le maigre et le douceâtre. Ines était de celles-là et il l'admirait.

Tout ce qu'il connaissait d'elle après une nuit peu bavarde, c'est qu'elle était veuve d'un mari cinéaste. Angelo adorait les veuves. Ou bien elles se dessèchent, se muent en cerbère gardien de l'héritage, ou bien elles portent à son apogée une science éclatante de l'abandon avec la fougue de ceux qui ont rongé le provisoire jusqu'à l'os. Ses premiers ennuis, à Rome, n'étaient pas nés de hardiesses théologiques mais d'une erreur d'appréciation. Il partageait une jolie veuve avec un prélat adjoint au secrétaire d'État (qui n'était pas au courant de cette relation bilatérale) et elle avait commis le péché de bavardage. La foudre s'était abattue sur lui. Pour seule consolation, il avait découvert, plus tard, que la veuve ne l'était pas, ce qui l'avait un brin réconforté quant aux vertus de l'espèce.

Ines perçut qu'Angelo ne dormait plus. La peau est indiscrète. Elle accentua, de manière infinitésimale, la pression de ses doigts. Il lui répondit en agaçant, du dos de la main, la pointe de ses seins, qu'elle avait promptement érectile. Ils restèrent un bon moment sans parler, guettant leurs sensations, dans la lumière feutrée que livraient, à travers les rideaux, deux hublots rectangulaires. Elle s'étonnait elle-même de l'avoir retenu quand il avait proposé de la laisser, de rentrer chez lui. C'était contraire à ce qu'elle avait résolu mais, au moment de la séparation, elle avait eu envie d'aurore, de corps à son côté. Elle le savourait et se le reprochait à la fois.

C'est Angelo qui rompit le silence.

– Est-ce que j'aurai enfin droit à la vérité sur cette histoire de croque-mort ?

– Je ne mens jamais. En fait, j'étais maquilleuse sur les tournages de mon mari. Quand il y avait un travail un peu lourd, c'était pour moi. Marcello était exigeant, il traitait des sujets complexes, avec des films en costume. Souvent, nous mettions des semaines, des mois, avant de trouver la gueule d'un personnage.

– Et ça nous mène aux pompes funèbres ?

– Mais oui. Quand Marcello est mort, je l'ai maquillé. Je ne l'ai pas rendu à la vie mais j'ai essayé de le rendre à lui-même. Ensuite, j'ai cessé de travailler au studio, c'est quelque chose que je ne pouvais plus envisager sans lui. Et on a fait appel à moi pour les défunts. C'est compliqué et intéressant. Il faut connaître le mort, ou du moins avoir un point de vue sur lui. Savez-vous que j'ai maquillé Jean-Paul II ?

– Grand Dieu !

– C'est vous qui le dites... De temps en temps, je reviens aux vivants, je donne des conseils pour une opération spéciale. La dernière fois, ça m'a valu un trophée, et le sponsor du trophée, à la clé, offrait une croisière.

Elle avait, un instant, suspendu les caresses. Elle reprit son mouvement et eut un petit rire.

– Et voilà pourquoi je vous branle, mon cher.

Angelo sentit la jouissance venir, se cabra un peu. À l'instant exact où son sperme se libérait, une clameur épouvantable inonda la coursive, envahit le bateau comme l'eau glacée noyant le *Titanic*. Un cri sadique et forcené déferlait, le cri de Nosferatu gavé du sang d'une blanche victime. Ils sursautèrent en chœur et mirent quelque temps à saisir le message. Cela roulait, meuglait. Il fallait beaucoup d'attention pour y trouver un sens. Mais ils trouvèrent. La voix hurlait :

– BONYOUR !

Huit heures précises. À cet instant, il leur faisait presque peur. Ronnie et le commissaire de bord, après le traditionnel briefing matinal, observaient Massimo Pajetta planté devant un micro à pied dans lequel il éructait avec une acrimonie qui essayait de se travestir en enthousiasme. *GOUTEUNE-MORGUEUNE.* Bien sûr, son irritation était compréhensible. Le bateau avait pris du retard, on n'arriverait pas à la tombée du jour mais en pleine nuit et il faudrait tirer des bords jusqu'à l'aube. *BOUENASSEDIASSE.* Et l'on serait contraint d'improviser, pour les excursions, avec les piroguiers, les skippers de voiliers, les guides pour la jungle, les conducteurs de minibus. *OHAYOO.* Mais un bateau n'est pas un métronome, ça se saurait. Depuis le temps qu'il roule sa bosse, il doit être au courant, Massimo, il atteint l'âge critique et c'est pour ça qu'il est si nerveux. *GOUDEMOR-NINGUE.* Il va vouloir la peau du chef mécanicien, il va vouloir notre peau à tous, il va se plaindre à l'armateur que cette croisière, sa croisière à lui, est massacrée par une bande de bras cassés. *BOUONNEDJIORNO.* Flexibles, il n'a pas cessé de nous bassiner avec ça, il nous a expliqué en long et en large combien la croisière mystère permet d'injecter de la flexibilité dans l'exercice le plus planifié du monde qui consiste à transporter mille humains d'un point à un autre. *DOBRIIDEN.* Mais plus inflexible que lui, tu meurs, camarade, tu meurs.

Pour comble, Pajetta, même en petit comité, même gagné par la rage, même blanc de sueur, souriait encore, si bien que sueur et bave s'agglutinaient aux coins de ses lèvres.

Relayée par des kilomètres de câblages nichés dans les faux plafonds, la clameur n'épargnait aucun recoin du bateau. Elle atteignit Pamela Hotchkiss tandis qu'elle rinçait le corps tassé sous la douche de Norbert, son mari, l'ex-tueur aux neurones foudroyants. Elle faillit faire commettre à l'impassible Aliocha, le magicien, une erreur de la main gauche tandis qu'il esquissait, sur la table du petit déjeuner, un tour de close-up. Elle provoqua une bousculade entre Freddie et Dodie, les serveurs, tous deux plateau à bout de bras, l'un entrant en salle et l'autre sortant, l'un avec un double café noir, l'autre avec un chocolat. Elle arracha des piaulements aux quatre danseuses qui chaussaient, synchrones, une paire de joggings.

Et elle enflait encore. Après son bonjour *urbi et orbi*, le Grand Animateur alignait à présent les rendez-vous de la matinée : 9 h 45, tournoi de fléchettes ; 10 h 00, initiation œnologique avec nos sommeliers italiens ; 10 h 45, leçon de danse ; 11 h 15, course de (petits) chevaux ; 11 h 45, aérobic ; 12 h 00, concours de cocktails... Traduit, si l'on ose s'exprimer ainsi, en toutes langues, cela se muait en déluge de phonèmes déversés en vrac.

– Le bromure, y a plus que ça ! dit Be-bop, s'enfonçant l'index de chaque main dans les oreilles.

Santucho-Shrimp et lui se tenaient à la passerelle, près des consoles de communication, VHF, GSM, BLU, Inmarsat. Kyung Soon, l'homme de barre coréen, et Slivovice – surnom qui lui venait d'un penchant avéré pour l'eau-de-vie de prune –, le second capitaine slovène, leur tournaient le dos, trop loin pour les entendre. L'horizon était vide, la houle imperceptible. Malgré les nuages et une menace de pluie,

malgré les stores, la lumière était insidieusement agressive.
Aucun bruit de machine ne montait jusque-là, à peine une vibration des tôles et des planchers. Hormis les vociférations de Pajetta, tout respirait la quiétude. Mais les deux marins avaient la mine chiffonnée et des yeux d'insomniaque.

– Je blague pas, poursuivit le chef mécanicien, hargneux. Faut que tu le calmes ou je vais être obligé de le soigner avec une clé de douze. Direct dans les dents, et ça repousse pas.

– Laisse, on a assez d'emmerdes comme ça.

– Justement, c'est pas la peine d'en rajouter.

– Chacun son job, Be-bop. Occupe-toi du tien, j'ai l'impression que ça sera suffisant pour le moment.

Le chef s'empourpra.

– Shrimp, si tu veux dire que je suis débordé par les événements, dis-le, dis-le, tourne pas autour du pot…

– Je veux dire que ni toi ni moi ne savons pourquoi le moteur n'arrête pas d'étouffer et de repartir. Après la pompe 3, c'est la 7, et quand tu as nettoyé la 7, la 3 remet ça. J'aimerais comprendre et toi aussi.

– L'autre pédé de Creux…

– Creux n'est pas pédé. Quand il était novice, il a lardé un second mécanicien qui lui avait mis la main au cul. Tu le sais très bien. Alors arrête avec Creux. Tu ne me feras pas croire que c'est juste une histoire de coup de Kärcher oublié !

Be-bop, au lieu de monter *crescendo*, comme d'habitude, parut soudainement oublier sa rogne. La voix chuta de deux tons, le nez vira du rouge au rose.

– Ça fait vingt-trois ans, Shrimp…

– Dont douze avec moi, oui…

– Ben j'ai jamais vu ça. Jamais. Et j'en ai vu, des tours de con, j'en ai vu. Tu te rappelles quand le réducteur s'est mis en botte…

– Reste avec nous, Be-bop. Ça se passe aujourd'hui.

– Dès que j'inverse les filtres et que je nettoie, la pression de combustible remonte. Partout, dans la pompe nourrice, dans le séparateur, dans la caisse à décantation, je trouve une espèce de gélatine, comme du gras. De la merde en barre. La centrifugeuse produit une sorte de boue d'un côté, et de la flotte de l'autre côté. Il passe où, le fuel ? Je ne sais pas quelle saloperie on trimballe dans les fonds de cuve, mais dès qu'on sera au mouillage, moi je mets tous les gars sur la caisse journalière.

– Ça sera long ?

– Cinquante mètres cubes, c'est pas rien. Tu pompes, tu dégazes, tu nettoies. Un vrai chantier. J'ai besoin d'un jour.

– Pas possible. On y sera à huit heures, je veux repartir à minuit.

– Alors faut que le bosco me donne cinq ou six Jaunes.

– Tu ne pourrais pas parler autrement ?

– S'ils étaient pas jaunes, les Jaunes, ça se saurait, non ? T'es raciste ou quoi ?

Shrimp savait que Be-bop n'était pas raciste mais qu'il avait quelques démêlés langagiers avec le politiquement correct. Il haussa les épaules.

– Après ça, on sera bons ?

– Roule ma poule et cap sur l'étrave ! Mais ça coûtera une prime. Il va couiner, l'armateur.

– Il va couiner mais il va payer. Un petit paquet d'heures sup', et au mouillage, ça n'est rien à côté d'une immobilisation à quai. Je l'appelle tout de suite.

Shrimp empoignait déjà le combiné du téléphone satellitaire. Le chef eut un gloussement.

– Dis-lui que s'il paie pas, on fait la grève de la faim…

– Je te crois capable de beaucoup de choses, mais là, tu m'étonnerais !

Le chef se dirigea vers l'escalier.

– Puisqu'on n'apprécie pas ma conversation, je m'en vais retrouver les oubliés du sous-sol.

– Embrasse Creux pour moi, rétorqua Shrimp.

Mais il avait disparu. Slivovice se manifesta.

– On ralentit, on n'est plus qu'à quatorze nœuds.

Shrimp décrocha l'Inmarsat et composa un très long numéro.

On ne peut pas tout avoir. Korb détestait les lits jumeaux. Il avait, certes, hérité d'une baignoire, mais avait été privé de grand lit – denrée rare à bord des paquebots. Pour le reste, il goûtait le large sabord donnant sur la mer, le bureau et les chevets en loupe d'orme, les lampes de laiton très « vieille marine », l'épaisse moquette. Tout cela sonnait faux, tout était traité « à la manière de » et à base de polymères. N'empêche, le résultat était assez *cosy*. Son garçon de cabine, Joseph, Philippin en gants blancs, lui avait apporté un petit déjeuner plus copieux que somptueux – comme le décor. Mais, là aussi, la cible était atteinte. Le frêle Joseph arborait en permanence un sourire radieux. Il faisait amplement état de sa piété catholique et assurait Korb que, chaque soir, il priait pour lui.

Les beuglements, dans la coursive, se prolongeaient, et le professeur était lui-même surpris de n'en être pas plus affecté. Il était pourtant question de son apport à la croisière. Pour la circonstance, Massimo Pajetta baissa la voix d'un cran. « Ne manquez pas, ne manquez surtout pas notre première grande rencontre mystère. Un grand scientifique et un grand théologien vont, devant vous, confronter leurs points de vue. Un choc de titans, mes amis. Vous qui aimez réfléchir, vous pour qui une croisière est aussi l'occasion de se cultiver, je vous donne rendez-vous à seize heures au cinéma Babouchka... » Un grand ceci, un grand cela... Pouvait-il deviner, le grand braillard, que le grand professeur Korb, après onze ans de grandes recherches qui n'avaient pas engendré moins de vingt-sept grandes publications, était échoué sur le sable comme un narval dérouté et crevait la gueule ouverte faute des dollars qui lui auraient permis de conclure ?

Hier encore, Martin Korb aurait éprouvé, entendant Pajetta, la brûlure d'une giclée de bile, valant rappel de sa disgrâce. Qu'est-ce qu'il fabrique, Korb, depuis qu'il a perdu la main ? Un coin de labo au Québec ? Mais non, vous ne trouverez pas : il vend ses causeries sous les tropiques, il fait des ménages au bord de la piscine... Oui, hier encore, il aurait remâché la dérision ambiante. Mais, depuis hier, une nuit s'était écoulée.

Comme tout le monde ou presque, après le dîner, il s'était d'abord rendu au théâtre. On sentait qu'un rythme était pris. Plus d'hésitation sur la tenue : à l'exception des soirées spéciales annoncées comme telles, chacun avait admis que la décontraction était de rigueur. Les femmes s'étaient vite changées et se contentaient d'agrémenter leur petite robe ou leur pantalon corsaire d'un boa de plumes vertes, d'une ceinture de pièces d'or ou d'une rivière de diamants fantaisie achetés à la boutique idoine, Natacha's, qui multipliait les promos sur les accessoires. Pour une bouchée de pain.

Beaucoup de croisiéristes étaient arrivés très en avance et avaient occupé les fauteuils des premiers rangs. Lui, qui se présentait au dernier moment, était rejeté vers les ténèbres extérieures, vers les travées du fond. Ses voisins étaient le couple âgé et timide qui lui avait demandé un autographe avant le dîner. Désœuvré, il avait engagé la conversation. Tout semblait les effrayer. La nourriture étrangère. L'abondance d'étrangers. Et puis ce voyage qui ne menait vers rien de précis. Ils avaient, disaient-ils, décidé de rester à bord aux escales, on ne sait jamais. Les enfants et petits-enfants s'étaient cotisés pour leur offrir une surprise, cinquante ans de mariage ça n'est pas rien. Et, eux qui n'avaient jamais quitté la Corrèze où ils avaient été horlogers jusqu'à la retraite, ils attendaient que le temps passe en serrant les dents, en demandant, le soir, une salade sans trop d'huile à

62 la place du « duo de saumon avec sa choucroute de fenouil aux agrumes ».

Reste que la foule était joyeuse. Et Pajetta populaire. Il avait choisi de faire son entrée avant le lever de rideau en traversant la salle. Il arborait un costume gris perle très « Paname », un œillet rouge à la boutonnière, un nœud papillon et un chapeau claque. Il s'arrêtait fréquemment, serrant une main ici, riant d'une plaisanterie là, comme s'il évoluait au milieu de vieux camarades ou comme s'il briguait la Maison Blanche. L'orchestre – russe et bulgare – avait entonné *Je m'en vais voir les p'tites femmes de Pigalle*. Et Korb, d'un coup, s'était rendu compte que la plupart des passagers de l'*Imperial Tsarina* s'amusaient pour de bon.

Il se sentait seul et grincheux, et il l'était.

Le spectacle oscillait entre Nuit des Miss et colonie de vacances. La bonne volonté des artistes était entière, mais l'entreprise elle-même était flageolante et la logistique élémentaire. Le décor se résumait à une diapositive géante représentant la tour Eiffel ou la place du Tertre. Les costumes, en revanche, tournaient à une vitesse hallucinante pour faire accroire que des centaines de figurants se pressaient en coulisse. Si la troupe n'excédait pas, outre les musiciens, sept ou huit personnes, les malles de vêtements occupaient probablement une cale entière. Et les poncifs succédaient aux clichés. Le faux Balanchine, tâchant d'incarner Valentin le désossé, avait réussi une parodie involontaire de Buster Keaton. C'était, comme à l'accoutumée, le sourire des filles, leurs jambes levées, leur allant, et le contraste entre la peau claire et les jarretelles noires qui sauvaient la soirée du naufrage.

Aux yeux de Korb, c'était surtout la violente beauté de l'une d'entre elles, toujours la même. Celle qui chantait aussi. Il n'était pas dans ses habitudes de lorgner les demoiselles, en tout cas pas plus que de raison. Il n'avait jamais dragué d'étudiante, harcelé de collègue féminine ni sérieusement trompé Véra, son ex-épouse (par « sérieusement », on comprendra que les nuits de colloque sont parfois, rarement, des interludes sans lendemain). Et, de sa vie, il n'était jamais, voyant une femme marcher sur le trottoir à sa rencontre, tombé en arrêt, les yeux fixes, balbutiant des choses incompréhensibles. Si Korb avait été un amateur de comédies musicales, il aurait su que les histoires fortes commencent fréquemment par une brouille ou par un éblouissement. Mais il ignorait combien les comédies musicales sont instructives et, là, il était pris de court.

Deux pauses, deux plages de repos glissées dans le charivari pseudo-parisien, l'avaient touché de manière incontrôlable. Une première fois, l'orchestre s'était tu, les projecteurs s'étaient éteints. Puis quelques notes de piano, de pianola plutôt, avaient annoncé le rond d'un unique spot. Svetlana – ainsi Pajetta l'avait-il nommée – était en fourreau noir contre le rideau noir. Et elle chantait Bruant.

On l'appelait Rose elle était belle
A' sentait bon la fleur nouvelle...

Pour un peu, Korb aurait versé une larme. Il essayait de se raisonner, de se dire que la chanson populiste ne l'avait jamais chaviré, qu'il jugeait le Sacré-Cœur atrocement laid, qu'on était en mer sur l'océan Indien, et que cette grande Russe blonde ne ressemblait guère à Édith Piaf. Sans résultat. Le timbre, la diction de Svetlana, loin de desservir la chanson, l'éloignaient de la rengaine, lui rendaient une fraîcheur intacte. Si elle avait chanté *Nini Peau-d'Chien*, Korb aurait sans doute connu le même frisson. Il n'était d'ailleurs pas le seul. Quand Rose s'était éteinte, si blanche que les croque-morts l'imaginaient défunte le jour de ses noces, le public était resté inerte, souffle coupé. Et c'est Pamela Hotchkiss qui avait rompu le charme, se levant d'un jet, applaudissant à tout rompre, et gueulant : « Bravo, bravo, toi t'es d'chez nous... » Korb l'avait aussitôt imitée. Svetlana s'en était aperçue, lui adressant un regard avant de saluer.

L'autre moment marquant était un tour d'Aliocha. Le magicien se révélait excellent manipulateur. Il évitait la frime et la pose, dédaignait la vulgarité de ses confrères « modernes » qui entrent en scène dans un fracas de pulsations électroniques, tandis que des éruptions de fumée naissent sous leurs pas, et se défont d'une cape argentée ou d'une armure de *Star Wars*. Non, il perpétuait la haute école. Rien dans les mains, rien dans les poches, habit noir et chemise blanche, manches relevées. Et un simple trait d'alto pour accompagner ses gestes économes. Puis il avait – c'était plus banal mais toujours apprécié – truffé Svetlana de coups de lame. Le tour était impeccable et classique. Korb n'y prêtait guère attention. Autre chose le sollicitait. Il était choqué par la tenue de la « partenaire », par son string, par la docilité qu'elle affichait, appât, chose molle aux ordres du maître. Il était choqué de voir l'interprète rare se transformer en poupée dévêtue, et apparemment guère plus troublée que cela par le changement de rôle.

Plus tard, il avait dirigé ses pas vers le casino Raspoutine. Ce dernier était situé sur le troisième pont, celui du restaurant. L'appellation, au demeurant, s'avérait un peu ronflante. Passé la porte (colonnes lumineuses, enseigne clignotante), on découvrait en antichambre quatre bandits manchots, puis le « casino » proprement dit, soit une petite pièce juste assez vaste pour accueillir une table de black-jack et une autre de roulette. Trois jeunes femmes en strict tailleur noir tenaient les jeux, et un Africain rectangulaire, doté d'un smoking blanc, cachait sous une bonhomie souriante sa fonction de videur (Korb reconnut le grand Noir qui saluait chaque arrivant, à Durban, en lui souhaitant la bienvenue). Les murs étaient quadrillés de miroirs qui ouvraient le champ, muaient la salle étroite en galerie des glaces. Du coup, les quelque vingt personnes assemblées autour de la roulette – l'autre table était inactive – paraissaient cent.

Pour tuer le temps, sans passion aucune, Korb avait joué sagement. Vert ou rouge, pair ou impair, passe ou manque, il évitait les chiffres, divisait les gains pour les replacer prudemment, et gagnait peu mais régulièrement, en bon père de famille. Personne ne lui prêtait attention. Car un homme, lui, jouait sérieusement, c'est-à-dire comme un fou. Il était entouré de compagnons qui n'osaient l'imiter mais l'invitaient à poursuivre. Il perdait, forcément. Son teint était gris, sa peau luisante. La jeune personne qui donnait et ramassait les jetons avait revêtu le masque inexpressif des croupiers à la besogne, des experts en ratissage anonyme. Seule, une femme, peut-être l'épouse ou la compagne du perdant, observait la scène avec un dégoût avoué, mais il semblait que cela même encourageait le joueur à s'enfoncer.

– Arrête, Jimmy !

Il la regardait d'un œil vide et obstiné, et partageait ses ultimes plaques en deux tas.

– Le 6 et le 9, c'est nos chiffres fétiches, hein chérie ?

L'irruption d'Aliocha avait détendu l'atmosphère. Ce dernier s'était placé dos au mur, et avait entamé, sans un mot, une série de tours de cartes qu'il enchaînait avec une virtuosité confondante. Chaque pirouette arrachait aux spectateurs un cri d'admiration, un applaudissement, mais lui ne saluait pas, se contentait de hausser les épaules d'un air triste, comme si l'art qu'il déployait ne méritait aucune récompense – on se demandait, toutefois, si c'était là simple modestie ou si l'artiste jugeait son public trop médiocre pour que l'approbation eût la moindre valeur. Korb admirait le magicien de travailler ainsi devant des miroirs, et tentait vainement de surprendre une main furtive. Mais rien. Ce qu'il aperçut était tout autre. C'était l'image de Svetlana, de sa bouche. Elle était adossée, dans l'entrée, à une machine à sous, et le fixait du regard.

Il avait aussitôt oublié le casino Raspoutine, il avait oublié Jimmy et sa femme en pleurs, il était allé droit vers elle, tournant le dos au magicien. Svetlana souriait.

– Je voulais vous remercier d'avoir lancé les applaudissements, professeur. J'aime bien essayer des chansons comme ça, pas des standards, j'ai l'impression d'être une chanteuse.

Son accent était irrésistible. La façon dont elle roulait les *r* était irrésistible. Son fourreau noir, celui de tout à l'heure, était irrésistible. Sa broche d'argent était irrésistible. Elle était irrésistible.

– Mais vous l'êtes, chanteuse. C'était sincère. Complètement sincère. Puis-je partager un verre avec vous ?

– Au bar, on ne sera pas tranquilles. Il y a encore pas mal de monde, ceux qui dansent le disco, ils veulent tout le temps que je boive avec eux. Mais si vous m'apportez une margarita près de la bibliothèque, personne ne viendra nous déranger.

Elle s'en allait déjà.

– Avec du sel, précisa-t-elle. Autour du verre.

Elle avait disparu.

Un quart d'heure plus tard, accoudés à la rambarde, ils entrechoquaient leurs coupes. La nuit était opaque, les haut-parleurs s'étaient tus, l'agitation du bord se concentrait sur le bridge deck d'où parvenaient quelques bouffées de musique à danser, et où les barbecues commençaient d'être allumés. Un vent soyeux s'était levé et rafraîchissait la

68 nuit. Quelques gouttes, de temps à autre, s'écrasaient sur eux, et c'était agréable.

– On vous appelle Svetlana, c'est ça ? vérifia Korb.

– Oui. Ma grand-mère avait insisté pour que je porte le même nom que la fille de Staline. Mourmansk, vous savez, c'est un peu la Stalingrad du Nord. Même après la perestroïka, nous avons gardé nos monuments soviétiques. Audessus de la rade, il y a une immense statue, celle d'un simple soldat, qui symbolise la résistance aux nazis. On veut bien oublier le reste, mais pas ça.

Svetlana se confiait volontiers. Elle avait appris le français et l'anglais à l'école sans jamais quitter son pays. Jusqu'à l'âge de dix ans, elle habitait Severomorsk, cité fantôme, absente des cartes, mais base très réelle des sous-marins nucléaires où son père était atomicien. Jusqu'à la chute du mur de Berlin, on y vivait très bien, en vase clos, sans souci de ravitaillement, sans connaissance non plus du monde extérieur. Presque sans désir de le connaître. Ensuite, tout avait basculé. Son père était mort d'un cancer de la gorge, la famille avait migré vers Mourmansk, vers la ville civile, et découvert qu'il n'y avait là ni emploi ni espoir. Les chantiers navals s'effondraient, l'industrie également, la flotte de pêche était divisée par trois, les émoluments des fonctionnaires n'arrivaient plus.

– On n'y trouvait pas un seul homme adulte. Ils étaient morts, ils étaient à Moscou ou ils étaient en mer. Même aujourd'hui, si vous habitiez Mourmansk, professeur, toutes les femmes vous courraient après.

– Ça doit être agréable.

– Pas du tout. Elles s'en fichent que vous soyez beau ou laid, elles s'en fichent de vous, de la couleur de vos yeux, elles n'ont aucune intention de vous aimer. Elles veulent un homme pour avoir un salaire à la fin du mois. Et parce qu'elles ont peur, aussi. Vous êtes marié, professeur ?

– Je suis presque divorcé.

– Presque ?

– Les derniers papiers... Ma femme est partie avec un autre. Je ne le souhaitais pas, on peut dire ça comme ça. J'ai essayé de me consoler un peu avec une chercheuse, une correspondante étrangère. Alors ma femme a rappliqué, folle de rage, et m'a collé dans les pattes son avocate, une professionnelle très efficace.

– Mais c'est elle qui était partie !

– Oui. Mais elle était partie par ma faute, c'est devenu la version officielle, parce que les hommes ne pensent qu'à leur carrière. Elle est très féministe, mon ex, très à cheval sur les principes. Il a fallu que je vende ma maison... Je suis ici pour me changer les idées.

Il s'était tu un moment. Elle ne bougeait pas, elle sirotait sa margarita. C'est lui qui avait repris :

– Je n'ai pas l'habitude de raconter ma vie... Et vous, comment êtes-vous arrivée de Mourmansk sur ce paquebot ?

Svetlana lui avait alors parlé de Boris Eduardovitch Balakirev, dit BB. Le plus gros armateur de pêche, à Mourmansk, l'homme qui avait racheté tout ce qui était rachetable, depuis les ateliers de vison rasé jusqu'à une brasserie, en passant par un brise-glace nucléaire avec lequel il emmenait des touristes très fortunés au pôle Nord. Svetlana, à cause de son anglais courant, et sans doute de sa bouche en cœur, avait été embauchée comme hôtesse sur l'immense navire orange dont le taux de becquerels ambiants restait un secret d'État. Mais les touristes étaient ravis. Au pôle, on stoppait, on descendait sur la banquise, on se mettait en rond, on se donnait la main, et l'on chantait à la verticale du trou dans la couche d'ozone.

Du coup, l'enquêteur Korb avait commencé à percer l'énigme de la *Tsarina*, l'invraisemblable cocktail de tropiques et de balalaïka, de cocotiers et de Volga offert par la compagnie Splendid. Boris Balakirev, respectable entrepreneur qui envoyait ses porte-flingue à ceux qui l'accusaient d'être une figure de la mafia émergente, avait décidé d'investir dans les navires à passagers, considérant que la pêche, tributaire de normes et de quotas qu'il s'efforçait d'esquiver, allie investissement lourd et rendement fluctuant. Il était en affaires avec un armateur grec, Marios Soteriades, qui récupérait ses chalutiers en fin de course pour les donner à la démolition, et qui achetait pour lui des bâtiments moins délabrés. Ainsi étaient-ils convenus de monter une *one-ship company*, et d'acheter un paquebot. Soteriades en serait le gestionnaire, BB l'actionnaire principal. Et quelques cousins de Mourmansk, protégés du patron, y gagneraient un emploi. Voilà comment l'ancien *Loukoum* était devenu *Tsarina*. BB y tenait, bien que son propre père fût un bolchevique au-dessus de tout soupçon et un rescapé, avec compte en Lituanie, de la nomenklatura chancelante.

– Pour moi, avait conclu Svetlana, c'est beaucoup plus qu'une chance. Nous sommes des naufragés, nous autres. Ça n'est pas par hasard si les Russes sont les champions du monde des chansons tristes.

Korb avait envie de l'écouter encore, de la consoler. Elle choisit la fuite.

– Mais je suis trop bavarde. Allez, bonne nuit professeur.

En partant, elle avait déposé un baiser sur ses lèvres. Une esquisse de baiser.

– Chez nous, même les hommes le font, ça n'engage à rien.

Et, sautillant, elle s'était fondue dans l'obscurité, contournant le socle d'une cheminée.

Korb avait choisi, pour retrouver sa cabine, de passer par l'extérieur, par les ponts, d'éviter le puits central, l'ascenseur. Pas une âme. Où donc étaient passés les croisiéristes ? Chacun était-il rangé dans son tiroir de fer comme les dormeurs éternels à la morgue ? Y avait-il un moment où Pajetta lui-même demeurait immobile, où il fermait la bouche, où il masquait ses dents ? Korb, repassant la conversation dans sa tête, découvrait tout juste que le bateau était habité par des êtres différenciés, que la chape des réjouissances programmées fonctionnait peut-être en trompe l'œil, gommant les aspérités, leur substituant une toile peinte. Le paquebot taillait sa route dans la nuit. Où se trouvait-on ? Quelque part dans le canal du Mozambique, 800 milles sur

350. L'idée venait soudain à Korb que des êtres éveillés s'affairaient tandis que d'autres étaient abandonnés au sommeil, et que ce partage des rôles, cette veille permanente et invisible, faisait la beauté des navires.

Il longeait les chaloupes de sauvetage quand une silhouette s'était dressée devant lui et l'avait d'abord effrayé. Aliocha. Son masque était plus blanc et inexpressif que jamais.

– Alors, elle vous a plu ? avait questionné le magicien.

– Pardon ?

– Ma femme. Elle vous a plu ?

– Votre femme ?

Korb ne feignait pas l'étonnement.

– Oui, Svetlana. Ma femme. Elle vous a plu ?

– Mais vous parlez notre langue !

– Vous ne me répondez pas.

– Bien sûr qu'elle m'a plu.

– Elle plaît beaucoup aux Français, n'est-ce pas ?

C'était dit avec une sorte de ricanement. Nulle agressivité. Aliocha paraissait trop maître de lui pour céder aux fureurs d'Othello. Et, justement, ce mélange de calme dans l'attitude et d'impatience dans le discours créait plus qu'un malaise. Korb avait été saisi d'une trouille irraisonnée. Il s'était dérobé en bredouillant. L'autre n'avait pas bougé, observant sa retraite.

Autour de la piscine, on commentait le deuxième indice fourni par Pajetta. Il semblait indéchiffrable : *Nous laisse-*

rons le Cratère à bâbord. Sachant que le « prix de sagacité », octroyé à qui découvrirait avant dix-huit heures la prochaine escale, consistait en une croisière à la voile vers une mystérieuse « île des tortues sauvages », l'excitation était sincère. Tout en s'enduisant avec méthode de crèmes grasses, les heureux qui avaient conquis une chaise longue discutaient presque sérieusement.

– Qui dit cratère dit volcan.

– Ça n'est quand même pas le Piton de la Fournaise à la Réunion, c'est trop loin pour une étape !

– Il n'y aurait pas un volcan sur l'archipel qui est en haut à gauche de Madagascar ?

– Les Comores, vous voulez dire ? Très bien les Comores, on a eu là-bas un bungalow sur pilotis parfait, absolument parfait, d'un goût, et les gens sont tellement gentils…

– Oui mais musulmans jusqu'à la moelle. Pour boire un kir, faut se lever tôt.

– Aux Maldives, c'est encore pire, mon mari a été obligé d'apporter son propre whisky. Planqué dans la valise !

– Mais ils vous font de ces bains d'algues, on revit…

– En tout cas, y a un volcan sur la Grande Comore : le Karthala.

– Toi alors, on dirait *Le Petit Larousse*…

Pamela Hotchkiss écoutait ce bla-bla d'une oreille amusée. D'abord parce qu'elle était hors concours. Les hasards de la vie et de ses voyages lui avaient appris que le port du Cratère, sur l'île de Nosy Be, précède la pointe Mahatsinjo, ce qu'elle avait pu vérifier en consultant les cartes du commandant. Ensuite, elle préférait les gradins à l'arène, le spectacle de ses contemporains ne cessant de la distraire. Norbert et elle s'étaient installés sous un parasol. Il réclamait son *Wall Street Journal*, comme chaque jour. En mer, il admettait encore que le titre fût indisponible. Mais au mouillage, s'il l'était toujours (et il le serait), sa frustration deviendrait suraiguë. Il lui faudrait se consoler avec *Madagascar Tribune* ou *L'Éco austral*.

La chaleur commençait à monter. C'était l'heure où les plus jeunes, les plus assurées ou les plus expansives des femmes allongées enlevaient leur soutien-gorge. Les quatre danseuses russes, transformées en monitrices d'éducation physique, short jaune et T-shirt barré d'un « Splendid » fluo, emmenaient un petit peloton de joggeurs, essentiellement mâles, parmi lesquels Pamela eut la surprise de reconnaître le professeur Korb qui tirait la langue. Le temps restait gris d'argent, la mer balançait mollement le navire, et le soleil était d'autant plus traître qu'il se camouflait, se faufilait. Malgré le prochain tournoi de fléchettes, malgré l'initiation œnologique à venir, la monotonie s'était douillettement imposée et régnerait, avec l'assentiment de tous, jusqu'à l'escale. On faisait de l'ennui vertu, on se « laissait aller » comme on s'immerge dans l'eau d'une baignoire à bulles en cure de thalassothérapie.

Pamela aperçut le commandant. Il traversait le pont d'un pas vif, parfaitement contradictoire avec l'ambiance du moment. Elle se leva pour le saluer, lui adressa un signe. Mais il ne perçut rien de ses efforts. Il fonçait droit au but, oublieux des règles d'affabilité que le capitaine se doit normalement d'observer. Sur un paquebot, quelles que soient ses inquiétudes ou contrariétés, le maître à bord ne trahit, en principe, ni hâte ni déplaisir. Il n'hésite pas à s'attarder pour échanger quelques banalités avec les occupants des transats qui regardent défiler les vagues. Toute son attitude exprime la conviction que, là-haut, à la passerelle, des hommes compétents, ses subordonnés, ont les choses en main, des choses qui répondent au doigt et à l'œil.

Manuel Santucho, *alias* Shrimp, n'était pas du tout dans la note. À l'instant présent, il oubliait son rôle public. Il gardait au creux de l'oreille la voix de Be-bop signifiant qu'il était obligé, une fois encore, de ralentir. Abandonnant la passerelle à Slivovice, il avait décidé de franchir la frontière, de descendre en personne.

En bas, à la machine, où la fébrilité suintait, un seul être jubilait, et c'était Creux. De son vrai nom Fanch Le Hénaff, Creux aurait pu être surnommé Casque-d'Or tant ses cheveux blonds étaient enchevêtrés comme les mèches serpentines des Gorgones. Malgré sa proche cinquantaine, il ne grisonnait nullement. L'âge se trahissait par l'âpreté de la mâchoire, la rugosité de la peau. Il avait débuté, à quatorze ans, comme aide trancheur sur un chalutier de grande pêche, et aucune douleur maritime ne lui était inconnue. Comme Shrimp, comme Be-bop, il travaillait auparavant à bord d'un cargo dépendant de Soteriades. C'était une vie accidentée et rémunératrice, rien à voir avec la routine du paquebot.

La haine qu'il portait à Be-bop était inextinguible, au point qu'elle les soudait l'un à l'autre. En mer, ce n'était pas trop dangereux. La loi non écrite excluait la moindre agression, le moindre geste qui pût mettre en péril le bateau et ses occupants. Mais à terre, en escale, les digues se rompaient, les chemins de la vengeance étaient dégagés, et Shrimp, seul être capable d'atténuer l'emportement de Creux, veillait à ce que le graisseur et le chef ne quittent pas le bord au même moment, voire dans une plage de temps trop étroite. L'hypothèse bénigne était que l'un des deux, généralement Be-bop dont la rage était moindre, finisse dans un bassin. L'hypothèse plus lourde requérait une force d'interposition.

L'origine de cette haine paraissait mal connue et l'on se demandait parfois si les intéressés s'y retrouvaient eux-mêmes. On voyait assez bien la part imputable à la lutte des classes. Mais l'explication était trop courte, puisque Creux vouait au capitaine une grande admiration et se laissait tutoyer par lui. Il semblait, en fait, que l'origine des origines fût une lointaine expédition – Shrimp n'en était pas – où Robert de la Mare dit Be-bop avait accepté de fouiller d'assez récentes épaves, séquelles d'un ouragan. L'opération avait été profitable mais pas pour tout le monde, et l'équipage avait accusé le chef et les autres officiers de n'être rien de moins que des détrousseurs de cadavres.

Depuis, à la seule vue de son supérieur, Creux braquait sur lui des yeux bizarrement fixes. Et quand il avait bu, ce qui pouvait se produire, il se déclarait investi d'une mission, tenu de nettoyer ce monde d'une ou deux créatures, une surtout, qui n'y avaient point leur place. Voilà des années que la fatwa était lancée, mais le chef restait sur le qui-vive, persuadé qu'en vieillissant, son ennemi, loin de s'amollir, devenait plus redoutable, d'autant plus capable de passer à l'acte que le terme de leur vie commune se rapprochait.

Be-bop restait le plus souvent « là-haut », devant ses écrans, laissant au second mécanicien la surveillance du PC machine. Creux, lui, ne bougeait guère de sa fosse bruyante. Où il fait toujours bon. Où le roulis ne sévit plus. Parfois, quand la mer était agitée, il quittait sa cabine, prenait le monte-charge de service et s'en allait nicher tout au fond du fond, avec une simple couverture, roulé en boule sous le clinomètre, aux pieds de l'incontournable pin-up à poil qui veille sur tous les mécanos du monde comme sainte Anne sur les Bigoudens.

Oui, aujourd'hui, il jouissait tel un gosse sous une avalanche de sucettes, de réglisse, de Carambar et de nougats. Il le tenait, mieux qu'au bout d'une carabine. Il le regardait s'éponger, rougir, douter, gueuler. Et tu me démontes le filtre primaire. Et tu me démontes le filtre secondaire. Et tu plonges le nez dans le séparateur, et tu asticotes la pompe nourrice, et pour une fois tu mets tes pattes dans le cambouis, ça doit te faire bizarre. Et tu crois que c'est reparti, tu t'imagines que c'était juste une crasse en balade. Et tu vas remonter dans les étages chic, tu vas te pavaner devant les gonzesses en bikini.

Les yeux de Creux restaient fixes.

Mais moi, moi je te dis que c'est pas fini, moi je te dis que t'es pas près de revoir la lumière du jour, moi je te dis que ton bain de merde, tu l'as pas encore pris. Parce que je sais un truc que tu sais pas. Parce que moi, l'abruti de graisseur, je sais un truc que tu sais pas et que je vais pas te dire. Juste pour t'emmerder je vais pas te dire. Je te dirais si tu demandais poliment. Mais c'est pas demain la veille que tu aurais l'idée de demander son avis au connard de graisseur, surtout poliment. Et ça tombe bien parce que j'ai pas envie de te dire. Je vais regarder ton pif bouffé par les requins. T'es en train de te noyer, monsieur de la Mare en trois mots, et t'es même pas au courant que tu te noies.

Sitôt parvenu à la machine, Shrimp plaqua sur ses oreilles un casque assourdissant et jeta un coup d'œil circulaire. Le moteur vert et ses dix pompes tressautaient comme à l'ordinaire. C'est l'agitation des hommes qui cassait la routine. Ainsi que leur tenue. Be-bop et son second, en salopette rouge à l'enseigne de Splendid, couraient d'un point à un autre, questionnaient le personnel, débattaient à grand renfort de gesticulations. Rien de vraiment anormal, il en allait ainsi quand un pépin se produisait, notamment quand les injecteurs toussotaient, envahis de bulles d'air sous l'effet d'une houle violente.

Mais Shrimp, immédiatement, repéra Creux. Ce regard-là, il le connaissait par cœur. Il fonça vers le mécanicien et l'entraîna dans la réserve, à côté des groupes électrogènes sous cocon. Le bruit y était moindre, on pouvait parler sans hurler.

– Toi, tu sais quelque chose, dit Shrimp. Même que ça te fait marrer.

– Je sais rien, commandant.

– Tu mens, Creux.

– Faut demander au chef, commandant, c'est lui qui sait. Il est intelligent, le chef. Il est payé pour ça. On le paierait pas autant s'il était pas intelligent. Ils sont pas fous, les gens de la compagnie.

Shrimp empoigna Creux par le col et attira son visage vers le sien.

– T'as quand même pas bricolé une embrouille pour le faire tomber ?

– Alors là, alors là, si vous pouvez inventer un truc aussi tordu, c'est la fin du monde. Vous avez vu les planchers, commandant ? Nickel propres. Et dessous aussi – y a que moi qui peux vous raconter ce qu'il y a sous les planchers, même le second il se perdrait. Et vous voulez que j'aille saboter tout ça ?

Shrimp le lâcha. Il n'était pas dupe.

– Je sais que tu caches quelque chose. Ne dis pas non.

– Il va trouver, le chef, moi j'ai confiance, il finit toujours par trouver, c'est qu'une affaire de temps.

Creux souriait avec l'air de l'idiot du village.

Shrimp lui tourna le dos. À moins de le torturer, il n'en tirerait rien. Et il était résolument hostile à la torture.

La première « rencontre mystère » fut un succès. Pajetta s'était dépensé sans compter, faisant le tour des tables à l'heure du déjeuner, multipliant les annonces, dramatisant

80 le « caractère exceptionnel » de l'événement, vantant le « prestige » des orateurs, laissant entendre qu'il les avait arrachés, non sans peine, à la concurrence.

Des séminaires professionnels auxquels il participait régulièrement à la demande de Marios Soteriades, l'armateur, il avait ramené un principe : la plus belle fille du monde doit donner ce qu'elle a et aussi ce qu'elle n'a pas. En d'autres termes, rien ne sert de concurrencer le *Queen Mary*, mais il faut persuader les passagers de l'*Imperial Tsarina* qu'ils sont sur le *Queen Mary*. Le problème, c'est que les clients de la compagnie Splendid ne sont *objectivement* pas ceux de la compagnie Cunard. Ils sont moins chic, ils sont moins riches, et ils aspirent cependant à croire le contraire. C'est pourquoi Massimo Pajetta, surprenant ses collègues plus habitués au respect des castes, avait opté pour le supplément d'âme. Son pari était que, même si peu de croisiéristes se révélaient motivés par les choses de l'esprit, la plupart seraient flattés que l'esprit souffle à leur portée, et que cette proximité injecterait un peu de chic dans leur perception du produit.

L'esprit souffla et flatta. Dix minutes avant seize heures, la salle du cinéma Babouchka était comble. Certes, ne n'était pas Carnegie Hall. Il s'agissait, sur le pont inférieur, d'une assez petite pièce, fraîche et sans ouvertures, qui servait également de chapelle quand l'écran était roulé. Un coiffeur italien, qui était aussi diacre, y officiait le dimanche. La scène, pour la circonstance, était très dépouillée – trois fauteuils, trois micros et une table basse. Croisière ou pas, le public ressemblait à celui de toutes les rencontres : un tiers de dames admiratives, un tiers de curieux des deux sexes, et un tiers de badauds passant par là.

Le look de Pajetta avait subi une transformation complète. Plus de veste à carreaux ni de couleurs vives. Il arborait une chemise blanche, fort bien coupée, et tenait à la main une sorte de gros cahier, tel un missel. Sur ses conseils, Martin Korb et Angelo Romano avaient également choisi la simplicité. L'animateur ne tourna pas autour du pot. Il ressortit tous les clichés opposant la science à la foi, la croyance à la raison, la transcendance à la contingence, le doute méthodique au dogme papal, l'esprit des Lumières à l'obscurantisme. Il invoqua Galilée, Blaise Pascal et Albert Einstein. On se serait cru à l'oral du baccalauréat.

Avec un bel ensemble, les deux invités se jetèrent dans l'arène, pressés de pourfendre la bêtise humaine et les idées reçues. Ne perdons pas notre temps à enfoncer des portes ouvertes, lança le théologien, la question n'est plus de savoir, aujourd'hui, s'il faut vénérer le faux saint suaire de Turin. Jésus avait probablement des frères et sœurs, sa mère n'était pas vierge, et rien de tout cela n'entame le mystère de la foi. Cessons, plaida Korb en écho, d'offrir une image scientiste de la science. Ce n'est pas elle qui crée l'univers. Trop de mes collègues astrophysiciens parlent de la naissance du monde comme s'ils détenaient un savoir quasi divin.

Ils poussaient leur duo avec l'entrain de Carmen et d'Escamillo. Tellement en chœur que Pajetta prit la mine courroucée du journaliste chargé d'arbitrer une controverse à mort entre candidats adverses et découvrant qu'ils s'entendent comme larrons en foire, se donnent fraternellement la réplique et refusent le duel. Le spectacle de sa déception réjouit si fort les orateurs qu'ils redoublèrent d'arguments, d'exemples, de paraboles. Quand un spectateur américain, manifestement partisan des thèses créationnistes, essaya de flinguer Darwin, ils furent unanimes pour défendre ce dernier.

Pajetta souriait. Malgré quelques réticences concernant la virginité de Marie, le public applaudit chaleureusement, à l'exception du créationniste américain, escorté de quelques comparses qui clamaient au scandale et voulaient conduire droit au fagot ce théologien apostat. Bref, tout allait pour le mieux.

À la sortie, une bonne heure et demie plus tard, Ines interpella les duettistes.

– Il vous a eus. Dans les grandes largeurs !

Angelo parut fort étonné.

– Qui ça ? Qui nous a eus ? L'autre fou, le sectateur de Bush ?

– On lui a cloué le bec ! triompha Korb.

– Mais non. Massimo Pajetta. Il a enfoncé la bonne touche et vous êtes partis comme des fusées. Pas mal joué du tout. Vous étiez très éloquents, messieurs. Félicitations.

Angelo se frappa le front.

– Vous croyez vraiment que c'était exprès ?

– J'en suis sûre, répondit Ines. Il a fait l'âne pour avoir du son et vous lui en avez fourni un quintal. Ça se voit comme le nez au milieu de la figure. Je me demande franchement ce qu'ils vous ont appris au Vatican, mon ami. Allez, à plus tard. On dîne ensemble ?

Elle s'éloigna, riant, sans attendre la réponse, après lui avoir donné une petite tape amicale. Korb, d'abord vexé, fut détourné de sa pensée par la familiarité du geste.

Un pas les rattrapait dans le couloir.

– Bravo ! Mille fois bravo ! Nous étions tous suspendus à vos lèvres...

Pajetta s'adressait à eux comme s'ils lui avaient sauvé la vie. Korb, sans effort il est vrai, opta pour l'offensive.

– Pourquoi placer la barre si bas ? Ça vous intéresse vraiment de revenir un siècle en arrière ?

Pajetta ne se formalisa pas le moins du monde.

– Moi, ça ne m'intéresse pas, professeur. Mais nous devons être pédagogues, prendre les gens où ils sont. Vous qui êtes enseignant, vous connaissez tout cela par cœur...

– Mais non, s'enflamma Korb. Être pédagogue (le ton était devenu pompeux), ce n'est pas s'abaisser jusqu'à l'ignorance, c'est élever l'ignorant.

Le Grand Animateur, très fugitivement, cessa de sourire. Ses yeux rentrèrent dans leurs orbites. Sa bouche devint souple et expressive. Sa voix chuta vers le grave.

– Nous avons les mêmes buts. Imaginez que je vous aie demandé si l'idée anthropique ne tourne pas autour de la question de la singularité de notre monde, ou bien si les paramètres universaux sont ce qu'ils sont parce que, dans le cas contraire, nous ne serions pas là pour le dire. J'aurais vidé la salle, professeur. Et, comme tout un chacun, vous aimez les salles pleines. Laissez-moi tenir mon rôle, et vous, vous aurez le plaisir d'élever le niveau. À tout à l'heure, les amis...

Le rictus était revenu. Il les quitta en leur adressant, de la main, un joyeux signe d'au revoir, puis disparut au coin de la coursive. Korb était estomaqué.

– Mais d'où il sort, ce type ?

– Mon frère, répondit Angelo en lui posant une main sur l'épaule, nous devons nous montrer humbles devant l'irruption du miracle.

Lors du dîner, le « prix de sagacité », après dépouillement des réponses, fut attribué à une Américaine nommée Thunderbay et prénommée Dotty, laquelle s'avéra être une fieffée râleuse. C'était une grande perche au verbe haut. Avant de recevoir son bon pour une excursion gratuite, le lendemain, vers la réserve marine de Nosy Tanikiely, où l'emmènerait *Bardamu*, superbe voilier de 1920, elle tint à contester la rédaction des indices et à préciser que sa victoire n'était le fruit que d'une coïncidence puisqu'elle avait visité Nosy Be deux années plus tôt. Et elle sema la panique en révélant que l'île malgache, assurément très belle, est infestée d'un moustique particulièrement virulent porteur du paludisme. Pajetta fut obligé de contrer l'importune.

– Rassurez-vous, mes amis, l'anophèle femelle ne sévit qu'après le coucher du soleil et, à cette heure, vous serez de retour parmi nous. Notre médecin va d'ailleurs vous le confirmer.

Appelé en urgence, le docteur Charif confirma (et en profita pour vanter l'opportunité offerte à ses clientes d'effectuer un frottis vaginal à prix d'ami). Mais Dotty Thunderbay n'avait pas épuisé son stock de combativité. Elle évoqua les fièvres et diarrhées provoquées par les salmonelles, l'escroquerie à la fausse eau minérale – les bouteilles décachetées étant remplies d'eau du robinet –, les sangsues dans les sous-bois humides, et les atroces *parasy*, minuscules puces de sable qui viennent pondre dans le creux de vos ongles et vous démangent atrocement après quelques jours d'incubation. Le médecin remonta au créneau (et proposa, dans la foulée, une thérapie anticapitons importée d'Orient). Puis Ronnie vint certifier à tous que les paniers-repas antibactériens incluraient des boissons saines dûment contrôlées.

Rien d'inquiétant, aux yeux de Pajetta. Il savait par expérience que, hormis les grandes traversées, trois jours de mer, pour un croisiériste non entraîné, c'est un demi sinon un de trop. Il aurait fallu qu'on arrive ce soir même, à la tombée du jour, qu'on sente la terre, la mangrove, qu'on entrevoie le sable et les fleurs. Il aurait fallu que les piroguiers, profitant de la brise thermique pour ouvrir leur voile, convergent vers le paquebot. La nuit d'attente serait devenue nuit d'impatience. Seuls les marins s'installent en mer, y élisent domicile. Les autres, en mer, attendent que ça passe, et c'est pourquoi les organisateurs de croisières s'évertuent généralement à gommer la mer, à la rendre absente, si discrète qu'on n'y pense plus.

À leur insu, observait Pajetta, les passagers sont las, leur horloge interne exige que la course lente soit rompue, qu'un événement se produise. Faute de pouvoir forcer la machine, il gardait en réserve, pour ces cas-là, une arme puissante : le feu d'artifice. Grâce à Boris Balakirev qui avait des comptoirs partout, il s'était procuré, en provenance de Shanghai, un incroyable stock de fusées, moulinets et autres pétards étincelants, et avait obtenu de Marios Soteriades que l'équipage coréen soit formé à leur maniement.

Écoutant Dotty Thunderbay râler, il décida *illico* que, ce soir, on tirerait un feu. Mieux : qu'on n'attendrait pas la fin de soirée, que ça flamberait juste après le deuxième service, quitte à décaler le spectacle. On était encore à la saison des cyclones, la pluie risquait d'être drue s'il laissait la nuit s'avancer. Il n'avait que le temps d'avertir le commandant et le bosco, de négocier avec eux. Car un feu d'artifice, sur un paquebot, requiert maintes précautions, une vitesse très faible, un angle de vent soigneusement calculé.

Ce fut magique. L'épithète revenait sur toutes les bouches, dans toutes les langues. La surprise était complète, et, l'espace d'une fusée, Splendid fut Cunard. L'orchestre, installé sur le bridge deck, au lieu de donner une de ces musiques entraînantes qui pénètrent par une oreille et sortent par l'autre, se porta vers des chansons russes mélancoliques et lentes qui dégageaient la pyrotechnie des célébrations ordinaires et l'habillaient de merveilleux.

Шарманка-шарлатанка,
Как сладко ты поешь :
Шарманка-шарлатанка,
Куда меня зовешь* ?

Shrimp s'étonnait lui-même du plaisir qu'il y prenait. Depuis la passerelle plongée dans le noir, hormis l'écran des radars et une lumière rouge sur la table à cartes, gardant la molette du gyrocompas entre le pouce et l'index pour parer une éventuelle saute de vent, il admirait le spectacle et ne s'en lassait jamais. Un matelot coréen et le second lieutenant lui tenaient compagnie, ombres muettes elles aussi fascinées. Be-bop était privé de fête : il planifiait, en bas, la réparation du lendemain. Shrimp avait beau connaître par cœur les ficelles de Pajetta, il recevait toujours cette image comme une bouffée d'enfance. Tandis que crépitaient les grappes rouges ou bleues, il pensait à son père qu'il avait peu connu, à ses fillettes qu'il ne connaissait guère.

Le téléphone Inmarsat sonna bruyamment. Sans doute le correspondant qui gérait l'escale à Madagascar. Il décrocha et reconnut la voix de Soteriades. Le ton de l'armateur était rêche.

– Santucho ?

– C'est moi. Bonsoir Marios.

* « Cher orgue, chère drogue, sont douces tes rengaines / Cher orgue, chère drogue, dis-moi où tu m'entraînes... » *Chanson du vieux joueur d'orgue de Barbarie.*

– Est-ce que vous êtes seul ?

– Pardon ?

– Est-ce que vous êtes seul à la passerelle ?

– Évidemment non. Vous connaissez la règle.

– Demandez aux autres de sortir.

– Je ne comprends pas.

– Vous allez comprendre. Mais je veux qu'il n'y ait personne près de vous.

Shrimp ordonna au lieutenant d'aller chercher Massimo Pajetta afin d'étudier avec lui l'organisation de l'escale, puis expédia le matelot interroger le bosco sur la disponibilité des pompes à incendie tribord – vérification inutile. Il reprit le combiné.

– Qu'est-ce qu'il vous arrive, Marios ?

– Y a plus de mystère, Shrimp. La compagnie Splendid dépose le bilan. Vous allez ramener tout le monde jusqu'à Mombasa. On va organiser les rapatriements et la boîte sera liquidée. Pas le choix, vous pouvez me croire.

Shrimp resta immobile, souffle coupé. Dehors tonnait le clou, le *bouquet*. L'*Imperial Tsarina* ruisselait d'étincelles argentées. Les passagers applaudissaient.

La croisière venait de commencer.

CHAPITRE 3
OÙ SHRIMP REFUSE D'OBTEMPÉRER

La nuit, l'escalier conduisant à la passerelle n'était éclairé que par deux guirlandes de loupiotes rouges, au ras des marches, ce qui lui donnait l'allure d'une entrée de cinéma des années cinquante. Massimo gravit les degrés en ahanant. Les journées étaient rudes et longues, et le planning des excursions un vrai casse-tête. La croisière mystère avait du charme mais elle pesait son poids d'improvisation. Il s'arrêta quelques instants pour souffler avant de pousser la lourde porte coupe-feu. Souffler. En public, c'était un exercice qu'il s'interdisait. Et en privé, il avait trop peur d'en avoir besoin pour se l'autoriser fréquemment.

Shrimp était seul devant le pupitre. Ni barreur ni officier de quart. Penché vers le radar et le traceur, il se tenait parfaitement immobile. La passerelle ténébreuse semblait un havre de tranquillité, un refuge. Au théâtre, le thème du jour était Séville, cuivres et castagnettes devaient sonner à présent. Massimo avait assuré le lever de rideau. Il avait vingt minutes devant lui avant le prochain enchaînement. Jamais il n'avait trouvé le commandant seul à son poste et, bizarrement, cela l'intimidait. Ses chaussures craquèrent tandis qu'il s'approchait, mais Shrimp ne prononça pas un mot, n'ébaucha pas un geste. Le reflet du radar le nimbait d'une lueur grisâtre. Massimo s'arrêta juste derrière lui.

– Il faut que ce soit une belle journée, demain, dit le capitaine.

– On va faire au mieux...

Shrimp poursuivit comme s'il ne l'avait pas entendu.

– ... parce que ce sera, en principe, la dernière escale de l'*Imperial Tsarina*. Soteriades dépose le bilan. Il dit que BB le lâche et l'oblige à liquider. Nous sommes foutus. J'ai ordre de rentrer sur Mombasa.

Shrimp s'était retourné en parlant. Pajetta ne se trouvait qu'à trente centimètres de lui. Le commandant se tut, laissant à son interlocuteur le temps de s'imprégner du message.

Massimo restait parfaitement inerte dans la pénombre. Soudain, des larmes coulèrent de ses yeux, d'abord un ruisseau, puis un fleuve. Il pleurait comme on pleure dans Corneille ou *Les Deux Orphelines*, comme un héros défait ou un enfant vendu. Et il se mit à vagir, à émettre un sanglot aigu, une plainte qui vibrait dans le masque. Shrimp attendait, immobile, patient. Cela s'arrêta comme c'était venu. Massimo arracha du papier d'un rouleau de télex, s'essuya les yeux, se moucha.

– Excusez-moi.

Il parlait maintenant d'une voix presque normale, à peine rauque.

– Excusez-moi.

– Tout le monde a le droit de pleurer, Massimo. Tout le monde même vous. D'autant qu'il y a de quoi.

– Je le sentais venir. Ça sentait la fin.

– Pourquoi donc ?

– Soteriades. Il a essayé d'entuber Balakirev. Le bruit courait, au Pirée, pendant le dernier briefing logistique. Vous connaissez Kissamos ?

– Le directeur technique ? Bien sûr.

– Un soir où on a forcé sur le résiné, à Psyrri, il m'a dit que Marios avait pris en charge deux chalutiers de BB. Pour la démolition. Mais il ne les a pas démolis. Il les a revendus en Afrique. BB l'a su.

– BB sait toujours tout.

– Marios avait oublié de partager la plus-value.

– Il est cinglé ou quoi ?

– Il avait un problème de trésorerie.

– Vous me fendez le cœur.

– Il avait affrété un chaland sur la Baltique, un truc qui n'avait le droit que de longer la côte. C'est encore Kissamos qui me l'a dit. Marios a quand même essayé de l'envoyer sur Vigo.

– À travers le golfe de Gascogne !

– Ça s'est mal passé.

– Les gars sont morts ?

– Non, il n'est pas fou, Marios. C'est plein d'hélicos dans le secteur. Mais l'assureur n'a pas suivi et on le comprend…

– Alors il n'a rien trouvé de mieux que le coup des chalutiers.

– Voilà. C'est tout ce que je sais.

– Pourquoi vous ne m'en avez pas parlé ?

– C'était juste une rumeur. N'empêche que Kissamos paniquait. Je pense qu'il avait peur.

– Il avait raison d'avoir peur. Mais c'est nous qui sommes morts. Il y a des gens qui meurent de faim. Ou du cancer. Nous, on meurt de connerie.

– Je ne veux pas mourir. Je ne suis pas d'accord. J'ai tout joué sur cette croisière, j'ai coupé tous les ponts !

Pajetta gueulait de rage.

– Personne ne veut mourir, dit Shrimp très calmement, même ceux qui se suicident. Surtout ceux qui se suicident. Marios nous propose de nous suicider à sa place. Moi non plus, je ne suis pas d'accord. Nous n'allons pas nous suicider sur ordre. J'ai une proposition à vous faire.

– À moi ?

– À vous, à Be-bop, au commissaire, à Ronnie. À ceux qui savent.

Massimo leva les yeux vers l'horloge, au-dessus de la timonerie.

– *Dio porco !* En scène dans trois minutes…

– On se retrouve à minuit, ballast 33.

– Ballast 33 ?

– Vous connaissez un endroit plus discret sur ce bateau ?

– Je n'y avais pas mis les pieds depuis…

– Filez. Vous devez passer au maquillage.

Il partit en courant. Shrimp prit le temps de scruter les deux radars, de chercher l'écho d'une éventuelle barque de pêche, puis de se reporter méthodiquement à la carte. Rien ne pressait depuis que l'échéance du crépuscule avait été manquée. Il tournerait en rond à huit nœuds et ne s'approcherait de la terre qu'en toute fin de nuit.

Quand il était lieutenant sur un vraquier, le long des côtes argentines, il assurait le dernier quart nocturne où les minutes s'étirent, où l'aube n'en finit pas de s'affirmer. Souvent, pour économiser les hommes trop fatigués, il demeurait seul contre la mer et le règlement. Son capitaine, bon compagnon mais désinvolte, avait neutralisé l'alarme de l'homme mort qu'il faut « acquitter » toutes les quinze minutes sous peine de réveiller le navire. C'était déraisonnable mais Shrimp goûtait pareille solitude, l'idée que l'énorme masse ne dépendait plus que de lui, et que, s'il était victime d'un arrêt cardiaque ou d'une rupture d'anévrisme, elle courrait sur son erre, aveuglément. Déjà maître à bord. Ce soir, il voulait retrouver, pour une heure ou deux, cette atmosphère-là et avait renvoyé les autres.

Sous l'emprise de la colère ou de la peur – il éprouvait tout cela au plus haut point –, Shrimp ne possédait qu'un système de défense. Il s'isolait, il s'allégeait, il se faisait moine, il se ralentissait en apparence. Si la lumière avait été moins chiche, on se serait aperçu, toutefois, qu'il était fort pâle.

Boris Eduardovitch Balakirev ne lui posait pas de problème et lui semblait, d'une certaine manière, assez transparent. La seule fois où il l'avait rencontré un peu longuement – Soteriades souhaitait les présenter à l'investisseur, Be-bop et lui –, c'était juste avant la création de la compagnie Splendid.

 Cela se passait sur la presqu'île de Kola, à quelque cent kilomètres de Mourmansk, dans la maison de campagne du mafieux. Ils étaient arrivés vers huit heures du soir. Une datcha très simple, très « écologique », disait son propriétaire, tout en bois, entourée de clôtures et de gardes invisibles. Il voulait les voir sans Marios, sans intermédiaire, il voulait les jauger par ses propres moyens. Pas de personnel apparent. Il cuisait lui-même, sur un brasero, des poissons de son étang qu'il prétendait avoir pêchés le matin. Comme tous les parrains, BB aimait la simplicité et la nature. Il avait installé ses hôtes autour d'une table ronde de bois épais. On s'éclairait au Kerdane, les bûches crépitaient. Seuls les tapis moelleux jetaient une note de luxe. C'était un géant aux traits un peu mous, débonnaire, avec une gueule de brave homme et des yeux d'éventreur. Il parlait un anglais fonctionnel, sans pittoresque ni nuance.

La soirée fut divisée en trois parties, comme une honnête dissertation ou un sermon bien construit. D'abord les généralités. Protocole de bienvenue, verre de chablis sorti du néant, et, sorti d'un néant plus obscur encore, chœur de trois jolies dames en tenue folklorique incarnant l'âme russe. Puis on avait abordé le registre professionnel tout en dînant. L'interrogatoire, à ce stade, était devenu serré. Shrimp, sachant que le pavillon retenu était cypriote et que la société de classification n'avait rien à refuser au client, avait vigoureusement insisté sur l'équipement de sécurité et la cohérence linguistique. Be-bop, lui, avait frôlé la catastrophe en déclarant, sincèrement admiratif, que les Russes étaient les meilleurs marins du monde puisqu'ils barraient des épaves qu'eux seuls étaient capables de maintenir à flot. Deux heures et quarante questions plus tard, la cause semblait entendue et la soirée basculait. Au diable le chablis : la vodka pimentée, celle dont nul ne se relève, avait remplacé le vin français. On avait porté des toasts de plus en plus longs à tout et à rien, aux nuages, à la solidarité des gens de mer, à l'amitié entre les peuples, à l'*Imperial Tsarina*, et, quand ils avaient atteint l'ivresse paroxystique, les trois dames étaient revenues sans partition ni culotte et avaient entrepris de les sucer sous la table. Avant de s'effondrer, Shrimp avait noté que Be-bop poussait des cris de nourrisson chatouillé et que BB grognait comme un ours. Quelqu'un, avant l'aube, les avait jetés dans un gros 4x4 noir. Ils étaient embauchés et, au-dessus d'eux, dérivait une aurore boréale.

C'est à Marios que Shrimp en voulait. Parce qu'ils avaient tissé une sorte de connivence, parce qu'ils étaient liés par un pacte. Pour se sentir trahi, il faut éprouver de l'attachement. Soteriades avait très vite compris que le tandem Shrimp-Be-bop n'était pas négociable, qu'il fallait prendre l'un s'il voulait l'autre, et que l'assemblage produisait une multiplication et non une addition. Il avait joué le jeu, il avait avalé les saillies inappropriées du chef car c'était un bon chef. Il avait même ajouté Creux au lot car le chef, sans son ennemi, n'était plus chez lui – et réciproquement. Il avait veillé à ce que le bosco parle un bon anglais, comme l'exigeait Shrimp, afin qu'entre la passerelle et le pont la consigne circule sans histoire. Bref, s'il avait imposé son commissaire et son animateur, la partie maritime avait été clairement déléguée au commandant. Et voilà trois ans que l'*Imperial Tsarina* voguait.

Shrimp connaissait fort bien l'armateur, depuis l'époque où il menait ses cargos. Marios Soteriades était l'exact contraire de Boris Balakirev. Une gueule d'assassin et des yeux de tonton gâteau. Nul coup tordu de la profession – la liste est longue – ne lui était étranger. Mais l'homme était sensible, aussi. À la mer, aux marins. Il ne pouvait s'empêcher de ruser. Il ne pouvait, non plus, s'interdire l'émotion. Et Shrimp était dépité, furieux de l'être, furieux de se trouver emporté, non par une lame, mais par un petit calcul. Il aurait pu, sans peine, s'embarquer ailleurs. Et voici qu'il regrettait d'avoir à le regretter.

Pris par sa rumination, il n'avait pas entendu qu'on frappait à la porte. Ce qui était pour le moins singulier. Une passerelle n'est pas une adresse à laquelle le facteur sonne trois fois. Il alla ouvrir. Pamela Hotchkiss était devant lui, en robe mauve et talons aiguilles.

– Là, je crois que j'ai fait un peu fort. Il y avait un cerbère, en bas, un Asiatique. Il m'a dit que l'accès était strictement interdit.

– Il a raison. C'est strictement interdit.

– Je venais mendier un cours de carte mais j'ai l'impression que ça n'est pas le moment.

– Non, pour être franc, ça n'est pas le moment.

– Vous avez l'air soucieux.

– Je suis payé pour ça, vous savez.

– Racontez-moi.

– Vous êtes bien la dernière personne à qui je raconterais mes soucis.

– Et pourquoi donc ?

– Parce que vous êtes une passagère. Parce que vous êtes ici pour être débarrassée de tout souci.

– Alors là vous n'y êtes pas du tout. Je suis ici parce que j'ai des soucis, et je les ai amenés à bord. Un séjour en bateau, c'étaient les seules vacances que supportait mon mari qui s'en va de partout. Alors j'essaie, je l'emmène en bateau.

– Et ça marche ?

– Pas vraiment. Vous voyez, captain Shrimp, il ne suffit pas de payer pour se débarrasser de ses soucis.

– Avec les miens, je crois que ça aiderait.

– Vous êtes au bord de la faillite, c'est ça ?

Shrimp ne dissimula pas sa stupéfaction.

– Comment... ?

– Norbert n'a pas pu s'empêcher, avant le départ, de regarder la situation de la compagnie. Il m'a dit qu'il était tombé sur un drôle de fonds de pension...

– Un fonds de pension ?

Shrimp marqua un temps d'arrêt puis s'écarta de la porte.

– Entrez donc.

– Je ne voulais pas déranger.

– On va s'installer près de la table à cartes.

Pamela s'avança dans un chuintement d'étoffes parfumées.

Pajetta souriait. Plus que jamais. Plus large que jamais. Il s'était installé dans l'angle de la scène pendant que Svetlana finissait sa chanson.

El viento viene
El viento se va
Por la frontera

La Russe était assez étrangement habillée d'une sorte de justaucorps noir, d'une culotte rouge et de bas résille à grosses mailles qui dessinaient autant de losanges sur sa peau claire. Cela s'achevait par des bottillons de fourrure rousse. Pas franchement espagnol, mais quelle importance ? Massimo s'était procuré un stock de costumes comme il avait acheté ses feux d'artifice : en gros et en vrac. Les spectateurs, du reste, n'y trouvaient rien à redire. Le Grand Animateur savait que le public croisiériste transpire la magnanimité, il en usait et abusait. Svetlana aurait pu, tout aussi bien, porter une chemise à pois ou un sari, encore que le sari fût un peu prude. Pajetta, observant la foule subjuguée, se reprochait le mouvement d'humeur qu'il n'avait su cacher lorsque Soteriades avait annoncé que l'actionnaire russe lui « recommandait » quelques protégés. BB se mêlait du casting, à présent… En réalité, c'était un cadeau, du pur caviar.

Une *standing ovation*, ce soir encore, couronna les dernières notes. Massimo saisit la main de Svetlana pour l'empêcher de disparaître en coulisse et la ramener vers l'avant-scène. Formidable, cette fille est formidable, songeait-il tout en se cassant sous les vivats. Elle arrive comme simple danseuse, elle chante n'importe quoi comme si ce n'était pas n'importe quoi, et dans n'importe quelle langue. Son mari est excellent, lui aussi, mais il devrait apprendre à sourire. Elle, elle a tout. Les prochains soirs, je vais réduire d'un tiers le ballet et lui dégager un espace pour son tour de chant. Cette petite, je vais en faire une star, ma star, la star de Splendid, je vais lui montrer qui elle est.

Il était temps de conclure. Quelques spectateurs, au fond, commençaient à se disperser. D'un coup, le réel lui retomba dessus à la manière dont tombe le diagnostic d'un cancer, dont arrive le crash automobile. La seconde d'avant, le monde était en équilibre, le monde était ouvert. La seconde d'après, il n'y a plus d'après. Pajetta fut foudroyé par la douleur. Il n'y aurait pas de prochains soirs, il n'y aurait pas de star, il n'y avait plus de compagnie Splendid.

Et, pour comble, Shrimp lui avait demandé de propager la nouvelle.

Ronnie, malgré l'heure tardive, se trouvait encore au restaurant, en compagnie d'Angelo, Korb et Ines. Depuis la « rencontre mystère », les deux hommes s'étaient rapprochés et avaient même échangé quelques indices sur les raisons analogues de leur présence à bord – la carrière de l'un et de l'autre connaissait une panne. Ines, dont la bonne humeur semblait inaltérable (n'est-ce pas la réputation des croque-morts ?), avait mis du liant, au point que le professeur Korb arrondissait son obsession fouineuse et avait même renoncé à s'interroger sur l'exacte nature des relations entre ses deux interlocuteurs.

Lors du dîner, le descriptif d'une entrée les avait fait hurler de rire : « délice de la Baltique et son oignonade *sweet and sour* ». Il s'agissait d'un hareng bleu extrait de son bocal où il marinait dans une saumure écœurante et bizarrement sucrée. Angelo avait interpellé Ronnie.

– Pourquoi n'appelez-vous pas un hareng un hareng ?

– C'est la consigne, *padre*.

– Pas de *padre* ici, Ronnie. M. Romano, ou Angelo si vous préférez.

– Excusez-moi, monsieur Romano.

– De rien. La consigne de qui, Ronnie ?

– Du chef, en cuisine. Mais le chef aussi a reçu la consigne. Ça vient de haut. De très haut.

– N'insultez pas Dieu, Ronnie !

– Je ne me permettrais pas, monsieur Romano.

– La compagnie n'a pas les moyens d'employer un bon chef ? demanda Ines.

– Mais nous avons un très bon chef, madame. Excellent. Un artiste. C'est mon ami, il se nomme Salman.

– Comment expliquez-vous que cet excellent cuisinier nous serve un hareng dégueulasse ? ironisa Korb.

Ronnie restait affable, rien de tout cela ne le démontait.

– Le chef a reçu consigne de ne pas servir sa cuisine, sa cuisine à lui. Il doit respecter le goût des passagers.

– Mais, dit Angelo, nous ne sommes pas moins de trois, à cette table, qui trouvons le hareng dégueulasse. Ça n'est pas notre goût.

Ronnie lui répondit avec la bienveillance du pédagogue.

– Pour nous, les Indiens, trois, c'est encore moins que rien, vous savez. Nous n'avons pas la même échelle des nombres. Vous appelez cela le choc des cultures, je crois...

– Qui peut aimer un menu pareil ?

– Voyez-vous, *padre*...

– Ronnie !

– Voyez-vous, Angelo, pardon, monsieur Romano, c'est une vérité statistique. Chez nous, les Goans, on vous dira que tout le monde aime le *tisryo*. C'est un petit coquillage, pas plus grand qu'un ongle, qu'on cuit dans le lait de coco avec un filet de citron vert, et qu'on assaisonne de coriandre fraîche. Eh bien moi, je n'aime pas le *tisryo*. Mais statistiquement, je n'existe pas.

– Enfin, Ronnie, ce hareng a une valeur universelle. Il est comme le drapeau rouge au bon vieux temps, il se moque des frontières et des statistiques, il est internationalement dégueulasse. Et je suis sûr qu'une enquête scientifique le prouverait.

Ronnie riait de bon cœur. Mais il ne pouvait plus s'attarder, d'autres tables le requéraient.

– Écoutez, je suis sûr que mon ami, le chef, serait très honoré de vous rencontrer après le spectacle.

 Voilà pourquoi le trio était retourné au restaurant. L'ami Salman apparut. C'était un immense Indien, très noir sous sa toque blanche.

– Cette dame et ces messieurs jugent que ta cuisine n'est pas fameuse, lui dit Ronnie.

L'autre ne nia pas. Il souriait benoîtement, les poings sur les hanches.

– C'est la consigne, dit-il. J'applique la consigne.

Ines, intriguée par tant de docilité, s'enquit aimablement :

– Vous ne préféreriez pas travailler pour un restaurant qui vous permettrait de vous exprimer ?

D'un coup, le sourire des deux Indiens se figea. Même Ronnie le rond ne rigolait plus. Pour la première fois, sa voix devint grave, presque coupante.

– Nous ne sommes pas des loufiats, madame, nous sommes des marins. Ça n'est même pas une question d'argent. Mon ami a toujours refusé de travailler à terre... Il faudrait qu'on ait une tempête, vous verriez que le service est assuré par tous les temps. Même si le plat est banal, ça serait le plus inoubliable repas que vous ayez jamais fait.

– Ronnie, sur ce bateau, est le délégué syndical des marins, enchaîna le cuisinier. De tous les marins qui le veulent. Et c'est un coriace, il fait voir rouge à l'armateur.

– Vous pourriez peut-être lancer une grève pour changer le menu, plaisanta Korb qui regardait maintenant Ronnie d'un autre œil.

– Cette grève-là, rétorqua le délégué syndical, c'est aux passagers de la faire !

Ils éclatèrent joyeusement de rire.

– Qu'est-ce que vous mangez, vous ? demanda Ines.

– La cuisine de chez moi. D'Inde du Sud.

– Je vous propose de nous donner exactement la même chose.

– Mais c'est bien relevé !

– Voilà une bonne nouvelle. Nous aimons les épices, nous aussi.

Angelo eut un sourire en coin.

– Comme quoi il ne faut pas dramatiser le choc des cultures…

Nouvelle vague d'hilarité au moment où Pajetta pénétrait dans la pièce. Il se crut obligé d'accompagner le mouvement sans en deviner le sens. Puis il tira Ronnie un peu à part et lui chuchota son message dans le creux de l'oreille. Ronnie blêmit. Quiconque soutiendrait que la peau sombre n'est pas susceptible de pâlir brutalement prouverait sa totale méconnaissance du vaste monde.

En bas, à la machine, Be-bop et son second avaient achevé les préparatifs pour la réparation du lendemain. Les renforts avaient été dûment chapitrés. On s'y mettrait, sans traîner, dès que le navire serait à l'ancre. La fatigue était générale, la faim aussi. Et l'humeur suivait. Be-bop interpella Creux.

– Pendant qu'on attaquera la journalière, toi, tu aspireras directement dans la caisse de décantation. Et n'envoie pas ta pompe trop au fond. Fais gaffe au pied d'eau, c'est plein de cochonneries.

– Oui chef.

– Dis pas bêtement oui chef. C'est pas l'armée de terre, ici.

– Oui.

– Oui qui ?

– Oui monsieur de la Mare.

– En trois mots, abruti.

– Faut pas me parler grossièrement, chef, ça me rend nerveux, je suis sensible.

– Ça va comme ça, dit le second.

– La chasse au con est toujours ouverte, objecta Be-bop. L'espèce est pas menacée.

Ils furent interrompus par l'arrivée de Pajetta.

– Vous ici ! railla le chef. La dernière fois que je vous ai vu à la machine, c'était en 96. L'hiver était si rude que vous cherchiez un peu de chaleur…

– Il faut que je vous parle, dit Pajetta qui ne souriait plus.

– Allons-y. Prêt ? Parlez.

– Il faut que je vous parle en particulier.

– Je vous en prie, je comprends toutes les langues. Même le particulier.

Le second eut un ricanement. Pajetta tourna au violet.

– Il faut que je vous parle, bordel de merde !

– Eh ben voilà, s'épanouit Be-bop, j'étais sûr que vous pouviez parler comme tout le monde…

Deux minutes vingt secondes plus tard, Robert de la Mare, bouche bée, se trouvait incapable de prononcer le moindre mot.

Un ballast, sur un navire, est une citerne destinée à recevoir du pétrole ou de l'eau, et qui participe à l'équilibre du bateau. Le ballast 33 (troisième de la partie trois) n'y participait guère depuis des lustres : nul ne se rappelait, à bord, l'avoir jamais vu rempli. On y pénétrait, comme d'habitude, par un trou d'homme, et l'on s'engageait sur une échelle verticale. Mais ensuite, quand on ne connaissait pas les replis intimes de l'*Imperial Tsarina*, on allait de surprise en surprise. Après une douzaine de barreaux, on parvenait à un palier totalement inattendu. Ce palier lui-même donnait sur une porte défendue par un boîtier à code. Si l'on tapait 140846, soit la date de naissance de Marios Soteriades, la porte s'ouvrait.

Une moquette d'un vert robuste, avec un motif géométrique évoquant les tartans écossais. Un comptoir de bois où trônait une pompe à bière. Des suspensions dotées d'amples abat-jour comme on en trouve dans les salles de billard. Trois ou quatre petites tables. Bref, un pub. Un pub clandestin, tapi dans un recoin de tôle, un pub en clair-obscur arraché à la palette d'Edward Hopper.

Que venait-il faire, ce clandé, à bord d'un paquebot où ne manquaient ni buvettes ni caves ? Quand Be-bop, explorant son nouveau domaine, avait découvert la merveille, il avait dû mener une enquête serrée pour en comprendre l'origine. L'affaire du ballast 33 remontait à l'époque où le navire s'appelait *Loukoum II*. Il appartenait à un armateur koweïti qui l'exploitait dans le détroit de Malacca et en mer Rouge. L'alcool était formellement interdit à bord, sauf au salon des premières classes (car le navire, alors, était divisé en catégories étanches afin de préserver l'intimité des princes). Mais les officiers australiens, qui ne voyaient nulle raison de respecter la charia et en trouvaient beaucoup de goûter le whisky pur malt, avaient aménagé un refuge dont le secret fut, jusqu'au bout, farouchement gardé.

Il était minuit et ils étaient tous là. Shrimp, Be-bop, Pajetta, Ronnie et le commissaire de bord. Le commissaire portait un nom, il s'appelait Philippos Tribis, mais il s'identifiait tant à sa fonction que le commissaire n'était, aux yeux de la collectivité, que « le commissaire ». Il avait la bouche en cul de poule, des yeux couleur d'huître et les cheveux gris frisés. Nul ne savait s'il avait épousé une femme et engendré des enfants, s'il était gourmand, s'il croyait en Dieu, s'il votait pour Démocratie nouvelle. Mais on savait qu'il était une créature de Soteriades et qu'il gérait la boutique de manière féroce. C'est lui que Shrimp regardait avec le plus d'inquiétude.

Le commandant s'était installé derrière le bar. Et les quatre autres lui faisaient face, juchés sur des tabourets. Pas de verres, même vides, la pompe était désamorcée. Les mines paraissaient funèbres, les participants n'avaient pas encore digéré l'information récente. Shrimp, lui, semblait d'humeur offensive. Il résuma l'histoire des chalutiers vendus en douce, et la vengeance de BB dont l'*Imperial Tsarina* subissait le contrecoup.

– Ça m'apprendra, dit Be-bop. Quand on fricote avec les Grecs, faut pas s'étonner de finir enculé.

L'assistance jeta un coup d'œil alarmé au commissaire, seul Grec présent, mais ce dernier ne bronchait pas, jugeant sans doute le propos dérisoire.

– Quelle consigne avez-vous reçue ? demanda Ronnie.

– De ramener les passagers à Mombasa dans deux ou trois jours, répondit Shrimp. Ça va être un cirque incroyable pour les rapatrier.

– Pourquoi Mombasa ?

– Moins loin. Et il paraît que c'est plus facile pour affréter des avions charters.

– Épatant, commenta Be-bop. Massimo va organiser un feu d'artifice avec verre d'adieu. Bonjour l'ambiance. Entubés de tous les pays, unissez-vous !

– Ça commence à bien faire, les bons mots, grinça Pajetta. L'ambiance, de toute façon, c'est moi qui vais la gérer. Et je vais la gérer, croyez-moi.

– Chacun sa merde, mon grand. Moi, aujourd'hui, j'en ai eu jusqu'au coude. Et demain, ça pourrait bien monter jusqu'à l'épaule.

– On se calme, on se calme, intervint Shrimp.

– Le plus incroyable, dit Ronnie, c'est de casser la croisière à son début. Des dépôts de bilan, j'en ai déjà connu. Une fois, on a même fait la grève de la faim, en Alaska, pour être payés avant de partir. Mais là, c'est n'importe quoi. Il y a plein de fric, dans ce paquebot. On a du pétrole et de la nourriture pour trois semaines. Et on arrête tout !

– Qu'est-ce qu'il va devenir, le bateau ? questionna Be-bop.

 Shrimp haussa les épaules.

– Aucune idée. Je suppose qu'ils vont le revendre.

– La seule bonne nouvelle, c'est qu'on va rentrer à la maison et tirer un coup.

– Nous autres, continua Ronnie, on a moins de problème de boulot. La restauration, ça embauche. Mais le petit personnel et les gars du pont, ils sont mal, ils vont morfler. Les Philippins, ils ne sont payés qu'au pourboire en fin de croisière. Même chez nous, ça fait une sacrée différence. Comptez sur moi, on va en entendre parler, de l'*Imperial Tsarina*... On va lui faire de la pub, à Soteriades.

Be-bop lâcha un ricanement nerveux.

– Si tu t'imagines que CNN va rappliquer sur les quais de Mombasa parce que les Philippins et les Coréens de la compagnie Splendid n'ont pas eu leurs pourliches et leurs indemnités, tu crois au Père Noël, camarade.

Le commissaire rompit son silence.

– Marios paiera. S'il dépose le bilan, c'est qu'il ne peut pas faire autrement.

– Marios paiera le moins possible, répliqua Massimo. S'il dépose le bilan, c'est parce qu'il a calculé que ça lui coûtera moins cher.

Le commissaire n'en démordit pas.

– Je rappelle que c'est Boris Balakirev le coupable.

– Et Marios Soteriades le responsable.

– Tu lui dois tout, c'est lui qui est allé te chercher.

– Je lui ai tout donné, et voilà comment il nous traite !

Chacun avait vidé son sac. Shrimp décida d'agir.

– Bon, l'engueulade est bien montée. Alors je propose qu'on change un peu de registre.

Il plongea les mains sous le comptoir, sortit cinq verres qu'il distribua, puis une bouteille de Laphroaig.

– Ce whisky-là, on l'aime ou on le déteste tout de suite, mais c'est bon pour ce qu'on a.

Il remplit généreusement les godets.

– À nous ! On est une fameuse équipe.

Il leva son verre. Un brin déconcertés, les autres lui répondirent après un temps d'hésitation puis trempèrent leurs lèvres dans le liquide doré. Shrimp fit claquer sa langue.

– Moi j'aime.

Il marqua une pause.

– Je suggère que l'*Imperial Tsarina* poursuive la croisière et tienne ses engagements envers sa clientèle et ses personnels.

Silence dans les rangs. Silence total. Shrimp les regardait tranquillement ; les autres, eux, le regardaient comme un halluciné.

– Ce mec est cinglé, dit Be-bop. Il veut m'envoyer en taule. Oubliez que je le connais.

– C'était ça votre proposition ? interrogea Pajetta, estomaqué.

– Pas c'était. C'est.

– Le cas est connu, enchaîna Be-bop. On l'appelle le syndrome du saint-bernard. Ne laissez pas un grand malade vous pourrir la vie.

– Mais la boîte est en faillite, elle n'existe plus juridiquement, objecta Massimo.

– Elle n'est pas en faillite. Pas encore. BB n'a pas retiré ses billes. Il prend Soteriades en tenaille par le biais d'un fonds de pension qu'il contrôle, Empyrée, basé au Luxembourg. Il n'est pas fou, Balakirev, il ne veut pas qu'on dise que ses sociétés sont mal gérées ou déficitaires, il tient à ce que le Grec porte le chapeau. Mais si le fric d'Empyrée s'en va…

– Comment tu sais ça, toi ? questionna Be-bop.

– Par Mme Hotchkiss. Son mari, le financier, a farfouillé dans les comptes de Splendid.

– Tu as mis une passagère au courant !

– Elle était déjà au courant. C'est elle qui m'a informé.

– On est vraiment des petits, nous autres.

– J'ai sérieusement réfléchi, poursuivit Shrimp. Je pense que le coup est jouable.

– Donnez-nous vos arguments, dit Pajetta sur le ton du naufragé apercevant une lueur.

– Premièrement, comme l'a souligné Ronnie, le bateau est déjà en route, l'avitaillement est fait, les passagers sont à bord. Nous ne sommes pas des pirates, nous ne détournons pas le navire, nous ne volons rien ni personne, nous poursuivons la mission qui nous a été donnée. En cas de pépin, l'opinion sera avec nous, et sept cents passagers aussi. Deuxièmement, nous ne sommes pas sans moyen de pression sur Soteriades. Si nous le mettons au pied du mur, il sera obligé de nous protéger pour se protéger lui-même.

– Pas con, opina Be-bop.

– Merci. Troisièmement, je peux vous couvrir.

– C'est-à-dire ? demanda Ronnie.

– Je suis le seul auquel Marios ait parlé. Nous sommes en mer. J'ai la maîtrise des communications Inmarsat, des télex et des fax. Je suis d'accord pour annoncer à Marios que cette décision est ma décision, que je suis seul responsable, et qu'aucun de vous n'est au courant. C'est moi qui dois à la compagnie un journal quotidien.

– Ça ne peut pas tenir indéfiniment, rétorqua Massimo.

– Non, mais ça peut tenir assez pour que le rapport des forces soit en notre faveur. On va lui flanquer une telle trouille qu'il négociera.

Be-bop leva les yeux au ciel.

– Commandant, dit Ronnie, j'aimerais vous poser une question personnelle. Pourquoi vous prenez un risque pareil ? Ça peut vous coûter...

– Je sais, répondit Shrimp. Mes galons, mon fric, toute ma vie de marin. Je vais vous répondre très simplement, Ronnie. Je suis indigné. Nous sommes compétents, nous sommes rentables, nous sommes en plein océan Indien, nous avons des passagers dans chaque cabine, et nous devrions faire demi-tour parce que deux types jouent à cache-cache entre Mourmansk et Athènes ! Il me reste six ans avant la retraite. Je suis d'accord pour les miser.

– Au nom des travailleurs de la compagnie Splendid, je vous assure de notre gratitude et de notre solidarité, dit Ronnie avec une solennité qui n'était pas feinte.

– T'as oublié les glandeurs.

Be-bop était de ces hommes qui gâcheraient un conclave pour un bon mot.

– Pardon ? s'étonna le délégué syndical.

– Les travailleurs et les glandeurs, Ronnie. Si t'es représentatif, tu représentes aussi les tire-au-cul. Et j'en connais…

Shrimp le coupa.

– Je vous demande de me donner, un par un, votre position.

– Je viens de le faire, confirma Ronnie

Pajetta fut très ferme.

– Je suis d'accord.

Le commissaire fut ferme à sa manière.

– N'étant au courant de rien, je ne suis d'accord avec rien et je n'ai pas à l'être. Je poursuis mon travail. Merci de ne plus m'associer à vos réunions.

– Ça, commenta Be-bop, ça porte un nom, ça s'appelle du courage politique.

Le commissaire se dirigeait déjà vers la sortie.

– Et toi, Robert ? demanda Shrimp.

– Si t'as oublié mon nom…

– Accouche, Be-bop…

– Déjà mieux. Ceux qui me connaissent bien savent que je suis lâche mais sentimental. Ton indignation, tu peux te la foutre où je pense, encore que là, tu ne penses pas beaucoup. Et je tiens à préciser que si je te laisse faire cette connerie, c'est juste parce que ça a l'air rigolo.

– Je n'ai pas tout compris, intervint Ronnie.

– Ça veut dire OK mais avec réserves, traduisit Be-bop. En se mouillant le moins possible et le moins longtemps. Et surtout pas pour l'amour de la classe ouvrière, pigé ?

Tout le monde avait pigé.

– On y retourne, conclut Shrimp. Il y a seulement deux choses qui vont changer. D'abord, on la boucle. Mais il faudra, à un moment ou un autre, mettre quelques passagers au courant.

– Taré. Il est taré… soupira Be-bop.

Pajetta le contredit.

– Mais non. Ça me paraît bien vu, et nécessaire, absolument nécessaire. Le bateau ne nous appartient pas, il appartient à nos clients. Et puis il nous faut des témoins, des gens qui pourront expliquer, le cas échéant, ce que nous avons fait et pourquoi nous l'avons fait.

– Exactement, dit Shrimp. On en parlera plus tard. L'autre chose est que je vais modifier radicalement l'itinéraire.

Massimo fit une grimace.

– On ne va pas à Diego ?

– Non. Trop exposé. On nous y attendra.

– Vous allez nous compliquer la vie. Terriblement. Les excursions, tout le bazar… Je ne sais pas comment nous réussirons à gérer ça au débotté. Et je ne parle pas des annulations.

– Vous trouverez. Je suis sûr que vous trouverez. Vous n'aurez pas d'autre choix. La croisière mystère va mériter son nom.

– C'est ça, plein pot dans le brouillard et en panne de corne de brume, ironisa Be-bop.

Shrimp le fit taire d'un coup d'œil noir.

– Vous savez quelle expression emploient les sous-mariniers quand ils partent en patrouille et vont se cacher au fond de l'océan ? Ils disent qu'ils se diluent. Eh bien, nous, nous allons nous diluer autant que possible. On ne peut pas planquer un paquebot indéfiniment. Mais le nôtre a un faible tirant d'eau. En Méditerranée, nous sommes les seuls à emprunter le canal de Corinthe. Alors on va chercher des destinations où aucun gros navire n'a mouillé avant nous. La météo est bonne pour les six prochains jours, je veux en profiter. Ça fera gamberger Marios, il finira par s'affoler.

– Avant que je me dilue, sers-moi un whisky, dit Be-bop. Sans eau.

Une heure plus tard, incapables d'aller dormir malgré leur journée pleine, ils parlaient tous deux à mi-voix, accoudés au bastingage. Shrimp venait d'ordonner à l'officier de quart d'installer un matelot, en permanence, près de la console de communication, et d'interdire l'accès de cette dernière à quiconque. Il avait également condamné les deux cabines satellitaires destinées au public, renvoyant d'éventuels utilisateurs (fort rares, vu le prix exorbitant des liaisons) vers lui-même. L'ordre avait paru étrange mais il était formulé sans discussion et serait exécuté.

Après un grain sévère qui avait interrompu le barbecue de minuit, les étoiles étaient de retour et une jeune lune frissonnait à la crête des vagues. Peu de vent, à présent : une nuit d'argent et d'aménité – pour les autres.

– Faut pas que tu croies, dit Be-bop.

– Que je croie quoi ?

– Faut pas que tu croies que je suis d'accord.

– Si tu n'es pas d'accord, Be-bop, si tu hésites, si tu as peur de changer d'avis, change tout de suite, ne joue pas le jeu. C'est ton droit.

– Je te lâcherai pas. Justement, c'est ça le problème…

– T'es compliqué.

– C'est celui qui le dit qui y est.

– Explique.

– Je te lâcherai pas mais ne va pas t'imaginer que c'est le cuirassé *Potemkine*, ici. Je suis pas révolutionnaire, moi.

– Qu'est-ce qu'il t'arrive ? Tu me prends pour un bolchevique ? T'as remarqué que le mur de Berlin est tombé ?

– Moi, c'est tout pour ma gueule, compris ? Je me sacrifie pas pour le peuple. Je tiens à ma réputation.

– Continue comme ça et je vais finir par entrevoir le commencement du commencement de ta petite histoire.

– J'ai pas mauvaise conscience, Shrimp.

– Moi non plus.

– Mais si, mais si, dès que ça te chatouille, tu te grattes, et ça te chatouille tout le temps. Moi, je suis pas Lénine ni mère Teresa. J'emmerde les connards qui signent des pétitions. Je suis syndiqué, mais c'est pour mon bout de gras.

– Et alors ?

– Alors je marche avec toi parce que tu m'inquiètes, c'est tout.

– Ça n'est pas une raison suffisante.

– Faudra t'en contenter.

– Ça n'est pas une raison suffisante, Be-bop. Je ne sais pas comment cette affaire va tourner, peut-être mal, et je ne veux pas que tu te sois embarqué simplement pour me tenir la main.

– C'est mon business, Shrimp.

Ils se turent un bon moment. Le bateau était silencieux, il avançait doucement, lentement. Quelques poches de lumière résistaient encore à la poupe. Ailleurs n'étaient en service que les guirlandes réglementaires. Be-bop prit une inspiration.

– Shrimp ?

– Oui.

– Le prends pas mal.

– Je t'écoute.

– Est-ce que tu te lancerais comme ça si t'étais amoureux de ta femme ?

– Qu'est-ce que ton esprit pervers va chercher ?

– Si t'étais amoureux, tu le saurais, et si tu le savais, je le saurais aussi, d'accord ?

– Juliette et moi on a trouvé un équilibre...

– On parle de la même chose. Et moi je te dis, Shrimp, que tu t'en fous de rentrer à la maison la queue basse parce que ta queue, à la maison, elle se lève pas souvent. Ce qui te fait

bander, mon pote, c'est de jouer au pirate des mers du Sud.
J'espère que tu vas bien t'amuser. Allez, bonne nuit si tu peux.

Il lui donna une bourrade sur l'épaule et se fondit dans la pénombre.

Shrimp demeura immobile quelques instants. Il pensait que cette espèce de barbare avait raison à son propos. Totalement raison. S'il s'était senti attendu et désiré ailleurs, il ne serait probablement pas monté au conflit de cette manière. La vie avec Juliette n'était pas sa vraie vie, juste une parenthèse socialement correcte. Il n'était guère tenté d'y songer à cette heure, mais Be-bop avait trouvé le point sensible. Elle était belle, Juliette, elle avait les seins épanouis et des jambes fines, et puis un air de regarder le monde comme une chose acquise. Il avait immédiatement goûté son pétillement, sa jeunesse, il s'était offert en aîné protecteur et elle s'était nichée contre lui. Elle aimait être l'épouse du commandant, dire à ses jumelles de huit ans qu'elles étaient les filles du commandant. Elle était parfaite dans les dîners. Lui aussi. Mais en rentrant, elle ôtait ses bas sans le regarder, chantonnant pour elle-même.

Il se mit en route vers sa cabine, croisa deux matelots qui effectuaient une ronde. Et quelques couples. C'était l'heure des couples enlacés, de ceux qui cherchent une lune romantique et qui partagent, épaule contre épaule, la tiédeur nocturne. Il fut gêné de surprendre involontairement le dialogue d'un homme et d'une femme.

– C'est monstrueux, Jimmy, que je te coure après comme ça. C'est indécent, disait-elle. Je me conduis comme une pute.

– T’as raison, répondait Jimmy.

Shrimp s’écarta. Sur le pont inférieur, il aperçut le professeur Korb en grande conversation avec la chanteuse russe. Le commandant les dépassa, leur adressant un signe amical. Trente mètres plus loin, il buta contre une silhouette indécelable dans l’ombre d’une chaloupe. Aliocha le magicien ne quittait pas des yeux, en contrebas, sa femme et le professeur. La lune n’est pas toujours romantique.

CHAPITRE 4
OÙ MASSIMO SE CROIT À VENISE

Shrimp ne dormit guère, il se tortilla sur son lit tandis que sa cervelle faisait des bonds. En d'autres circonstances, il aurait recouru au Laphroaig, mais c'était incompatible avec sa fonction et avec la bagarre qu'il avait à mener. Deux douches, l'une chaude l'autre fraîche, ne suffirent pas à le délasser. Dès sept heures, il était de retour à la passerelle. Il devait ordonner lui-même la manœuvre. L'art de jeter sa pioche, comme on dit dans le métier, est propre à chaque commandant.

L'océan Indien avait décidé de virer au bleu. Quand la lumière commença de percer, on vit que les nuages s'étaient dissous, que l'air était comme lustré. La mer n'affichait plus ni bleu-gris ni bleu-vert, mais un bleu éthéré qui contredisait les teintes lourdes des journées précédentes. On avait l'impression, tout soudain, de sortir d'un puits, de revenir vers un monde optimiste et caressant. La surface de l'eau était unie, juste ondulante. À l'approche de la terre, les oiseaux affluaient, sules, pailles-en-queue, frégates. Et bien que le capitaine, qui ne quittait pas des yeux le tracé du sondeur, eût choisi de mouiller à vingt minutes du rivage, toutes sortes d'embarcations se dirigeaient déjà vers le paquebot, depuis la pirogue creusée dans un seul tronc d'arbre jusqu'à la vedette capable d'accueillir deux cents personnes. Le ciel était rose comme aucun dépliant touristique ne le fut jamais.

Un ordre bref, et le bosco, près du guindeau, libéra la chaîne qui paraissait fumer en se dévidant et cognait dans l'écubier. Malgré l'heure très matinale, nombre de passagers étaient montés sur le pont. L'ambiance était joyeuse, une ambiance de terre promise. Les jumelles, les Caméscope étaient à l'œuvre dans un brouhaha de rires et d'interjections. Les serveurs circulaient avec des plateaux de croissants chauds, de jus de fruits, de café. À gauche on distinguait les bâtiments des pêcheries, sous la pointe d'Ambatoloaka, à droite la forêt touffue de Lokobe.

– *MANAO AHOANA !* mugit Pajetta dans les haut-parleurs – le Grand Animateur savait évidemment dire bonjour en malgache. *Illico*, pour consoler les auditeurs d'une agression aussi rude, se répandit la voix onctueuse de Lalao Rabeson chantant *Hafa ny andro anio**.

Douceur, couleur, sourire des piroguiers qui saluaient de la main et espéraient un riche client, chœur des femmes, sur les vedettes, déployant des nappes brodées. Plus tard, les croisiéristes seraient unanimes pour dire que cette période avait été bienheureuse, limitrophe du paradis terrestre.

* « De nouveaux jours... »

Le téléphone Inmarsat retentit hargneusement. Shrimp, qui avait renvoyé le matelot de quart, attendait l'appel. Soteriades, la veille au soir, l'avait prévenu qu'il se manifesterait après la manœuvre. Le commandant plissa les yeux, décrocha.

– Vous êtes mouillé ?

– Bonjour Marios.

– Euh, bonjour Santucho.

– Nous sommes à l'ancre, en effet. Tout va bien.

– Bon. Pour Mombasa et le rapatriement…

Shrimp le coupa net. Sa voix paraissait tranquille, soigneusement posée.

– … Je ne vais pas à Mombasa.

– Pardon ?

Soteriades avait monté d'un ou deux tons, comme s'il voulait croire qu'il s'agissait d'un crachotement sur la ligne.

– Je ne vais pas à Mombasa, reprit le commandant, j'ai une croisière à terminer.

– Qui a décidé ça ?

– Moi.

– Vous délirez. Passez-moi le commissaire.

– Non.

– Non ?

– Non.

– Vous êtes sous le choc, je peux comprendre que ça vous ait secoué. Nous sommes tous secoués.

– Parlez-moi de ces deux chalutiers, Marios.

– Quels chalutiers ? Que voulez-vous dire ?

Nouvelle montée vers les aigus. Shrimp, lui, poursuivait *recto tono*. Ses yeux n'étaient plus que deux fentes.

– L'un de nous deux a des troubles de l'oreille, et ça n'est pas moi, Marios. Alors augmentez le volume et écoutez bien. J'ai ici deux cent cinquante membres du personnel et sept cent cinquante passagers qui ne sont pas censés connaître vos entourloupes africaines. Et moi non plus, je ne suis pas censé les connaître. Oublions donc les chalutiers, j'oublierai le moment de découragement que vous avez eu hier soir.

– Vous vous foutez de ma gueule ?

– Est-ce que ça m'est arrivé depuis que nous travaillons ensemble ? Vous ne croyez pas que vous inversez les rôles ?

Il y eut un silence. La voix de l'armateur descendit d'un ton.

– Vous prenez un risque considérable, vous allez vous mettre hors la loi.

– Cette fois encore, Marios, j'ai envie de vous retourner le compliment. Lequel de nous deux joue avec la légalité ?

– Restez poli, Shrimp.

– Juridiquement, c'est vous qui êtes garant de mes actes. Je vous propose de partager le risque. Continuons ensemble.

– C'est moi le patron, nom de Dieu ! Appareillez cette nuit et rentrez à Mombasa.

– Non.

– Je vais vous coller au cul toutes les polices de la terre.

– Vous ne le ferez pas.

– Et pourquoi donc ?

La voix était suraiguë. Shrimp sentit qu'il avait l'avantage.

– Parce que vous n'aimeriez pas que vos petites affaires avec BB soient exposées devant un tribunal.

– Vous me menacez ?

– Absolument. Je réponds à la menace par la menace. Laissez-nous faire notre métier, Marios.

Le silence, cette fois, dura bien vingt secondes. L'autre devait, simultanément, chercher sa respiration et raisonner à toute vitesse. Il opta pour le chuchotement.

– Vous savez très bien que je suis attaché à Splendid, c'est mon œuvre, c'est ma passion.

– D'accord, on continue.

– Vous ne comprenez pas. BB est dangereux.

– Je comprends très bien qu'il ne faut jamais nettoyer un fusil chargé.

– Il me flinguera.

– Non, il ne vous flinguera pas, il vous étranglera.

– Je n'avais pas d'autre choix, je vous le jure. Le dépôt de bilan…

– Vous n'avez pas déposé le bilan, Marios. Vous risquez de le faire si Empyrée se retire.

– Bordel de merde !

– Puisque vous le dites.

– Mais comment êtes-vous au courant de…

– Les satellites. Il y en a plein, vous savez. La nuit, on les voit même à l'œil nu. Vous avez entendu parler de la mondialisation de l'information ? À propos de satellites, Marios, pendant cinq ou six jours, je risque d'avoir une panne d'Inmarsat. C'est tout juste si nous avons eu le temps d'annuler les escales...

– Qu'est-ce que c'est encore que ce coup-là ?

– Une fragilité de l'antenne, rien de grave. On la bricolera.

– Mais j'ai besoin de vous joindre. Vous partez sur Diego ?

– Si vous m'en donnez l'ordre, j'appareille à minuit pour Diego.

– J'ai pas dit ça, attention. J'ai pas dit ça. L'ordre, c'est Mombasa.

– Alors je crois que nous allons éviter les grands ports pendant quelque temps. Prévenez nos agents que, pour les cinq jours à venir, tout est annulé.

– Prévenez-les vous-même, puisque c'est vous qui décidez.

– Si cela ne vient pas de l'armement, c'est sans valeur. Vous n'allez pas vous griller auprès des autorités portuaires, vous avez d'autres bateaux dans la zone...

– Balakirev vous retrouvera.

– C'est vous qu'il retrouvera le premier, Marios. En disparaissant, je vais vous faire gagner un peu de marge, profitez-en pour négocier.

– Négocier quoi ? Il ne voudra rien entendre.

– Roulez-vous par terre et ouvrez votre portefeuille. Nous sommes tous avec vous.

– Ne coupez pas !

– À bientôt, je vous rappelle dès que la réparation est terminée.

– Ne coupez pas !

Shrimp raccrocha et, immédiatement, défit la cosse de l'antenne. Il ferma les paupières un instant. Toutes sortes de clichés déferlaient sur sa cervelle. Les ponts étaient rompus. Il avait franchi le Rubicon. Vertige. Il s'aperçut que ses mains tremblaient malgré lui, que l'assurance dont il avait fait preuve s'était construite au prix fort. Il avait envie de gueuler, une bonne fois, ou de gémir, envie de régresser comme Pajetta la veille. Mais ce n'était pas le moment et il n'était guère souhaitable que ce moment vienne. Remontaient en lui des choses anciennes, non écrites, qui sont communes à tous les marins. L'armateur, fût-il roublard et corrompu, est un prince, un souverain, une puissance qui accompagne le navire dans toutes ses errances et dérives, avec les droits correspondants – dont celui d'ordonner à quiconque de mettre sac à terre, voire celui de le pendre. On ne défie pas cet homme-là. Shrimp ne regrettait strictement rien, mais sa carcasse tremblait et il en éprouvait une sorte d'étonnement agacé.

Ses yeux revinrent vers le monde extérieur qui était en liesse. L'orchestre avait complètement déserté la veine slave et s'abandonnait aux rythmes ensoleillés, exécutant un pot-pourri de thèmes antillais, capverdiens ou africains. Peu importait, du reste, pourvu que ça chaloupe, que le tambour fût présent – on n'allait pas chipoter sur la frontière entre maracas et djembé. Les musiciens arboraient certes des tignasses blondes et des yeux clairs mais nul n'est parfait.

Équipé de son micro-casque sans fil, le Grand Animateur, sautillant sur place, divisait la foule en fleuves, les fleuves en rivières, les rivières en ruisseaux. Avec l'aide des matelots tout de blanc vêtus et des hôtesses en tenue « tropicale » (soit un soutien-gorge coloré et une jupe à fleurs façon paréo), le balisage paraissait fonctionner et l'embarquement sur les vedettes se déroulait dans la bonne humeur.

Les uns allaient accomplir, par bus, un tour de l'île, d'autres partaient visiter la « réserve naturelle intégrale » et tenter d'apercevoir caméléons et lémuriens, d'autres encore, en voilier ou en barque à moteur, gagneraient les îles proches. Quelques audacieux « individuels » se contenteraient de traverser jusqu'à Hell-Ville, la capitale, pour y louer un taxi-brousse et entamer par eux-mêmes la découverte des champs de vanille, de l'immense banian sacré où l'on prie les ancêtres, de la distillerie où est produit le meilleur rhum du pays. Toute l'équipe de Ronnie était attelée à la distribution des paniers-repas, eau minérale (dûment cachetée) incluse.

Shrimp observait d'un œil admiratif *Bardamu*. Le voilier qui devait emmener Dotty, l'heureuse gagnante, et ses compagnons jusqu'à l'île aux tortues attendait, pour venir à couple, que les autres bateaux fussent partis. C'était une superbe unité de l'entre-deux-guerres, tout en bois verni, dotée d'une voile à corne rouge sombre et de deux focs qui battaient au vent, écoutes choquées. Le skipper et son équipage blaguaient en patientant. Puis, habilement, ils bordèrent les focs à contre et, très doucement, unirent leur coque à la muraille du paquebot. Dotty descendit les dernières marches de la coupée, enjamba la lisse tandis qu'un des hommes lui donnait la main.

– Ce rafiot est une antiquité, ma parole, dit-elle en guise de salut.

Pajetta, depuis le pont supérieur, agitait le bras comme s'il se séparait de ses plus proches amis, et comme si ces derniers le quittaient pour un tour du monde. Plusieurs hôtes de *Bardamu*, du reste, lui répondaient de la même manière. Les jours de fête, on n'hésite pas à amplifier l'étalage d'affection. Quand il eut estimé que le voilier s'était assez éloigné, il interrompit ses saluts, enleva le micro-casque d'un geste assez brusque, laissa retomber les bras en expectorant comme un lanceur de marteau, et pivota vers les hôtesses qui, elles-mêmes, relâchaient la pression.

– OK les filles, on a huit heures de relâche. Briefing des chefs de quart à 16 h 30. Filage du spectacle à 17 h 00. Et tout le monde sur le pont, pour le retour, à 17 h 50. Capté ?

Les musiciens qui s'éloignaient déjà levèrent le bras en signe d'acquiescement. Le signal de la dispersion était donné. Massimo, qui avait hâte de faire le point avec le commandant, prit le chemin de l'ascenseur. Lui non plus n'avait pas dormi. À l'aube, les soucis d'organisation avaient assez occupé son esprit et renouvelé son adrénaline pour qu'il officie comme à l'ordinaire et donne le change aux croisiéristes. Mais maintenant, les doutes et les angoisses étaient de retour tel un essaim de guêpes. Il se cogna sèchement contre un corps qu'il n'avait pas aperçu.

 – Exc… Oh ! professeur !

Il avait l'air d'un collégien surpris en train de fumer dans les cabinets. L'idée que Korb l'avait entendu donner ses consignes, l'avait vu ôter son casque, avait été le témoin de son relâchement, lui paraissait obscène. Il aurait, plus volontiers, accepté de montrer son cul. La barrière de l'indécence, le seuil de la transgression, pour lui, se situait entre le rôle de Grand Animateur et le reste. Le commissaire et lui demeuraient des énigmes. À bord, nul, même parmi le personnel, ne connaissait sa vie privée. Rien. On chuchotait qu'il était homosexuel parce qu'il n'avait jamais dragué une danseuse, courtisé une passagère, mais il n'avait pas non plus dragué un danseur ni courtisé un passager. Pajetta cernait sa frontière de miradors, de barbelés électrifiés. Et le seul fait que le professeur eût glissé un orteil de l'autre côté, voire l'ongle de cet orteil, l'horrifiait. Il ne put s'empêcher de bredouiller.

– Mais… mais vous n'êtes pas descendu à terre ?

Korb devina qu'il tenait une revanche. Petite mais savoureuse.

– C'était obligatoire ? Je suis puni ?

– Aucun programme n'est imposé, c'est la règle de Splendid, répondit Massimo, se forçant à émettre un petit rire aigu.

– J'ai déjà visité Nosy Be. Et puis une journée de vrai calme, c'est bon à prendre, non ? C'est rare, un jour sans sono, sans Dalida, sans *My Way*…

Pajetta essayait de retrouver contenance, d'entrer dans le jeu.

– Je sens une pointe de persiflage…

– Pas du tout. Pas du tout. Je ne persifle pas, je fatigue. N'y aurait-il pas un endroit, sur ce bateau, où l'on aurait la possibilité d'entendre le vent et rien d'autre ?

– Ah ! professeur, vous touchez un point sensible. Je ne suis pas le maître des gens, je suis leur esclave, j'obéis, j'aime ce qu'ils aiment.

– Comme le hareng.

– Pardon ?

– Oui, le hareng. Ronnie nous a expliqué que nous étions obligés de nous taper du hareng aigre-doux parce que c'est une nécessité statistique.

Le petit rire aigu jaillit à nouveau.

– Nous sommes alliés, professeur, je vous l'ai déjà dit après la conférence. Vous, vous êtes un homme libre, profitez-en. Je ne rétablirai la sono qu'à 17 h 55. Faites le plein de vent !

Il s'éloigna, son sourire professionnel était revenu. Pour quelques secondes.

Korb marcha jusqu'à sa cabine et poussa la porte qu'il n'avait pas fermée.

Joseph, étendu sur le lit, bras croisés sous la nuque, parut être la proie d'un phénomène de lévitation. Son corps se souleva à l'horizontale, propulsé par une terreur fulgurante, puis retomba sur le côté et roula au sol. Le poste de télévision qu'il avait allumé passait en boucle des clips où toutes sortes de jeunes femmes maigres défilaient pour une marque de lingerie. Il se mit à genoux et supplia.

– Pardon patron, pardon patron, c'est un moment de faiblesse, je ne savais pas que vous étiez resté à bord, j'attendais Jean-Baptiste, je ne manquerai pas de prier Notre-Dame pour lui avouer mon péché, je sais qu'il est impardonnable mais je compte sur votre indulgence…

Les mots coulaient de sa bouche comme d'une fontaine sucrée, en rangs serrés, sans que le débit ralentît une seconde. Et pendant ce temps-là, une autre voix, celle de la commentatrice, à la télévision, concurrençait les supplications du garçon de cabine : « Oui la dentelle est de retour. Mais attention, mes chéries, la dentelle blanche, mi-ingénue mi-coquine, très *Belle de jour*, d'ailleurs le fantasque Alexander von Bilus, le Bibi de ces dames, n'hésite pas à la dissimuler sous un tailleur BCBG quoique la cuisse, malgré tout… » Korb éteignit le poste, et, bizarrement, l'interrupteur agit aussi sur Joseph.

– Qui est Jean-Baptiste ? demanda-t-il.

Joseph prit un air traqué.

– Un ami, monsieur Korb, un collègue.

Joseph bégayait. C'était donc sérieux.

– Et pourquoi l'attendiez-vous ?

– Pour qu'il fasse la chambre.

– Je croyais que c'était votre travail.

– Il le fait pour moi, je le paie. Lui, normalement, il balaie les couloirs. Je lui rends service, c'est par charité.

– Tu obliges un autre à faire ton boulot et tu lui donnes un pourboire sur ton pourboire, c'est ça ? Par charité !

– Il ne faut pas me tutoyer, monsieur Korb, c'est colonial, le tutoiement.

– Et l'exploitation du petit personnel, ça n'est pas colonial ?

Joseph se rendit compte qu'il aggravait son cas.

– S'il vous plaît, professeur, ne dites rien, ne dites rien, pardonnez-moi et Dieu vous pardonnera…

– Dégagez.

Le Philippin s'enfuit et Korb songea que, les jours d'excursion, il y avait peut-être plus à découvrir en restant sur le bateau qu'en allant à terre.

Ordinairement, quand le paquebot était à l'ancre et la quasi-totalité des passagers en promenade, un climat très particulier s'installait. On se retrouvait entre soi, l'espace de quelques heures. Ce n'étaient pas des vacances, même si le restaurant tournait au ralenti, mais une séquence d'intimité où il était permis de sourire et même de ne pas sourire. On avait le droit de se reposer, mais aussi de s'expliquer, de se contredire. Dans les coursives désertées par les croisiéristes, on se saluait généralement de fort bonne humeur : on avait, fugitivement, récupéré le bateau. Shrimp aimait ces moments-là, parce que l'équipage, pour la circonstance, prend conscience de lui-même, vérifie que ce qui fait le navire, plus que les tôles et les rivets, c'est l'assemblage de ceux qui y travaillent.

Mais ce matin, la parenthèse s'ouvrait différemment. Après avoir informé Pajetta de sa conversation avec Soteriades, il s'était, comme lors de chaque escale, entretenu avec le commissaire des problèmes généraux du bord. Fidèle à sa tactique, Tribis lui avait parlé comme si de rien n'était, au point que leur réunion nocturne prenait l'allure d'un rêve ou d'un cauchemar. Puis Shrimp était descendu à la machine pour voir comment Be-bop s'en sortait. Bien sûr, il n'avait pas présenté les choses ainsi. Le chef est comparable à un chirurgien : en cours d'opération, il serait malvenu de l'interroger ou, pire, de paraître exercer un contrôle. Reste que le spectacle était, de lui-même, très éloquent. Les hommes s'agitaient dans tous les coins, les pompes chuintaient en chœur, et une abominable odeur de fuel noyait la salle. La seule chose qui parut franchement inquiétante au commandant était l'expression satisfaite qu'arborait Creux.

Il se dirigea ensuite vers le bridge deck où Pamela Hotchkiss lui avait donné rendez-vous. Il souhaitait, autant que possible, interroger son mari, le financier, sur le fonds de pension que Boris Balakirev menaçait de transférer. Pamela lui avait expliqué que, depuis ses trois attaques cérébrales, Norbert connaissait des périodes de lucidité intermittentes, et que le créneau le plus favorable se situait après dix heures. La piscine, hormis une vieille dame qui semblait pédaler avec ardeur sur un vélo immergé, était déserte, nul ne bataillait pour conquérir une chaise longue, et le couple Hotchkiss, privé par définition de la moindre excursion, était seul à occuper une table ronde sous un parasol.

Shrimp les salua. Norbert était un petit homme recroquevillé sur lui-même, probablement moins vieux qu'il ne le paraissait. Il portait une chemise élégante, son crâne était parfaitement chauve et, du séduisant personnage qu'avait décrit sa femme, ne survivaient que deux yeux sagaces filtrés par des grosses lunettes.

– Je veux mon *Wall Street Journal*, répétait-il. Qu'est-ce que vous voulez que je devienne sans le *Wall Street Journal* ?

– Nous sommes en mer, chéri.

– Je m'en fous. C'est la troisième édition la meilleure, je veux la troisième édition. Un endroit où l'on ne trouve pas la troisième édition du *Wall Street Journal* ne mérite pas d'exister.

– Monsieur Hotchkiss, dit Shrimp, vous me rendriez certainement service en m'expliquant le fonctionnement du fonds de pension Empyrée.

Un regard le transperça.

– L'espèce de machin mafieux qui est planqué dans votre compagnie ? Y a rien à expliquer, c'est juste un machin mafieux. Il en traîne des milliards.

– Excusez-moi mais ça n'est pas mon métier. Je suis un marin. Si vous aviez la gentillesse de…

– Faut vous payer un consultant. Ou alors, si vous réclamez mon avis, c'est 650 dollars le quart d'heure. Tout quart d'heure commencé est dû.

– Je crains de ne pas avoir cette somme, et…

– Eh bien, bonjour, cher monsieur.

– Attendez, c'est très important pour tous les gens qui travaillent sur ce paquebot.

– Ça n'est pas mon problème. Si je m'étais posé ce genre de question, je cirerais vos chaussures et je ne serais pas votre passager.

– Je ne crois pas que vous vous y preniez bien, captain Shrimp, intervint Pamela.

– Il s'y prend très bien, coupa Norbert, il essaie de me faire bosser à l'œil.

– Non, il ne t'a pas dit que nous sommes amis, lui et moi.

– Vous êtes l'ami de ma femme ? questionna Norbert.

– Je crois.

– Il n'y a pas longtemps, monsieur, je vous aurais flanqué dans le caniveau pour moins que ça, j'étais possessif. Maintenant… Maintenant… Vous savez qu'il existe un mot japonais pour désigner les vieux maris. Ça signifie quelque chose comme « déchet encombrant ». Vous imaginez un déchet possessif ?

Shrimp ne savait plus où se mettre. Pamela, les yeux embués, vint à son secours :

– Je te demande d'aider le commandant.

– Il fallait le dire, enchaîna Norbert à l'adresse de Shrimp. Si ma femme vous aime…

– Disons qu'elle m'apprécie, corrigea le capitaine, toujours mal à l'aise.

– C'est une femme difficile, vous savez, elle n'aime pas le premier venu. (Il eut un gloussement.) La preuve… Bon, qu'est-ce que je peux pour vous ?

– Je vous l'ai expliqué…

– Empyrée ? Rien à ajouter. Une petite niche de blanchiment. J'ai regardé le dossier. Comment il s'appelle, déjà, ce type ?

– Balakirev.

– C'est ça, Balakirev. Je ne sais pas s'il traficote de l'héroïne, mais il faut bien qu'il réinjecte quelque part tout ce qu'il récupère à gauche et à droite. Je ne vous suis d'aucune utilité là-dessus. Même les gosses de quinze ans sont au courant du système, aujourd'hui.

– Pourrions-nous convaincre Balakirev de ne pas dégarnir Splendid ?

– S'il a décidé de couler la compagnie, bien sûr que non.

– Pas l'ombre d'une chance ?

– En lui demandant à genoux d'être gentil avec les petits marins ? Je vous parie un billion de dollars.

Shrimp, manifestement déçu, baissa les bras.

– Il me reste à vous remercier.

Norbert éclata soudain d'un rire qui le rajeunissait de quatre-vingts ans.

– Il vous en faut si peu pour renoncer ?

– Vous venez de me dire...

– ... qu'il ne se laissera pas convaincre. Ça, c'est une évidence. Mais faute de le convaincre, on va l'obliger. Si on ne faisait du business qu'avec les convaincus, on en serait encore à échanger un steak de diplodocus contre une dent d'ours.

– Quelle est votre méthode ?

– J'ai besoin d'un ordinateur et d'une liaison Internet.

– En principe, nous avons une panne de satellite, mais c'est une panne qui peut s'arranger…

– Compris. Puisque le but du jeu est que ce Balakirev ne fasse *pas* quelque chose, nous avons deux recours. D'abord, détourner son attention sur une autre affaire. Ensuite, l'inquiéter. Voyons, il est sept heures à New York et quinze heures à Moscou. Excellent, ça, excellent. En Russie, c'est la pause, et à New York, ça n'est pas encore l'ouverture.

– Venez dans ma cabine, dit Shrimp. J'y ai un poste Inmarsat.

Pamela s'inquiétait presque de voir son mari si enthousiaste. D'un coup, il paraissait revigoré, il se levait de lui-même, agrippant le bord de la table d'une poigne farouchement crispée.

– Tu ne veux pas grignoter un peu, tu es pratiquement à jeun ?

– Pam, dans deux heures, au mieux, mon cerveau ne sera plus qu'une boule de latex. Allons-y vite. Je vais d'abord contacter Davidenkoff.

Shrimp s'aperçut que Pamela Hotchkiss versait des larmes silencieuses qui semblaient rouler d'elles-mêmes hors de ses yeux verts. Tandis qu'ils parcouraient les coursives à la remorque de Norbert trottinant devant eux, elle lui glissa : « C'est quand il va mieux que ça fait le plus mal, on pourrait s'imaginer que le monde va se remettre en place… » Le commandant les laissa un instant, le temps de faire reconnecter l'antenne. Quand il revint, avant même que la liaison fût établie, Norbert pianotait furieusement, assis au bureau. Il poussa bientôt un gloussement :

– Je l'ai ! Je l'ai ! Il est toujours sur le Web à cette heure-ci, la fortune est un plat qui se mange tôt. Allez mon petit gars, mets-le-moi à poil, le cousin russe.

Et, à nouveau, ses doigts s'agitèrent fiévreusement tandis que défilaient écrans et lignes. Il accompagnait ses gestes d'onomatopées étranges, comme certains interprètes qui ne peuvent s'empêcher de chantonner la musique qu'ils sont en train de jouer. Par moments, il tressaillait, écarquillait les yeux, lâchait une exclamation. Shrimp et sa passagère, près d'un sabord, patientaient en conversant à mi-voix. Elle balayait la pièce du regard, observant les rayonnages encombrés de dossiers cartonnés, le canapé blanc, la porte entrebâillée, au fond, qui révélait un lit assez étroit sous une couette à rayures.

Pour la première fois, il s'aperçut qu'elle avait été jolie et qu'elle restait belle. Jusqu'alors, le pittoresque de son verbe, de ses robes, de sa silhouette potelée avait occulté, aux yeux de Shrimp, une grâce émouvante.

Ils furent interrompus par Norbert qui poussait une exclamation triomphale.

– Premier étage lancé ! Si Davidenkoff était une femme, je l'épouserais.

– Tu peux l'épouser tel qu'il est, répondit Pamela. De plus en plus de pays acceptent le mariage homosexuel.

– Ce Balakirev ne comprendra jamais d'où lui arrive notre bombinette. Il va réviser la liste de ses ennemis, qui doit être longue, et il va se mordre la queue comme un tigre en cage.

– Quelle méchanceté as-tu inventé ?

Norbert ricana d'aise.

– Au moment de la perestroïka, le camarade Balakirev a récupéré, probablement pour un rouble symbolique, le monopole des cartes marines d'URSS. Un placement génial, tout bête, aussi peinard qu'un paquet de lingots au fond de l'armoire familiale. Notre agent à Moscou va lui coller dans les pattes un racheteur bien gluant qui mobilisera tout ce qu'il reste là-bas de bureaucratie opérationnelle. Et il en reste, il en reste, croyez-moi, très mal payée mais justement, on s'en occupe. L'ex-camarade Balakirev, sans piger pourquoi, va donc être accusé d'avoir récupéré de manière abusive un bien d'État. Quelques lignes dans la presse économique, et le coup sera parti. Comme il a certainement fait la même entourloupe une bonne douzaine de fois, ça va le contrarier. Ça va même le contrarier beaucoup. Et lui prendre du temps. Énormément.

Il se frottait les mains à toute vitesse, manifestement ravi.

– Tu es contente, *sweetie* ? dit-il à sa femme sur un ton qui n'attendait pas vraiment de réponse.

– Quel rapport avec Splendid ? questionna Shrimp.

– Aucun.

– Mais… ?

– C'est tout l'intérêt de la manip, voyons. Quand vous voulez attaquer quelqu'un, promenez-lui sous le nez un leurre qui squatte ses méninges. Ensuite, et ensuite seule-

ment, une fois qu'il a la tête ailleurs, visez la vraie cible.
Nous allons attendre deux ou trois jours, et puis on simulera un petit courant d'intérêt pour Empyrée. Le cousin russe, lui, sera devenu un peu parano entre-temps, il se demandera si c'est du lard ou du cochon, et, dans le doute, il n'ira surtout pas déplacer ses fonds.

– Étonnant ! s'exclama Shrimp, sincèrement admiratif. Monsieur Hotchkiss, vous nous rendez un service...

– Ne me remerciez pas, commandant. Je ne sais pas dire non à ma femme, c'est tout. Moi, vous savez, j'ai plutôt hâte de débarquer et de retrouver mon *Wall Street Journal*.

D'un coup, il parut en proie à un choc violent.

– Pam ! Mon journal... Donne-moi mon journal, Pam !

Il s'effondra sur la banquette de cuir blanc, laissa son corps partir en arrière. Shrimp voulut se porter à son secours mais Pamela l'encadrait déjà de ses bras. Il avait soudainement rétréci, il s'était comme fané.

– Je fous le camp, répétait-il. Je fous le camp.

– Voulez-vous que j'appelle le médecin ? questionna Shrimp.

Norbert l'en dissuada lui-même.

– Pas la peine, plus de cerveau. Je fous le camp, je fous le camp, je fous le camp, je fous le camp...

Pamela l'embrassait tandis qu'il poursuivait sa litanie. Elle l'embrassait avec soin, avec concentration, promenant ses lèvres sur tout son visage, le bécotait en lui murmurant des petits mots. Shrimp se sentait gauche à côté d'elle. Il était troublé que tant de douceur et de passion fussent compatibles. Aucune femme, lui semblait-il, ne l'avait jamais embrassé ainsi.

Les anciens horlogers de Corrèze, tant effrayés par le voyage, s'appelaient Marinette et Marcel Chourgnoz. Et ils étaient à la fois intimidés et émoustillés de se retrouver, pour déjeuner, à la même table que le *grand* professeur Korb. Bien sûr, ils n'avaient pas osé débarquer. Si la tentation les avait effleurés, ils auraient immédiatement été découragés par les mises en garde de cette Américaine, Dotty Thunderbay, la gagnante du concours de sagacité, qui promettait aux intrépides des morsures de bêtes sauvages et des maladies incurables. Le bateau vidé de ses croisiéristes leur convenait parfaitement. Et la table intime où la direction avait groupé les réfractaires leur paraissait plus « familiale » qu'à l'accoutumée. Enfin.

Ronnie, pourtant, les étonnait. Il souriait, sans doute. Son service restait impeccable. Mais il paraissait fonctionner de manière plus distante, il ne puisait plus dans le stock de petites plaisanteries dont Marinette et Marcel, ensuite, durant des heures, se régalaient par lampées gourmandes. Ils crurent même, un instant, que le maître d'hôtel s'était trompé de plat. Au lieu de l'« escabèche de poisson bleu à l'aubergine violette et à la courge de mon jardin » (sardines à la provençale), il déposa devant Korb une assiette creuse remplie d'une sorte de brouet noir, fumant et antipathique. Un peu de riz complétait la punition. Les Chourgnoz n'en revenaient pas. Peut-être le professeur souffrait-il d'un mal secret qui le contraignait à suivre un régime spécial – un problème de côlon, d'œsophage ?

La quatrième convive, qui s'était prélassée toute la matinée dans la piscine, était une femme très menue et âgée, aux yeux un rien bridés, dotée d'une voix curieusement jeune qui démentait la peau diaphane. Elle n'était pas de leur avis.

– Mais ça sent bon !

– Ça sent bon et ça l'est, confirma le professeur. C'est un curry d'agneau. Pas mal épicé, quand même, il faut que j'éduque mon palais.

– Comment vous êtes-vous débrouillé, monsieur, pour échapper à ce truc infâme ?

Elle désignait le menu.

Korb raconta l'épisode du hareng. La vieille dame rit de bon cœur, appela Ronnie, et demanda à s'inscrire sur la liste des bénéficiaires de la cuisine indienne. Sans être contrarié, le maître d'hôtel s'inquiétait et ne s'en cacha point. Une expérience marginale, soit. Mais imaginons qu'une minorité significative de passagers opte pour le curry, que deviendraient les cartons de victuailles entassés dans les chambres froides ? Il consentit donc à joindre Rose Travis (elle était anglaise quoique son français fût excellent) aux titulaires d'une dérogation mais la pria de rester discrète et de ne pratiquer aucun prosélytisme. Marcel et Marinette certifièrent, pour leur part, qu'ils n'avaient rien entendu et qu'eux-mêmes, sur ce qu'ils avaient de plus sacré c'est-à-dire sur la tête de leurs onze petits-enfants, juraient de renoncer au brouet noir.

Rose Travis avait atteint, expliqua-t-elle, l'âge de quatre-vingt-deux ans. Jadis, elle enseignait la géographie, et la passion des voyages ne l'avait jamais quittée. Si elle n'était pas descendue à terre, c'était parce que son budget était trop serré pour inclure les excursions. Elle avait, en effet, calculé qu'une croisière comme celle-ci ne coûtait pas plus cher – à condition, justement, de renoncer aux extras – que la pension dans une maison de retraite médicalisée. La chambre, la nourriture, les draps, les serviettes de toilette, le ménage, les spectacles sont inclus. Le médecin, le kinésithérapeute, le salon de coiffure et de soins se trouvent sur place. Solarium et piscine restent à disposition. Le kir est offert. Et puis on entraperçoit des paysages, on croise du monde, un monde de bonne humeur, un monde plus appétissant que celui de vieilles dames rances. Voilà pourquoi, neuf mois sur douze, elle était en mer. Tant qu'elle tiendrait debout, assurait-elle, cette vie serait sienne.

Les Chourgnoz la regardaient avec épouvante. Korb, lui, était intrigué.

– Pourquoi neuf mois sur douze ? Pourquoi pas toute l'année, tant que vous y êtes ?

– Ce n'est pas l'Angleterre qui me manque. Ce n'est pas non plus ma famille. Je n'ai pas eu d'enfants, mes « proches », comme on dit, ne sont pas si proches que cela, et ma compagne est morte depuis treize ans...

– Votre « compagne » ? releva Marcel Chourgnoz malgré le coup de coude que lui donnait son épouse.

– Je suis lesbienne, précisa Rose le plus naturellement du monde. En fait, c'est à cause des enfants que je reviens trois mois par an. J'ai gardé un minuscule pied-à-terre dans le Kent. Je ne peux pas demeurer une année entière sans voir des petits. Avez-vous remarqué que, sur ce paquebot, il n'y a pas un seul gosse ? Pas un seul ! Est-ce qu'une fête est une fête si les enfants n'y ont aucune place ?

Korb sentit un malaise le gagner. Parmi les innombrables sujets de récrimination qu'il avait accumulés contre le système Pajetta, il n'avait pas un instant songé à celui-là. Lui-même était sans enfants – Véra avait « un problème » et tous deux s'en étaient accommodés sans chercher d'explication trop pointue. Et il serait fort en peine, croisant les enfants des autres, de déterminer leur âge, de savoir quels mots choisir pour échanger avec eux des phrases simples, d'imaginer ce qui suscite leur rire ou leur peur. Embarqué sur l'*Imperial Tsarina*, il reprochait à cet univers organisé d'être artificiel mais lui, le professionnel de l'observation, n'avait pas même entrevu l'artifice majeur : cet univers-là avait perdu son socle.

La compagnie du troisième âge le perturbait. Entre les Chourgnoz qui avaient peur de tout et Rose Travis qui n'avait peur que des vieilles dames, il choisit la fuite. Il s'excusa, sitôt expédiée la « triade des vergers » (trois boules de sorbet), et se mit en marche vers sa cabine. L'ascenseur, les coursives étaient dépeuplés. Aucun bruit, si ce n'est le ronronnement de la climatisation. Il régnait dans le navire une atmosphère de sieste générale, de récupération bienvenue. La cohue s'était dissoute, les boutiques elles-mêmes avaient fermé. Seules deux jeunes femmes en tailleur montaient la garde, pour la bonne forme, devant le comptoir d'accueil. Elles dormaient debout.

Lorsqu'il atteignit la coursive de sa cabine, Korb découvrit au loin, accroché à la poignée, le rectangle de plastique qui affichait *Do not disturb*. Une violente bouffée de colère l'inonda. Joseph ! Joseph le faux cul et sa piété gélatineuse, Joseph était encore en train de se rincer l'œil devant un des programmes *pour adultes* que la télévision du bord diffusait sur demande, aux côtés de nos amis les requins et des sept merveilles de la planète bleue. Il prit son élan puis stoppa net. En douceur, il allait le cueillir en douceur. Il s'approcha sans bruit de la porte, s'immobilisa. Aucun son de télévision ne lui parvenait. Peut-être le bon apôtre s'accordait-il un somme. Il sortit sa clé, la glissa très doucement dans la serrure. Il tourna, millimètre par millimètre, saisit la poignée, et enfonça littéralement la porte en hurlant :

– JOSEPH !

Svetlana était absolument nue dans la lumière drue qui tombait du sabord et se tenait très droite devant le bureau, les mains le long du corps, paumes ouvertes tournées vers lui. Calme. Son visage était grave, elle s'offrait avec une détermination presque insupportable, sans un sourire, sans même l'étincelle d'orgueil propre aux femmes qui se savent très belles. Et c'est peu dire qu'elle l'était. Ses talons hauts étiraient les muscles des cuisses, ses hanches marquées ne contredisaient en rien la finesse de la taille, ses seins étaient très pointus et fermes, chapeautés d'aréoles sombres. Korb était foudroyé et c'était, assurément, ce qu'elle avait voulu.

Il était hors d'état de parler. Il referma la porte, verrouilla le loquet, et s'y adossa. Il la regardait, il ne pouvait rien faire d'autre que la regarder, et, maintenant, il commençait à se noyer dans les détails. Les hommes, ordinairement, déshabillent les femmes en chapitres hâtifs – jambes, taille, poitrine. Il profitait de son immobilité, de son abandon, pour s'évader du parcours imposé. Il s'attarda sur les épaules rondes, sur le nombril. Sur la fluidité des bras. Sur le grain de la peau. Ou plutôt sur cette peau dont le grain était imperceptible, laiteuse et fine. Les poils pubiens, touffus, étaient de soleil et de cuivre. Elle ne les épilait pas et c'était mieux ainsi, plus âpre, plus violent : la pointe du triangle désignait crûment l'entrée, l'intime.

Elle regardait son regard, elle le suivait très attentivement, elle savait exactement où il en était, elle l'incitait à prendre son temps, à la parcourir avec méticulosité. Quand elle le vit se perdre vers le bas du ventre, elle s'assit d'un mouvement tranquille sur le bureau, plaça ses mains en arrière, se cambra, puis, ne le quittant toujours pas des yeux, ouvrit résolument les cuisses jusqu'à ce que sa fente rose et mauve fût découverte, cernée d'une couronne d'or. Elle attendit un peu puis rompit la pose, et sourit enfin d'un vrai sourire, dépouillant la gangue de la déesse. Ses yeux redevinrent mobiles. Elle se mit debout et avança de quelques pas, s'arrêtant à un mètre de lui.

– Vous avez le droit de toucher, professeur. Vous avez tous les droits.

Il ne bronchait pas. Il essayait de penser. De se dire, par exemple, qu'à son âge et dans sa condition, il devrait être capable d'encaisser un tel choc.

– C'est donc pour cela que vous m'avez demandé de rester à bord ? prononça-t-il faiblement.

Elle ne lui répondit pas. Elle s'approcha encore et prit sa main dans la sienne.

– Où aimeriez-vous que je la pose ?

Korb était effrayé par sa jeunesse, par sa perfection. Et, plus encore, par son aisance. Ce n'est pas seulement qu'elle se dévoilait sans aucune hésitation. Il appréhendait la suite. Il était sûr que rien ne l'arrêtait, ne l'arrêterait, aucun geste, aucune posture, et cela lui faisait peur. Jamais, au cours de sa vie sexuelle qui n'avait guère été flamboyante, il n'avait éprouvé ce sentiment de permission infinie, de transgression facile. On ne naît qu'une fois et le sexe, pour lui, était éminemment sujet de négociation, de contraintes et de règles, de contrition.

Svetlana l'attendait sans impatience. Il finit par se décider, par effleurer le creux de son cou, à l'angle de l'épaule. Elle courba la tête comme un chat câlin. Il suivit la chute du bras, se glissa contre la hanche, remonta vers le sein. Il avait envie de l'agacer mais se contenta d'en suivre le pli du bout du doigt. Elle rit.

– Vous êtes timide, professeur.

Elle se planta tout contre lui, se hissa sur la pointe des pieds, en extension, avec l'aplomb des danseuses, entrouvrit les jambes, saisit à nouveau la main de Korb et l'enfouit dans sa vulve, lui ordonnant de la pénétrer, de vérifier qu'elle était humide.

Ce jour-là, Korb fut un amant assez lamentable. Trop fébrile ou trop lent, il se comporta comme un adolescent mal débourré initié par une maîtresse pédagogue. Quand il se risquait à prendre l'initiative, son corps lui échappait, se transformait en mécanique brouillonne et déréglée. Pour comble, lui dont ce n'était nullement le problème jusqu'alors, il connut une panne générale, sa verge le trahissant à l'improviste. Svetlana ne se départait pas de sa maîtrise et acceptait la situation sans ironie aucune. À force d'habiletés et d'attouchements, elle l'amena où elle avait résolu de l'amener, le réveilla de son ankylose, le délivra de ses tétanies, déplia un préservatif à l'instant idoine et finit par pousser un sanglot libérateur.

– Merci, souffla-t-il lorsqu'il fut en état de parler, soit au bout d'un certain temps.

Elle rit joyeusement.

– Mais c'est moi qui vous remercie de m'avoir fait jouir, professeur.

Korb n'était pas homme à consentir le mot de la fin.

– Disons que je vous remercie de m'avoir amené à vous faire jouir. Cela vous a demandé beaucoup de talent, je le crains.

Svetlana, allongée sur le dos, avait croisé les mains sous sa nuque et battait lentement des jambes, ce qui était délicieux à voir.

– Je me demande pourquoi les hommes ont besoin d'un debriefing quand ils arrêtent de baiser. Comme les généraux après la bataille ou les supporters après le match.

– Vous avez raison, c'est ridicule. Mais qu'est-ce que ça signifie, « les hommes » ? Est-ce que ça existe, « les hommes » ?

– Je n'en sais rien, mais j'ai baisé avec énormément d'hommes et je vous assure...

– Tant que ça ?

– Oui, énormément. Eh bien c'est plus fort qu'eux, ils réclament un petit commentaire. Même les clients, quelquefois.

– Les clients ?

– Mes anciens clients. À Mourmansk, dès dix-huit ans, j'ai eu des clients. La plupart des filles un peu jolies avaient des clients. C'était comme ça.

– Vous vous êtes prostituée !

– Évidemment. Qui aurait payé mes études supérieures ?

– Et ça ne vous posait pas de problème ?

– Qu'est-ce que vous imaginez, professeur ? Bien sûr que j'avais un problème. C'est épuisant, vous savez. Quand je suis devenue danseuse artistique, ça me faisait rigoler d'entendre les gens me plaindre à cause de la discipline du métier. Par rapport à ce que j'avais vécu... Vous connaissez ces muscles-là, juste à la jointure des cuisses ? On appelle ça les adducteurs. Souvent, le lendemain, ils étaient si douloureux que je ne sentais plus rien d'autre.

Tout en parlant, elle avait replié les jambes et uni ses pointes de pied en l'air. Il avait de nouveau envie d'elle. Envie, aussi, de se montrer plus à son avantage. Mais elle s'exprimait si librement, si naturellement, que la curiosité l'emporta.

– Où les trouviez-vous, vos clients ? C'étaient vos voisins de palier ?

– Mes voisins ? Les pauvres, ils n'avaient pas les moyens…

Et elle lui raconta son histoire. Là-bas, on ne faisait pas le trottoir. Trop dangereux. Trop froid, aussi. Nombre de magasins n'ont même pas de vitrine, se protègent derrière des portes de bois. Elle avait été repérée par un rabatteur qui écumait systématiquement le campus. Deux ou trois fois par semaine, un bus ramassait les jeunes femmes et les déposait à l'hôtel Metropol, l'unique établissement « international » de la ville. Là, on leur fournissait des robes, des bas et des dessous, des chaussures, des bijoux fantaisie, et même des manteaux de vison contre lesquels il fallait signer une décharge.

Les clients venaient tous de l'étranger et payaient en dollars. C'étaient des armateurs, des mareyeurs, des hommes d'affaires, parfois des scientifiques ou des militaires, plus rarement des voisins finlandais ou norvégiens en goguette. Les arrivages n'étaient pas très nombreux. Assez fréquemment, un car entier de filles était proposé à une douzaine d'hommes auxquels on suggérait d'en prendre trois pour le prix de deux. Elles acceptaient volontiers, c'était moins fatigant, et rassurant. Les portes claquaient à tout va durant la nuit mais l'hôtel n'avait pas la prétention d'être chic.

Ce n'était guère la peur que Svetlana jugeait la plus éprouvante. Les femmes russes ont une solide expérience de la gestion des mâles sous l'emprise de l'alcool. C'était plutôt le manque de sommeil. Et la monotonie. Elle avait découvert qu'elle aimait faire l'amour et elle redoutait que son travail sexuel, répétitif et machinal, ne vienne éroder le goût du plaisir. Heureusement, se donner contre de l'argent ne soulevait chez elle aucune objection morale parce que, justement, elle ne se donnait pas, sauf par surcroît, par accident. L'argent, d'ailleurs, paraissait, aux yeux des hommes, une substance indéfinie. Les uns se déclaraient satisfaits de payer une femme, jugeaient que cela les dédouanait, rendait la vie simple. Et les autres se méprisaient d'être obligés d'en passer par là pour obtenir des caresses. Allez savoir.

Le Metropol comportait un restaurant-grill de style – si l'on ose dire – saloon d'opérette. Svetlana avait coutume de s'y accorder une pause de trente minutes autour de minuit. Elle choisissait une petite table et s'installait sur la chaise qui faisait face au mur. Pendant cette demi-heure, elle ne voyait aucun homme et n'était vue par aucun. Sa tenue, bien sûr, la trahissait, mais son dos revêche était le plus fort. Même les serveurs déposaient l'assiette par-dessus son épaule, sans un mot.

– C'est du passé, professeur. Aujourd'hui c'est gratuit. Maintenant, je suis chanteuse et danseuse, je ne baise plus...

Sa bonne humeur était intacte. Le récit ne l'avait pas entamée.

– Je m'appelle Martin, dit Korb. Pourquoi me donnez-vous du « professeur » à tout bout de champ ?

– Vous êtes le seul professeur de ma vie, professeur. Enfin, de ma vie privée. Moi, ça me fait des frissons.

Il lui caressa la nuque, elle s'abandonnait.

– Comment se fait-il que vous soyez si gaie et chantiez si bien les chansons tristes ?

– Ça va ensemble. Il vaut mieux mettre la tristesse dans les chansons que dans la vie, non ? Vous viendrez m'écouter tout à l'heure ? C'est la soirée Venise.

– Si c'est la soirée Venise...

Svetlana sursauta, consulta sa montre.

– Bon sang ! On doit filer le spectacle à cinq heures.

Elle se mit debout. Korb s'assit sur le lit.

– Vous n'auriez pas une sortie-de-bain ? demanda-t-elle.

Il ne s'était pas aperçu qu'aucun vêtement ne traînait sur le sol de la cabine. Pas une jupe, pas un soutien-gorge. Rien.

– Vous ne vous êtes quand même pas baladée toute nue dans les couloirs ?

Elle ressortit de la salle d'eau tenant à la main un *yukata*, peignoir de coton léger qu'offrent les hôtels japonais – il l'avait rapporté de Kyoto en souvenir du colloque sur le vent relativiste. Elle l'enfila.

– Ça, c'est parfait. Non, je ne me suis pas baladée toute nue. C'est Aliocha.

– Votre mari ?

– Oui.

– Je n’y comprends rien.

– Il est terriblement jaloux. Ça le fait souffrir, d’être jaloux à ce point-là. Quelquefois, c’est même effrayant. Il a emporté tous mes habits.

– Je comprends de moins en moins.

– Il est jaloux de vous, professeur. Parce qu’on se parle, le soir. Parce que vous me plaisez. Alors il prend les devants.

Korb était de plus en plus effaré.

– C’est lui qui vous a amenée…

– C’est moi qui voulais venir mais c’est lui qui m’a déshabillée. Pour que vous sachiez bien…

– Quoi ?

– Que je suis à lui. Même si vous couchez avec moi. Que c’est lui qui décide, qui vous fait cadeau de moi.

– C’est dingue !

Svetlana haussa les épaules.

– Il est dingue. J’y peux rien.

Elle ouvrit le *yukata* et tint les deux pans écartés.

– Je ne sais pas quand je pourrai vous redonner ça, professeur. Mais c’est moi qui offre.

Elle referma le vêtement, assura la ceinture et sortit.

Korb était perdu.

Shrimp avait coutume de définir le marin comme un être capable de faire la sieste à toute heure, en tout lieu, et par tous les temps. Vu les circonstances, il avait eu un peu de mal à respecter son propre adage. Ses yeux, après déjeuner, s'étaient fermés pendant une vingtaine de minutes, ce qui n'était pas une mince victoire, mais, vite, les affaires dites courantes avaient repris leur course déraisonnable. Il avait très soigneusement analysé les cartes, étudié la nature des fonds, les marnages, le tirant d'eau requis. Et confirmé son choix pour la prochaine escale. Deux cent soixante milles, cela représentait douze heures de route, en principe. S'ils appareillaient à minuit, ils y seraient le lendemain en fin de matinée. Parfait.

À la passerelle, entouré de consoles, d'écrans et de manettes, Pajetta était franchement ridicule. Il s'était, pour accueillir les touristes et pour animer la soirée Venise, costumé en Arlequin. Les losanges étincelants qui l'ornaient de la tête aux pieds lançaient des éclats dès qu'il se déplaçait, fût-ce de quelques centimètres. Le matelot de quart essayait de ne pas trahir une hilarité menaçante. Slivovice, le second capitaine, ne quittait plus des yeux le radar comme si l'ancre allait déraper d'un instant à l'autre. Et le commandant lui-même, malgré la gravité du moment, s'appliquait à ne point broncher. Le pire, c'étaient les souliers : cousus d'or vrai ou (plus probablement) faux, longs et pointus, à talonnettes. Juché là-dessus, Massimo portait le burlesque à un sommet princier.

– Magnifique ! dit Shrimp, en service commandé.

Pajetta l'entendit au premier degré.

– Merci. C'est un lot que j'ai récupéré quand Riviera Cruises a déposé le bilan.

– Vous n'auriez pas une autre histoire ?

– Excusez-moi, commandant.

– Demain, nous serons à Farquhar.

– Où ça ?

– Farquhar. Un atoll des Seychelles.

– Farquhar ? Connais pas.

– C'est pour ça qu'on y va. Aucun paquebot n'est jamais passé par là. Une dizaine d'îlots à 300 milles dans le sud de Mahé, cinquante habitants grand maximum, pas de desserte maritime ni aérienne régulière, pas d'hôtel étoilé. Et sur la route des cyclones – mais la météo reste excellente, nous pourrons mouiller devant l'île nord, sur la côte au vent.

– Et qu'est-ce que je vais faire de mes clients ?

– Nature, nature, nature. Chaloupes et Zodiac, masques et tubas, tortues, petits poissons de toutes les couleurs.

– Vous savez que la colonie de vacances toute simple, c'est rudement plus difficile à organiser qu'une visite groupée des Pyramides ?

– Je vous fais confiance. C'est votre métier.

Une onde de panique submergea le Grand Animateur.

– L'énigme ! Mon Dieu, l'énigme ! Le concours de sagacité. Je ne trouverai jamais, je n'ai pas le temps. Ça n'est même pas un nom, ça, Farquhar…

– Mais si. C'est le nom du premier gouverneur anglais de l'île Maurice, au XIXe siècle. Un homme très habile : il s'est taillé une réputation de libérateur des esclaves en luttant contre les colons français.

Be-bop fit son apparition. Il avait le souffle court, la salopette rouge qu'il portait suintait la graisse et lui-même transpirait fort. Mais il arborait la mine d'un vainqueur de l'Everest.

– La caisse primaire, tu peux prendre ton bain dedans, maintenant. Mais t'imagineras pas ce qu'on a dégagé de là...

Il s'interrompit soudain. Jusqu'ici, il ne voyait Pajetta qu'à contre-jour. Et puis il était dévoré par ses propres soucis. Sa voix se fit onctueuse, imitant celle du thérapeute face au patient fragile.

– Vous avez raison, mon vieux, totalement raison. Il faut savoir aller au bout de son fantasme. Moi, figurez-vous, c'est l'Ange blanc.

– Pardon ? questionna Massimo, déboussolé.

– Rappelez-vous. L'Ange blanc, le catcheur, le challenger du Bourreau de Béthune. Quand Nathalie est bien chaude, je fais l'Ange blanc. Ça nous dope, ça nous propulse... Surtout la cape et les bottines.

Le Grand Animateur en avait jusque-là.

– Vous n'avez vraiment rien trouvé de mieux que déverser vos conneries alors que...

– Alors que quoi ? coupa Be-bop, lorgnant vers le matelot et le second. Tout va très bien, non ?

– Euh... oui, tout va très bien.

– Et tout va très bien à la machine aussi. C'est formidable. Sur ce bateau, c'est fou ce que tout va très très bien.

– Arrête, Be-bop, intervint Shrimp. Massimo est en tenue de travail, laisse-le vivre.

– Mais je laisse, je laisse. J'aime d'ailleurs beaucoup vos bas, ça valorise le mollet.

– Be-bop !

Le chef était lancé.

– Moi aussi, je suis en tenue de travail, notez bien. Sauf que la mienne gomme les fesses. Devriez en prendre de la graine, gondolier, vous commencez à avoir du cul...

Pajetta décida de battre en retraite avec dignité, ce qui n'était guère facile sur ses talonnettes. Pendant qu'il descendait l'escalier, il entendait encore, à travers la porte, le rire gras du chef. En vérité, cela ne l'atteignait guère. Les gens de théâtre sont forcément ridicules. Sauf au théâtre, quand la rampe s'allume, quand les fards et les grimaces se chargent de magie. Lorsqu'il parvint sur le pont extérieur, il put vérifier combien il avait transformé le paquebot en ample scène.

Venice non morira
Come il nostro amore senza eta...

Le régisseur testait les haut-parleurs. Les musiciens accordaient leurs mandolines. Des matelots, en canotier de paille et T-shirt rayé, finissaient d'accrocher lanternes et lampions. Et les hôtesses, dégoulinantes de rubans, de dentelles, disposaient des grandes corbeilles qui proposeraient aux arrivants masques, loups, et même perruques. Massimo sortit son micro-casque.

– On coupe d'abord les haut-parleurs. Juste les mandolines. Je veux du *live* pour commencer. Après, après seulement, on fera entrer Vivaldi… Au fait, appelez le docteur Charif, on aura peut-être des déshydratés.

Rougis, affamés et assoiffés car beaucoup n'avaient rien osé manger ni quasiment rien boire malgré la chaleur, les promeneurs, à leur retour, se montraient pourtant globalement enthousiastes. Les tortues étaient au rendez-vous, la vanille et l'ylang-ylang sentaient divinement bon, quelques caméléons avaient déployé leurs couleurs pétantes, et il avait même été possible, pour les plus courageux et les plus résistants aux moustiques, d'apercevoir, dormant dans les branches de la réserve, des lémuriens endémiques.

Dotty Thunderbay, bien sûr, râlait, entraînant dans son sillage un petit courant de disciples contestataires, des femmes américaines surtout, escortées de maris poitrinaires. Elle avait obtenu du skipper de *Bardamu* qu'il la dépose à Hell-Ville où elle voulait acheter des saphirs étoilés. Elle en avait trouvé de superbes dans l'unique bijouterie professionnelle (« Ils n'ont même pas une petite alarme… ») et les avait payés « trois fois rien ». Mais elle tenait à protester contre certaines scènes « inadmissibles » observées autour du marché : enfants trop maigres, vieillards estropiés s'appuyant sur une béquille, sans compter « les harpies » qui l'avaient « agressée » pour lui vendre leurs épices, sans compter les trottoirs effondrés obligeant les passants à marcher dans le caniveau, sans compter la déglingue générale qui affectait jusqu'à l'ancienne maison du gouverneur

– Trop c'est trop. On est ici pour voir les tropiques, pas pour se taper le quart-monde !

– Mais il est sous les tropiques, le quart-monde. Quand on a la chance de voyager, on ouvre les yeux ! répliqua vertement Rose Travis.

L'altercation passa inaperçue. L'atmosphère émolliente conjuguée avec la crécelle des mandolines avait pris le dessus. Bizarrement, la transition s'effectuait sans heurt entre le retour d'escale et l'ambiance « vénitienne » créée par le Grand Animateur. Une fois rafraîchis sous la douche, les passagers étaient ravis de découvrir le bridge deck piqué de lampions colorés, et nullement étonnés d'ouïr *O sole mio* à l'instant précis où le crépuscule s'achevait. Le dîner traditionnel était remplacé, la pluie semblant exclue, par un buffet italien en plein air. Bientôt l'accordéon relaya les mandolines et Svetlana fit pleurer le navire entier en interprétant la chanson de Gelsomina. Quand la trompette de Nino Rota déchira la nuit, Korb, aussi pâle qu'un pierrot, aussi blanc que Casanova sur le plateau de Fellini, ne put réprimer un sanglot.

Le ton virait au mélodrame. Exprès, Massimo décida de rompre le charme. Il leva le bras, intimant à l'orchestre de se taire. Puis attendit un bon moment avant de s'exprimer. Il sentait la curiosité naître, tailler son chemin, et il s'enivrait de son pouvoir. Suspendus à mes lèvres, songeait-il, ils sont tous suspendus à mes lèvres. Seuls les dictateurs, par la force, et les artistes, par le sortilège, sont capables d'atteindre pareille jouissance.

– Merci à notre grande interprète. Merci aux merveilleux musiciens qui lui permettent de nous procurer tant d'émotion. Mes amis, je suis porteur d'une grande nouvelle et je ne puis la garder plus longtemps pour moi. Autant le dire franchement : il n'y aura pas, ce soir, de concours de sagacité. Nous y avons renoncé. Pas de devinette, pas d'indice. Je vais vous dire où nous allons. Mais quand je vous l'aurai dit, vous ne le saurez toujours pas, pour une excellente raison : l'île de Farquhar est une île qu'aucun paquebot n'a jamais approchée. Pour vous seuls, mes amis, la compagnie Splendid a décidé de sortir des sentiers battus, de vous révéler un atoll hors de toutes les routes. À minuit pile, cap sur Farquhar et sa nature intacte. La croisière mystère vous propose la plus inédite des destinations. Nous sommes libres, mes amis, nous voyageons au pays de l'inattendu, ce que nous allons explorer ensemble n'est décrit sur aucun dépliant touristique. Que Robinson soit avec vous, et vive l'aventure !

Mouvement du bras. L'orchestre l'avait vu venir et était paré à virer. La chute de son discours fut ponctuée par un coup de cymbales. *Illico*, les violons suivirent, guillerets et entraînants. Applaudissements. Rien à redire, salut les pros.

S'il n'avait hébergé, au fond de sa cervelle, le diable sournois qui lui rappelait la fragilité de l'édifice et l'incertitude du lendemain, Massimo aurait dansé de plaisir. Arlequin tenait sa revanche, Arlequin scintillait. Sitôt achevé le repas, les croisiéristes jouaient le jeu, arboraient un masque, chantaient, dansaient. Le commandant et le chef, en grand uniforme, vinrent partager la fête. Les photographes se régalaient. Ces clichés-là partiraient comme des petits pains.

Qui se souvient que le pont des Soupirs fut une prison humide et cruelle ?

CHAPITRE 5
OÙ VENDREDI SE DÉVOILE ENFIN

Ines et Angelo, selon leur habitude, avaient pris un peu de champ. Perchés à l'étage supérieur, ils observaient Venise dansant sous les cocotiers. Ines cachait ses yeux violets derrière un loup noir. Et son compagnon n'avait pas hésité à coiffer une perruque acrylique dont les boucles cascadaient sur ses épaules.

– Je crois, dit-elle, que cette nuit je vais dormir de mon côté. Vous ne m'en voudrez pas ?

Angelo sourit.

– Drôle de question. Nous ne sommes pas mariés. Et quand bien même... Pourquoi éprouvez-vous le besoin de vous justifier ou de vous excuser ? Personne n'appartient à personne. Vos nuits sont vôtres, même si j'aime les partager.

– C'est que... Justement.

– D'habitude, vous êtes plus incisive.

– Eh bien je n'agis pas comme d'habitude. C'est d'ailleurs ça qui me tracasse.

 En fait, il la comprenait sans effort car ce qu'il éprouvait lui-même était analogue. La vérité, c'est qu'ils ne se quittaient plus, qu'ils devenaient incapables de se quitter. À Nosy Be, ils s'étaient écartés du troupeau dès le débarcadère et avaient affrété une pirogue. Elle les avait, très doucement, au moyen d'une voile qui ressemblait à un drap troué et qui l'était peut-être, menés jusqu'à l'île de Sakatia. Les plages y étaient courbes. Des femmes pêchaient, immergées jusqu'à la taille, enserrant le poisson dans le filet qu'elles maniaient en chantonnant. D'autres, beaucoup moins gaies, accroupies, cassaient des cailloux, entourées d'enfants qui les aidaient vaille que vaille. Difficile d'imaginer paysages plus somptueux et habitants plus pauvres et plus affables.

Puis ils étaient revenus en ville. Le mot, sans doute, n'était guère approprié. Disons l'endroit où l'électricité est parfois assurée – la « centrale » vrombissait à l'entrée. Quelques boutiques adossées les unes aux autres. Des véhicules astucieusement bricolés, à deux, trois ou quatre roues, assemblages de pièces qui, ailleurs, seraient parties pour la ferraille. Et la poussière, la saleté, contrastant avec la splendeur du rivage. N'écoutant pas Dotty, ils avaient déjeuné à leurs risques et périls dans un restaurant presque présentable, tapissé de canisses, rafraîchi par de gros ventilateurs aux pales trop lentes. On y servait du crabe, des filets de mérou et de carangue, c'était exquis et cela changeait très agréablement des menus de l'*Imperial Tsarina*. Le patron, cuit et recuit, se déplaçait entre les tables un verre de rosé à la main – un verre qui se remplissait tout seul. Il avait la maigreur alcoolique et la bonhomie désabusée de l'homme blanc en rupture de métropole.

Ils parlaient. Ils ne se lassaient pas de se parler, sans bousculade, sans ordre du jour, sans chercher à convaincre, à meubler les pauses, pour le plaisir de la concordance, d'entendre leurs mots s'ajuster d'eux-mêmes. Ils laissaient le temps filer, le restaurant se vider. Aucune importance. Les serveurs, ainsi que la trop jeune et jolie adolescente qui tenait la caisse et consolait le patron, avaient un impérieux rendez-vous avec la sieste et leur avaient abandonné les lieux, laissant à discrétion une fiole de rhum arrangé. Eux continuaient de flotter, de s'adresser des phrases qui volaient comme bulles, qui se dissipaient en se rencontrant.

Le retour avait été silencieux. Chacun ruminait la même idée, chacun subissait le contrecoup des heures harmonieuses, comme une persistance rétinienne après l'irruption de la lumière. J'étais juste venue faire l'amour, ressassait Ines. Que t'arrive-t-il, Don Juan, tu deviens monogame ? s'admonestait Angelo. Ce n'était pas un embrasement qui les consumait, pas même la frénésie d'un désir accidentel. Ils avaient, chacun à sa manière, connu ces emportements, l'impression, quand l'autre doit s'éloigner fût-ce succinctement, que cette brèche vous arrache le ventre. Ce n'était pas la fièvre, c'était facile. Tous deux avaient assez vécu pour que cette absolue nouveauté parût alarmante.

Et ils se retrouvaient mal à l'aise, presque méfiants, ne sachant s'il convenait de craindre l'autre ou soi-même. Avec les lampions, la musique de Nino Rota, et ces déguisements de kermesse, c'était intenable.

– Je sais ce que vous allez me dire. Vous allez me dire « J'ai besoin d'être seule ».

– Oui, Angelo, j'ai besoin d'être seule. C'est la réplique la plus banale de l'histoire du théâtre et du cinéma réunis. Mais j'ai besoin d'être seule.

– Je sais. Vous n'êtes pas seule à en avoir besoin.

– Je sais.

Elle posa la main sur son avant-bras, exerça une pression longue, sensuelle, à travers la soie de sa chemise, puis s'éloigna d'un pas calme. Cela aussi, c'était violent, cette façon qu'elle avait de rester paisible. Il la suivit des yeux et s'aperçut qu'en esprit il lui parlait encore, inlassablement. Il ôta sa perruque et la jeta sur une table.

– *Padre* ?

Il sursauta.

L'homme était impossible à identifier. Son masque de Pulcinella, rouge sombre, lui cachait le visage et se prolongeait par un nez interminable et busqué.

– *Padre*, je suis Francesco, le diacre qui assure l'office sur ce bateau. Je travaille au salon de coiffure. Nous nous sommes très peu croisés. On m'a dit que votre conférence était passionnante. Un peu déroutante, mais passionnante.

Mon Dieu ! le confrère… C'était bien le moment.

– Je suis au regret de ne pouvoir célébrer l'eucharistie. Vous savez que cela m'est interdit, rappela Angelo d'une voix distante.

L'autre hésitait, cherchait ses mots.

– Il s'agit, comment dire, c'est très, heu, délicat...

– Je vous écoute.

– Ne le prenez pas...

– Je le prendrai mal ou je ne le prendrai pas mal, mais, maintenant que vous êtes là, dites-moi ce que je dois prendre.

– Vous savez que nous avons à bord beaucoup d'Italiens. Très catholiques. Et de Français aussi. Encore que les Français, là-dessus...

– Qu'est-ce qu'ils ont, les Français ?

– Ils sont très catholiques, enfin plutôt. Mais là-dessus...

– Sur quoi ?

– La pureté, *padre*. Là-dessus, ils ne sont pas très...

– La pureté de l'eau ? La pureté de la race ? La pureté du style ?

– Je crois que vous me taquinez, *padre*. La pureté, c'est la pureté.

– Ah ! Vous parlez du sexe. La pureté tout court, ça veut dire fornication, masturbation, homosexualité, mauvaises pensées, trou du cul et j'en passe. Vous trouvez que c'est impur, le sexe ?

– Ça dépend, *padre*.

– Dieu nous aurait dotés d'un sexe impur ? Juste pour nous tester, pour nous expédier au purgatoire dans le meilleur des cas ?

– Je ne sais pas. Le mystère de la vie...

– Expliquez-moi, Francesco, pourquoi vous répugnez à prononcer le mot sexe. Vous pensez que c'est un péché ? Et qu'est-ce que les Français viennent faire dans cette histoire ?

– Je voulais seulement vous dire, *padre*, qu'il y a ici des catholiques un peu étonnés...

– Je sais, Francesco, je sais, mes idées sont dérangeantes, il ne faut pas raconter que le petit Jésus avait probablement des frères et des sœurs, on pense que j'ai trouvé ça dans le *Da Vinci Code* ou dans l'évangile de Judas.

– Mais non, *padre*. Il ne s'agit pas de vos idées, il s'agit de cette dame italienne...

– Si elle est italienne, elle doit être bonne catholique, cette dame, vous venez de me le garantir...

– Je suis gêné, très gêné, mais enfin c'est mon devoir de vous expliquer que votre attitude avec cette dame paraît choquante à certains de nos frères.

– De nos frères ?

– Oui. Je suis obligé de...

– Et vous, frère Francesco, vous êtes choqué ?

– Eh bien, sans porter aucun jugement, bien sûr, je dois avouer que...

– Sans porter aucun jugement !

D'un geste sec, Angelo arracha le masque de son interlocuteur. Sa colère n'était pas feinte.

– Toujours prêt à lapider la femme adultère, hein ?

Francesco se révéla un quadragénaire brun et moite. Son visage était encadré de rouflaquettes. Il avait peur mais il cherchait le martyre.

– Vous avez prononcé des vœux, *padre*...

– J'en ai été suspendu. Ici, je suis un conférencier. Le reste ne vous regarde pas. Ni vous, ni les catholiques, ni les athées, ni les Italiens, ni les Français.

– Je prierai pour vous.

– Merci. Au fait, votre pédophilie, ça se calme ?

L'autre ouvrit de grands yeux.

– Mais je ne suis pas… Je jure…

– Ne jurez pas, voyons. Vous avez une preuve ? Vous savez que le pourcentage de pédophiles est terriblement élevé chez les diacres ?

– Qu'est-ce qui vous permet de… ?

– Rien. Rien ne me permet ce genre de chose. Je voudrais simplement que vous saisissiez combien il est désagréable de tomber aux mains des inquisiteurs. Bonne nuit, Francesco.

Il lui tourna le dos brutalement. La musique était à présent plus discrète. Des feux de Bengale rouges et verts brûlaient à la poupe. Aux chants et aux danses avait succédé une rumeur joyeuse et confuse. Angelo était trop agacé pour se mêler à la foule, trop esseulé pour regagner sa cabine. Il descendit et tomba sur Korb. Le professeur paraissait, lui-même, fort désœuvré et lui proposa de l'accompagner au casino Raspoutine en guise de promenade digestive.

Il y avait un peu plus de monde que la fois précédente à la table de roulette. Et toujours le même perdant. Mais l'entourage de ce dernier avait changé.

– Doucement, Jimmy, doucement, tu risques gros, y a pas de mal à lever le pied, lançait le chœur des amis qui, deux jours auparavant, poussaient le joueur au crime.

Quant à la jeune femme qui, avant-hier, le suppliait d'arrêter, elle le regardait en tremblant et l'encourageait, mâchoire crispée :

– Tu vas gagner, Jimmy, courage Jimmy, accroche-toi, cette fois tu vas gagner, tu vas gagner pour moi, je le sens là, Jimmy.

Elle posait sa main, doigts écartés, sur son ventre. Ses yeux étaient dilatés par la passion et le haschich.

– Tais-toi, répondait Jimmy. Tais-toi donc, t'es qu'un tas de poisse.

Les deux conférenciers, rebutés par l'hystérie ambiante, tournèrent les talons mais au même instant Aliocha fit son entrée suivi d'un groupe de curieux. Angelo fut extrêmement surpris par la réaction de Korb. Ce dernier se figea, comme victime d'une panique soudaine, et parut chercher des yeux quelque issue de secours. Mais elle était introuvable. Le public, en demi-cercle autour du magicien, bloquait la petite salle des bandits manchots et condamnait la sortie. Aliocha était aussi pâle que d'habitude. Mais à la stupéfaction générale, il se mit à parler. Et même à devenir bavard.

– Mesdames et messieurs, je vous invite, ce soir, à redécouvrir un petit jeu que nous pratiquions tous dans la cour de notre école primaire. Vous vous souvenez ? Une des grandes règles de nos récréations était : « Donner et reprendre, c'est pire que voler. »

Murmure d'approbation. Chacun se remémorait la formule. Chacun se rappelait le camarade qui lui avait offert une bille et qui, ensuite, n'avait cessé de vouloir la récupérer.

– Je vais vous prouver que je suis devenu grand, poursuivit Aliocha, je vais enfreindre la règle.

Il balaya l'assistance d'un coup d'œil panoramique.

– Professeur ! Venez ici, professeur. Je compte sur vous pour être mon partenaire de cette nuit.

Quelques rires ponctuèrent l'ambiguïté de la phrase.

Du bras, Aliocha invitait Korb à le rejoindre. Ce dernier n'eut d'autre choix que d'obtempérer. Il était le centre des regards.

– Vous êtes en chemise, professeur, il vous faut une veste. Allons ! Une veste pour le professeur !

Il arrêta un serveur, l'obligea à se défaire de sa veste blanche, en retourna les poches pour montrer qu'elles ne contenaient rien, puis pria Korb de l'enfiler. L'astrophysicien se sentait de plus en plus ridicule.

– Imaginons, professeur, que je possède un trésor. Un trésor qui est toute ma fortune, toute ma vie. Un trésor que je garde jalousement.

Ce disant, il sortait de sa propre veste, un à un, des dollars, en gros billets, jusqu'à ce qu'ils forment un paquet alléchant.

– Eh bien je vais vous l'offrir, totalement, sans compter.

Il plia le paquet et l'introduisit dans la poche droite de la veste blanche.

– Vous l'avez, il est à vous, vous pouvez le toucher. Allez-y, touchez-le, professeur.

Korb explora la poche, sentit les billets au bout de ses doigts.

– Il est bien là, mon trésor, il est tout à vous ?

Korb, de la tête, acquiesça, retira la main de sa poche. Le magicien s'approcha de lui, esquissa quelques passes.

– Vous vous trompez, professeur. Vous avez cru le posséder mais c'était une illusion. Regardez.

Il retourna la poche droite. Elle était vide, à présent. Le public commençait à applaudir mais Aliocha stoppa son élan.

– Attendez, professeur, attendez. Je vous ai donné mon trésor et il a disparu. Mais il n'est pas perdu, j'ai bien l'intention de le récupérer moi-même.

Avec deux doigts, il explora la poche gauche, retira un billet, puis un autre, puis un autre, jusqu'à ce que le paquet fût reconstitué. Et libéra les applaudissements.

Pinçant la liasse, il la promena sous le nez de Korb.

– Attention, professeur, je ne suis plus un enfant. Si je donne mon trésor, c'est pour mieux le reprendre.

Les applaudissements redoublèrent. Angelo ne comprenait pas pourquoi Korb restait pétrifié sous l'œil triomphant du magicien.

Au même instant, des cris s'élevèrent depuis la table de roulette.

– Je te l'avais dit, Jimmy, bravo, bravo !

– Si t'avais pas été là, répondit la voix du joueur, j'aurais touché le double. T'as la poisse, je te dis.

– T'es pas gentil, Jimmy, mais t'es mon Jimmy, hein ?

Angelo prit Korb par le bras.

– Je ne sais pas pourquoi, vous me semblez avoir besoin d'un remontant. Venez avec moi à Venise, je vous offre *una grappa di monovitigno.*

Minuit et demi, au pub du ballast 33. Le paquebot était reparti en douceur, cap au nord, le long de la grande île, et basculerait cap au nord-est ensuite. La machine tournait rond et Be-bop, la gueule fanée, en portait les stigmates. Pajetta avait dépouillé son habit d'Arlequin et trahissait un épuisement comparable. Ronnie était affalé, coudes sur le comptoir. Quant à Shrimp, comme toujours quand la fatigue l'emportait, ses paupières se plissaient, et ses pommettes avaient bleui.

– Le commissaire ne nous rejoint pas ? demanda Massimo.

Shrimp eut un geste résigné de la main.

– Non, il s'en tient à sa ligne de défense : je ne sais rien et je ne veux rien savoir.

– Le grand méchant mou ! cracha Be-bop.

– Le problème, expliqua Pajetta, c'est que j'ai besoin de lui. C'est très gentil, la découverte de la nature. Mais il faut que l'intendance suive, il me faut du personnel. Ces braves gens, hier, ont eu peur de manger et de boire à cause de l'autre folle qui leur flanquait la trouille. Mais ils vont vouloir des barbecues sur la plage et des boissons fraîches. Et ils auront raison. Nous n'avons pas d'autre attraction à leur offrir qu'un peu de sable, des cocotiers, et le corail sous la mer.

– Pas si mal, dit Be-bop. Ça change des caisses de merde. Et les requins ?

– Sur cette côte-là, on est raisonnablement tranquilles, répondit Shrimp. Mais je disposerai quand même deux Zodiac en permanence, avec le matériel classique.

– Moi aussi je m'inquiète, enchaîna Ronnie. Les gars ne refusent pas de donner un coup de collier s'ils ont l'impression que ce n'est pas un caprice de notre part. Sans explication, ça devient chaud. Commandant, est-ce que ce ne serait pas plus simple d'informer clairement les salariés du bord ?

– Moi, je voudrais bien. Mais quelle information donner ? Je n'ai aucune trace de quoi que ce soit.

– Eh ! Je te rappelle que tu as toi-même débranché l'Inmarsat ! objecta Be-bop.

– D'accord. Mais je te rappelle aussi que le dépôt de bilan n'a pas été prononcé, à ma connaissance, que rien de concret n'est encore intervenu. Le but du jeu, de notre jeu, c'est que, finalement, il ne se passe rien, que la vie continue. Qu'est-ce que tu veux que j'annonce ? Que Soteriades a des vapeurs ? Ça va jeter la panique, et rien de mieux.

– Il vous resterait un peu de votre whisky écossais, celui qui a un nom compliqué ? questionna Pajetta.

Ça n'était pas du tout son genre. Le chef ne laissa pas échapper l'occasion.

– Je vous trouve le teint jaune, Massimo, ces temps-ci.

Shrimp sortit la bouteille et les servit.

– Ou on arrête tout et on rentre à Mombasa, ou on improvise. Il n'y a pas de milieu. Ça va être dur. Au moins, on ne s'engluera pas dans la routine.

– Tu espères quoi ? interrogea Be-bop. Que BB devienne sentimental ?

– Je n'espère rien du tout, je calcule. BB et Marios font du business. Si on gagne du temps, on les amène à s'emballer moins, à ne pas se servir de nous pour régler leurs comptes. En ce moment, Boris Balakirev ne pense qu'à se venger. Peut-être que, dans ce cas-là, il est capable d'oublier son intérêt financier pour traiter l'*Imperial Tsarina* comme un instrument, comme une arme. Mon pari, c'est de le ramener vers son intérêt, vers le fric.

Pajetta poussa une exclamation.

– Robinson !

Ronnie se mit à rire. Le Grand Animateur se frappait le front comme s'il venait d'inventer la relativité restreinte.

– On va jouer à Robinson. Ça m'est venu tout à l'heure quand j'ai annoncé la destination et expliqué qu'il n'y aurait pas d'énigme du jour. C'est génial. Je suis génial.

– Génial et incompris, dit Be-bop.

– Parfaitement. Génial et incompris. Ronnie, j'aurai besoin de réunir toute la brigade du matin. Il faut que je vous trouve des déguisements. Je trouverai.

– Moi, enchaîna Be-bop, je propose de continuer Venise jusqu'à l'arrivée. Ça plaît toujours et tout le monde aime le petit rosé. Et puis Massimo en travelo, ça me fait découvrir ma part féminine.

– Repose-toi donc un peu et nous avec, intervint Shrimp. Je devine le jeu de piste que vous avez en tête, Massimo. Dites-vous quand même que Farquhar, si j'ai bien lu, n'est pas une île déserte. Elle possède même un petit aérodrome. Minuscule, mais il existe.

– Il y a des dunes ? questionna le Grand Animateur.

– Géantes. Là, je suis formel. Les géologues en sont fous.

– Il y a des cocotiers ?

– Et des filaos. Et des veloutiers. Tant que vous voulez.

– De la mangrove ?

– Je crois. C'est le lagon, surtout, qui est magnifique, d'après ce que j'ai lu. L'atoll idéal.

– Parfait. Si j'ai tout ça, je me débrouille. Pendant le déjeuner, il faudra que je débarque avec une équipe pour préparer le terrain. On a des dollars ?

– En caisse, forcément. Mais je vais devoir les soutirer au commissaire. Allons nous coucher.

Be-bop fit un bond et interpella le Grand Animateur.

– Mais vous avez oublié l'essentiel ! Vendredi. Le bon sauvage. Qu'est-ce que vous en faites, de Vendredi ?

Pajetta le regarda très sérieusement. On le devinait fortement concentré. Il ne prit la parole qu'après un silence.

– Chef, vous m'agacez souvent. Mais là... Là... Vous m'épatez. Vendredi ! Évidemment ! Et aujourd'hui, en plus, c'est vendredi...

Il souriait en grand format. La réunion se termina presque joyeusement. Chacun reprit le chemin de sa cabine et de ses préoccupations. Be-bop raccompagna Shrimp. Le

chef pavoisait. Il avait récuré ses cuves, nettoyé ses pompes
et ses injecteurs. Le son du moteur avait retrouvé l'allégresse originelle. Et il s'était même fendu, précisa-t-il, d'un petit discours presque solennel à l'adresse des matelots qui avaient prêté main-forte aux mécaniciens.

– Ça ne coûte rien et ça fait plaisir. Le grand sorcier blanc a parlé…

– Tu te crois dans *Tintin au Congo* ?

Ils croisèrent Pamela Hotchkiss accoudée à une rambarde, regardant la vague d'étrave se replier sur elle-même sitôt parvenue au flanc du navire.

– Ça me rappelle mes quarts de nuit en voilier, dit-elle. Même quand la lune est absente, la blancheur de l'écume est toujours visible. On a l'impression que la mer produit sa propre lumière.

– Comment va votre mari ? demanda le commandant.

Elle inclina la tête de côté et leva les mains en signe d'impuissance.

– Mieux qu'à midi. Moins bien qu'au lever du jour, du moins je l'espère…

Be-bop s'éclipsa en leur souhaitant bonne nuit.

– Et vous, captain Shrimp, comment se porte votre complot ?

Il fut surpris par sa propre réponse, par la liberté de ton qu'il s'accordait devant elle.

– Je n'en sais rien. Au fond, je n'en sais rien. Je fais semblant d'être un joueur de poker, mais c'est de la frime. Quand on est perdu dans une forêt, la seule manière de se tirer d'affaire est de marcher tout droit : si on tourne en rond, on meurt. C'est exactement ce que je fais ici. Mais je doute de tout et de moi-même.

– Ça paraît assez raisonnable, de douter, non ?

– Un commandant qui doute, ce n'est pas raisonnable, c'est inavouable. Ma fonction consiste à avoir l'air d'être ce que je ne suis pas.

– Vous avez peur en mer, quelquefois, captain Shrimp ?

– Bien sûr que j'ai peur. Tous les marins ont peur en mer. Pas de tout, mais pas de rien, non plus. La peur est une alliée, un signal d'alarme. Je n'aurais jamais confiance dans un marin qui prétend ignorer la peur. C'est ça qui m'empoisonne depuis que je suis commandant, le côté « Tout va très bien, madame la marquise »...

Il s'interrompit net et la regarda droit dans les yeux.

– Pourquoi est-ce que je me laisse aller, avec vous ?

– Ne vous faites pas de bile, j'ai toujours eu le rôle de la confidente. J'ignore si c'est une question de look ou d'hormones. Mais soyez tranquille, je sais me taire, contrairement aux apparences.

Il paraissait inquiet.

– Excusez-moi. Je considère que j'ai un devoir de réserve.

– Eh bien c'est raté ce coup-ci, captain Shrimp. Mais ça n'est pas la fin du monde. Moi, j'ai confiance en vous, merci de ne pas frimer, ça change. Bonne nuit si vous pouvez.

– Et vous, vous allez passer une bonne nuit ?

– Je ne sais pas. Je vais l'écouter dormir. Toujours une nuit de gagnée.

Elle s'enfonça dans le noir. Shrimp, à son tour, observa quelques instants, avant de monter à la passerelle puis d'aller se coucher, la déchirure des vagues. Son corps enregistrait le tressaillement de la machine, lointain mais perceptible. Ce n'était pas une vibration désagréable, une pollution. Tout au contraire : un indice de vie, d'élan. Le paquebot était en route, il inventait son chemin sur la mer, un chemin qui n'était tracé nulle part, il fabriquait son électricité, rafraîchissait son oxygène, purifiait son eau sans l'aide de qui que ce soit. Shrimp goûtait ce sentiment de formidable autonomie, ce plaisir de rassembler mille humains autosuffisants. Et, plus que tout, il s'émerveillait que cette masse d'acier, sur l'eau, fût légère et mobile. Pourvu que ça dure, pensait-il sans former la phrase, sans convoquer les mots, pourvu que ça dure.

Ce fut un jour différent, un jour turquoise. L'ovale du lagon était gracieux, la mer limpide. Il suffisait de courber un peu la tête, de se pencher vers l'eau, sans même plonger, pour que poissons-coffres et perroquets, gueules-pavées, croissants, bourgeois et carangues affluent et mélangent leurs couleurs. Il suffisait de lever les yeux pour que les pigeons bleus, les ibis, et bien sûr les frégates à la queue dentelée traversent la nue. Il suffisait de vouloir de l'ombre pour que palmes et takamakas fussent à disposition. De gros crabes sillonnaient la plage en biais. Et, sous la mer, les tortues se laissaient approcher, timides et indolentes.

 À son insu, Pajetta commençait d'entamer ce qu'en d'autres temps on eût baptisé une révolution culturelle. Pas à pas. Il avait certes conservé l'habitude de saluer le jour nouveau avec des hurlements – et, d'ailleurs, avait éprouvé quelque peine pour articuler, en créole, un *BONZOUR* convaincant. Comme d'habitude, les danseuses avaient mené le train du jogging matinal (le regard de Korb demeurant rivé à la croupe de Svetlana). Les promotions de la journée, et de cette journée seulement, avaient été bruyamment annoncées : parfums Apothéose et crèmes hydratantes Sollicitude à moins trente pour cent au centre de beauté Zibeline, string supplémentaire offert sur toute la ligne Apesanteur chez Natacha's, sans compter le docteur Charif qui proposait aux messieurs un lavage d'oreilles sans aucun engagement. Autour de la piscine, les jeux traditionnels, versions indéfiniment dérivées de colin-maillard, n'avaient pas été abolis et opposaient, à chaque fois, une équipe masculine et une équipe féminine. La sono, enfin, restait sonore. Et le déjeuner, sitôt le navire à l'ancre, respecta la consigne : « félicités de Nantua avec leur émulsion crémeuse » (quenelles), « aller-retour de bonite sur lit de chénopodiacées encore craquantes » (thon aux épinards), « pirogue des tropiques » (tranche d'ananas). La routine.

C'est pourtant le Grand Animateur lui-même qui vint la bousculer. À l'heure du café, qu'on servit dehors sous les parasols tandis que la surface du lagon, absolument lisse, reflétait un ciel absolument pur, il surgit au balcon du pont supérieur et recourut, cette fois encore, à son arme favorite :

la musique s'était tue, et ce fragment de silence, totalement incongru, fut un prologue plus explicite qu'un roulement de tambours. Quelque chose allait se produire. Et quelqu'un apparut. Un être à peu près nu, hormis un chapeau de fibres, un cache-sexe rudimentaire, et, autour des chevilles et des pieds, des sortes de guenilles tissées grossièrement et retenues par de la ficelle. Pajetta, orné d'une barbe postiche, ne reculait devant aucun sacrifice, son ex-tenue d'Arlequin, désormais, semblait un costume-cravate en comparaison, et chacun pouvait s'étonner qu'un Italien fût si rose de peau.

– *Help ! Mayday !* J'ai besoin de vous, lança-t-il d'une voix éraillée. Je vous ai tant attendus...

Korb ne parvenait guère à s'y résoudre. Pourquoi une mise en scène aussi ingénue fonctionnait-elle ? Venez, disait Massimo, venez m'aider à finir ma cabane sur la plage et ce soir nous l'inaugurerons ensemble, vous serez les architectes du palais de Robinson. Voilà des semaines, voilà des mois que je guette l'horizon, que je coupe et taille des bambous, que je rêve d'entendre une voix humaine. Et vous naissez enfin des vagues, votre navire est un château, il ruisselle de lumière, il respire l'abondance. Mettez à l'eau vos canots et venez à mon secours. *Help !*

Ça n'est pas possible, grognait Korb, les gens vont lui dire d'aller se rhabiller. Il prit à témoin ses voisins, les Hotchkiss. Norbert, vautré sur un transat, l'interrompit crûment.

– Vous avez tort, mon garçon. Ce type est un excellent vendeur. D'abord, tout le monde peut comprendre ce qu'il dit. Ensuite, il dit à tout le monde ce que tout le monde a envie d'entendre. Troisièmement, il ne prend personne pour un imbécile puisqu'il fait l'imbécile. Bien plus fort que vous ne le pensez !

– Je n'avais pas vu les choses sous cet angle, confessa le professeur.

Rose Travis, la très vieille dame anglaise, sirotait un expresso à deux pas de là.

– Vous savez, dit-elle, dans les maisons de retraite, les gens qui essaient de nous amuser considèrent sincèrement que nous sommes débiles. Et nous le devenons quand nous ne le sommes déjà. Mais ce garçon-là – elle désignait le Grand Animateur – n'est pas dupe, et nous non plus. Il fait semblant d'être Robinson, aucun d'entre nous ne le prend pour Robinson. Mais peut-être que ça nous amuse de faire semblant d'y croire et que ça l'amuse, lui, de faire semblant de croire que nous y croyons pour de bon. Ça s'appelle l'art de la dialectique, si je me souviens bien.

Korb était pris de court. Les yeux de Pamela riaient.

– C'est quoi, votre métier ? demanda Norbert.

– Je suis astrophysicien.

– Vous m'étonnez. Vous devriez être à l'aise. Vous aussi, vous racontez des histoires, des histoires de trous noirs, de big bang et de planètes gazeuses. Jusqu'à ce qu'un de vos collègues dise qu'il en a une bien meilleure et la sorte de son chapeau. Moi, c'est pareil, je suis boursier. Vous vous imaginez que c'est une histoire vraie, le Dow Jones ?

Norbert Hotchkiss ébaucha un rire mais sa tentative dégénéra en une régurgitation lamentable, inondant sa chemise. Il ne se contrôlait plus, il écumait et tremblait.

– Pam ! geignit-il. Pam ! Où es-tu ? Où elle est ? Ça recommence, je fous le camp.

Il ne percevait plus que sa femme était à ses côtés, qu'elle lui essuyait la bouche. Ses yeux étaient révulsés. Korb, les bras ballants, ne savait quelle contenance prendre, quel geste tenter.

– Voulez-vous prévenir notre garçon de cabine, il s'appelle Chrysostome ? lui demanda Pamela. J'aurais besoin qu'il m'aide à le ramener.

– C'est fini pour aujourd'hui, bredouilla Norbert.

Elle observa son mari attentivement.

– Oui, c'est fini pour aujourd'hui, confirma-t-elle d'une voix neutre, atone.

Lorsque survint Chrysostome, il fut clair que le Philippin n'affrontait pas la situation pour la première fois. Il releva Norbert habilement, l'enroula autour de ses épaules. Le vieil homme semblait ne rien peser. Pamela, tout en l'escortant, soutenait sa nuque, empêchait la tête de rouler d'un bord sur l'autre.

Autour d'eux, nul ne remarqua l'incident. À la suite du Grand Animateur, on faisait mouvement vers les chaloupes. Les matelots les avaient parées de feuilles, de totems, eux-mêmes avaient délaissé l'uniforme blanc pour des pagnes, des bandeaux autour de la tête et des sandales. Certains s'étaient orné le corps ou les pommettes de peintures criardes. Les musiciens déchaînaient percussions et tambours. Shrimp, lui, veillait au grain. Ses lieutenants et un groupe spécialisé vérifiaient que chaque passager avait capelé une brassière de sécurité, et que le nombre légal d'occupants par embarcation était respecté. Sur la rive, des appontements de fortune avaient été réalisés à la hâte avec des troncs de cocotiers : les dollars arrachés au commissaire avaient fortement motivé les quelques habitants locaux.

La noria des chaloupes, vedettes et Zodiac ne s'interrompit guère de tout l'après-midi. La plupart des croisiéristes avaient opté pour le bronzage méthodique, d'autres s'adonnaient à la plongée libre, d'autres encore, guidés par des Seychellois, exploraient le village ou, en pirogue, les îles Manaha qui le jouxtent. Rose Travis, malgré son grand âge, semblait infatigable. Armée d'une solide canne de marche, elle partait à l'assaut des hautes dunes, demandait à voir les entrepôts où le coprah séchait dans des calorifères nourris de cafoules – les coques – et de filao. Avec la même passion fureteuse, elle explorait les mots, les recoins du créole, ravie d'entendre qu'enfant se disait *marmaille*, manger *nyanm-nyanm*, et « rentre bien ça dans ta tête » *mets-le toi dans le coccyx*. Elle avait même persuadé les Chourgnoz de s'aventurer jusqu'à tâter de l'orteil cet océan saugrenu.

Pajetta, lui, déployait tout son talent logistique. Le médecin était aux aguets. Des barmen renouvelaient *ad libitum* les stocks d'eau fraîche. Les deux kinésithérapeutes du bord, passionnés de plongée, s'étaient mués en moniteurs. Et tout le monde, côté touristes, s'ébattait, radieux, au jardin d'Éden. Seul Korb tournait en rond, ne voyait vraiment, ce qui s'appelle voir, ni lagon ni ciel. Il avait mécaniquement pris place dans une chaloupe, croisant les bras d'un air maussade sur le boudin orange qui lui ceignait la taille, regardant ses compagnons comme un passant non concerné, les jours de match, regarde beugler une délégation de supporters.

Au crépuscule, la fête changea de registre. D'immenses torches, plantées dans le sable, embrasaient la nuit commençante et repoussaient les moustiques. Le paquebot avait allumé la guirlande de parade qui court de la proue à la poupe. Les musiciens, grimés, enchaînaient séga, madilo et caloupilon. Ronnie, voyant Dotty la râleuse commencer à remplir son office («Pas moyen de s'asseoir, même pas un transat...»), dépêcha un maître ès-shaker qui l'assomma avec un blue lagoon «offert par la maison» et propre à saouler un adjudant de carrière.

Quelque chose basculait. Les passagers étaient de moins en moins spectateurs, ils rejoignaient la troupe, pénétraient sur la scène, précédaient parfois le chorégraphe. Nombre d'hommes s'étaient d'eux-mêmes travestis en Robinson et prêtaient main-forte à Pajetta pour achever la cabane dont le toit de palmes s'étoffait dans le pinceau d'un projecteur. Et l'on encourageait les bâtisseurs avec force onomatopées. Les dames n'étaient pas en reste. Le thème vestimentaire du soir, leur avait-on annoncé, était le haillon. Hormis les aïeules, et encore, la plupart avaient donc recouvert leur bikini de lambeaux ébouriffés, garni leur cou de colliers en coquillages, dénoué leurs cheveux et étudié la meilleure manière d'être sauvageonne et appétissante. Et puis, l'heure avançant, la lumière devenant chiche, le punch et autres boissons désinhibitrices coulant à godets répétés, elles se laissaient aller, restreignaient leur tenue, seins libres sous une maille de raphia ou quelques tresses de coco. Le Grand Animateur courait d'un groupe à l'autre, s'assurait que le buffet était suffisant pour éponger l'alcool, contrôlait le carburant du petit groupe électrogène, riait, riait, riait plus, l'espace d'une soirée, que Robinson durant toute son aventure.

L'inauguration « officielle » de la case, pardon, du palais, fut annoncée par des trompettes. Massimo Robinson remercia ses « sauveurs » de le protéger du soleil diurne et des orages de la nuit, tendit un ruban entre deux poutres, sortit un coutelas de janissaire et demanda s'il existait, dans l'assistance, une âme pure, au moins une, pour couper le fil symbolique.

– Vas-y Jimmy ! cria la bande du casino.

– Moi je suis pas une âme pure, je suis pourri jusqu'à la moelle ! objecta l'intéressé, très sérieux.

– Il nous faut un enfant ou une jeune fille, suggéra une voix italienne.

– Un enfant, on n'en a pas, et une jeune fille, on n'en a plus, rigola un Français.

– Qu'est-ce que ça a de drôle ? demanda Marcel Chourgnoz à son épouse, laquelle haussa les épaules.

On se tourna vers la doyenne, Rose. Elle se déclara certes menacée de retourner en enfance, mais ajouta que sa virginité était irrémédiablement perdue, consentit toutefois à tenir le rôle, au bénéfice de l'âge, et s'avança vers la cabane, pardon, le palais.

Shrimp observait la scène à quelque distance. Bon enfant, bonne humeur, mais attention. Le commandant songeait qu'il devrait rembarquer tout ce monde et que, même dans les mers chaudes, les baignades involontaires, surtout nocturnes, sont parfois traîtresses. Il fit signe à Ronnie :

– Dites à votre équipe de surveiller les passagers qui ont un coup dans le nez. Je veux qu'on les prenne en charge très attentivement.

– Oui, commandant. Je dois repartir à bord parce qu'on proposera un souper. Mais je transmets la consigne.

Ronnie, vêtu de blanc immaculé, portait son habituel costume de service. La brigade, en revanche, avait accepté la mise en scène du Grand Animateur. Bandeau en travers du front, pagne autour de la taille, espadrilles aux pieds et faux tatouages sur la poitrine, les serveurs paraissaient échappés d'une revue des années trente.

Une main s'abattit sur l'épaule de Shrimp. Be-bop, évidemment. Qui d'autre se permettrait une familiarité pareille ? Et qui d'autre, chez les officiers, s'autoriserait à se déguiser ainsi ? Le chef, badine en main et coiffé d'un casque colonial, avait revêtu la tenue kaki du parfait gouverneur anglais de la haute époque. Le short, trop long, était particulièrement réussi. Et une large ceinture à boucle soulignait son embonpoint.

– Tu prépares ta reconversion ? interrogea Shrimp. J'ai toujours pensé que l'opérette était ta vraie vocation.

– Absolument. Contrariée par mon père qui voulait que je devienne Surcouf. Note bien, plus je navigue avec toi, plus je m'aperçois que la Marine et les Folies-Bergère, c'est bouillon de courges et couillons de bourges.

Roulement de tambours. Rose, armée du grand couteau, trancha le ruban. La foule applaudit, la musique s'envola. Mais Robinson n'avait pas fini de discourir.

– Mes amis, dit-il, en cette nuit de liesse, je veux vous faire partager ma plus belle découverte. Savez-vous quel jour de la semaine nous sommes ?

Un brouhaha confus lui répondit. En vacances, *a fortiori* en vacances sur l'eau où rien ne balise la route, l'agenda s'estompe, se dissout. On traverserait les mers à moins.

– Nous sommes vendredi. Mais oui, vendredi...

Le brouhaha se transforma en ricanement collectif. Sacré Pajetta, il allait nous faire le coup de Vendredi, il allait nous exhiber son bon sauvage poilu et barbu !

Le Grand Animateur réclama le silence.

– Savez-vous, mes amis, savez-vous ce qu'en termes de journalisme on appelle un scoop ? Une information totalement inédite, totalement exclusive, dont personne sur cette planète n'a encore saisi la teneur ! Eh bien, mes amis, voici le scoop de Robinson, voici Vendredi...

Le rond du projecteur se focalisa sur la porte de la cabane, panneau rustique retenu par deux liens. Lequel se souleva lentement, très lentement. Deux mains tâtonnantes apparurent. Et aussitôt, le courant fut coupé. Un hurlement de dépit sanctionna ce qui semblait être une panne. Mais, plus violente après le noir, la lumière revint à l'instant même, dévoilant une créature souriante, aussi peu vêtue que possible, et assurément féminine. Svetlana, pour la circonstance, s'était enduite, des pieds à la tête, d'un onguent brunâtre, avait masqué ses cheveux blonds sous une perruque hirsute, agrandi et rougi sa bouche, dissimulé ses yeux clairs sous des faux cils interminables. Ses seins, nus, n'avaient, eux, pas changé, sinon de couleur, et Korb, qui suivait la scène distraitement, en reconnut immédiatement les pointes coniques. Et fut, du même coup, traversé par le poignard d'une jalousie adolescente irraisonnée, furieux de partager un cadeau intime avec la foule qui, maintenant, ovationnait Robinson et sa belle trouvaille.

– Mais oui ! C'est le scoop des croisières Splendid. Vendredi est une femme. Daniel Defoe a menti. Encore que les bons lecteurs auront peut-être rectifié d'eux-mêmes...

Vendredi tenait à la main un micro sans fil et fit un pas en avant. Les musiciens l'attendaient.

Une île sans hommes ni bateaux
Inculte, un peu comme une insulte
Sauvage, sans espoir de voyage...

Des briquets s'allumèrent. Des bras tendus commencèrent à osciller lentement, au rythme de la chanson rêveuse.

 Des couples s'enlaçaient. Ines se serra contre Angelo et murmura :

– Vous n'auriez pas un joint, jeune homme ? Je me sens baba, tout à coup…

– *Farewell, Angelina, the sky's changing color and I must leave*, répondit Angelo. Appelez-moi Bob… Encore qu'Angelina et Angelo, ça fait signe du destin, non ?

Le commandant avait retenu, pour la prochaine escale, l'île Trebaol, 150 milles nautiques à l'ouest. Sa géologie différait en tous points de celle de Farquhar. Granitique, elle était pourvue, selon les descriptions et les cartes, de falaises élevées, d'une végétation abondante, d'une forêt aux allures de jungle africaine, mais descendant jusqu'à l'eau. Les amateurs de roc y trouveraient leur compte, et aussi les passionnés d'arbres et de plantes. Lataniers, albizzias, gayacs, vacoas, badamiers, jacquiers, calices-du-pape seraient au rendez-vous. Pas d'aérodrome, quelques pêcheurs locaux. Le mouillage était sûr, dans une baie encaissée et profonde, bordée de criques. Pajetta et lui envisageaient de répéter l'emploi du temps précédent : arrivée en fin de matinée, repas à bord (durant lequel Massimo irait prospecter sur place, mobiliser les piroguiers). Et barbecue au crépuscule. Pas question de rééditer le coup de Robinson : ce serait, à l'inverse, une soirée habillée, une soirée de bivouac chic, avec serveurs en nœud papillon, champagne dans la glace, piano sur la plage, musique élégante et danses à l'avenant.

« Croisière, terre de contrastes », avait ironisé Shrimp tandis que le Grand Animateur achevait d'esquisser son « concept ».

La fatigue le terrassait. Bientôt minuit. Il comptait mettre en route à trois heures. Tous les passagers avaient regagné le bord sans encombre. Le souper avait été servi. Et le spectacle remplacé par une animation dansante, artistes et croisiéristes se partageant le plateau. Mais avant d'aller dormir – il se relèverait pour surveiller la manœuvre d'appareillage –, Shrimp avait encore un rendez-vous à honorer et continuait de monter la garde.

Angelo et Ines s'attardaient au-dehors. Une petite brise thermique rafraîchissait la nuit et caressait les derniers promeneurs.

– C'est n'importe quoi, dit Ines. C'est incohérent.

– Qu'est-ce qui est incohérent ?

– Hier, je vous dis que j'ai besoin d'être seule, et cette nuit, je serai déçue si vous, maintenant, vous le voulez.

– Cette nuit est une autre nuit. Vous n'imaginez pas que je vais vous servir le petit couplet traditionnel sur les femmes qui souvent varient ! La girouette, d'habitude, c'est plutôt moi. Nous avions tous deux besoin de solitude. Mais ce soir, moi aussi j'ai besoin de vous. Violemment. (Il prit à deux mains ses avant-bras et la pressa contre lui.) Urgemment.

– Qu'est-ce que vous attendez ? répondit-elle.

Ils empruntèrent l'escalier vers le pont du dessous. Et furent interrompus dans leur course par Lazare, le garçon de cabine d'Angelo.

190 – Excusez-moi, *padre*, mais le commandant vous cherche.

– Moi ? À cette heure-ci ?

– Oui, *padre*.

– Arrêtez de m'appeler *padre*, Lazare, je me tue à vous le dire.

– Oui, monsieur. Mais, vous savez, je suis catholique, alors un *padre* c'est un *padre*...

– Mais je ne suis pas un *padre*, je ne le suis plus, je suis viré. D'ailleurs, Lazare, je vous présente ma fiancée.

Le Philippin regarda Ines comme un effrayant assemblage de Judith, Marie Madeleine et Putiphar.

– Provisoire, précisa-t-elle, provisoire...

– Qu'est-ce qu'il nous veut, le commandant ?

– Je ne sais pas, mais c'est important. Il reste debout. Il vous attend. Vous, pas la dame. Excusez-moi, madame.

– Allez lui dire que je consens à lui parler, mais pas sans ma fiancée. Je n'ai pas de secret pour elle.

Lazare se dandinait d'un pied sur l'autre. Ines se retint d'éclater de rire.

– Je ne suis pas sûr... commença le garçon.

– Allons-y, trancha Angelo.

Shrimp battait la semelle près de l'ascenseur, sur le pont Bolchoï, celui des cabines mauves. Il jeta en direction d'Ines un coup d'œil perplexe. Il paraissait emprunté, hésitant, et cela ne lui ressemblait guère. Il se dirigea vers Angelo.

– Je suis confus. J'ai bien peur que vous ne vous sentiez traité comme un mauvais élève convoqué chez le surveillant général. Et en pleine nuit !

Angelo chercha un chemin de traverse, essaya de le détendre.

– On n'avait pas décidé de se tutoyer, commandant ?

Ça marchait. Shrimp sourit.

– C'est contraire à tous les règlements, comme tu sais.

– Et tu ne rigoles pas avec le règlement...

– Forcément, c'est moi qui dois le faire appliquer.

– Alors dites-moi, commandant, pourquoi tu m'empêches de raccompagner cette belle dame.

Shrimp se tourna vers Ines.

– Il se trouve que nous traversons certaines difficultés...

Il s'interrompit net. Il avait oublié la présence de Lazare dont les oreilles décollées captaient chaque miette de la conversation.

– Vous n'avez pas trouvé M. Korb, le professeur ?

– Non, commandant. Pourtant j'ai bien cherché. Il n'est pas dans sa cabine, Joseph me l'a confirmé.

– Eh bien, retournez-y. Et quand vous le verrez, dites-lui que nous l'attendons près de la piscine. Pas au bar, de l'autre côté.

Lazare parti, Shrimp poursuivit à l'intention d'Ines :

– Nous connaissons des difficultés sérieuses et je crois qu'il est bon de prendre l'avis de quelques passagers. Nous sommes sur le même bateau, selon l'expression consacrée. Mais je ne souhaite pas vous importuner, peut-être préféreriez-vous poursuivre le voyage sans autre préoccupation. Ce serait très légitime...

– Si vous voulez me tenir à l'écart, commandant, vous vous y prenez très mal, répondit Ines. Vous en avez trop dit. Qu'est-ce qu'il se passe ? On coule ?

– Nous, non. Mais la compagnie, je n'en suis pas sûr.

– Excusez-moi, intervint Angelo. J'étais encore sur la plage, je n'avais pas compris que vos problèmes étaient aussi graves.

Cette fois, c'est Shrimp qui le prit à contre-pied.

– On n'avait pas décidé de se tutoyer ?

– Au temps pour moi, on n'y revient plus.

– Je suis en train d'enfreindre toutes les consignes, reprit le commandant. Normalement, le client ne doit pas être dérangé par les problèmes d'intendance. Quand tu vas à l'hôtel, le salaire de la femme de chambre ou le divorce du gérant ne sont pas ton affaire. Mais je pense que je dois la vérité à mes hôtes. Peut-être pas toute la vérité, peut-être pas tous mes hôtes. Mais toi (il parlait à Angelo), tu es conférencier, tu fais partie de l'équipage, d'une certaine manière.

– Moi, c'est moins évident ? ironisa Ines. En bateau, les femmes ne sont là que dans l'ombre des hommes ?

– Vous êtes une invitée. Je ne devrais pas. Mais à l'hydro, on m'a appris qu'il y a plus d'intelligence dans trois têtes que dans deux, et dans deux que dans une, même si beaucoup de capitaines s'obstinent à se prendre pour Dieu. Venez.

Ils montèrent, par les escaliers extérieurs, vers le pool deck. La piscine était plongée dans l'ombre, hormis l'angle qui jouxtait un petit bar encore en service. Deux ou trois clients tardifs y étaient accoudés, des fumeurs qui s'accordaient la dernière. Shrimp, lui, se dirigea vers la rive obscure et déserte. Angelo, Ines et lui prirent place autour d'une petite table carrée sur laquelle, ordinairement, les baigneurs disposaient serviettes, crème solaire et boissons fraîches.

– Il faut d'abord, commença-t-il, que je vous explique la composition de notre actionnariat…

Une silhouette blanche se détacha. C'était Lazare.

– Toujours pas de professeur Korb ? interrogea Shrimp.

– Non, commandant. Je suis passé au casino, mais là non plus…

– Votre service est terminé ?

– Pas avant l'appareillage, commandant.

– Faites une dernière ronde. Si cela ne donne rien, on verra ça demain matin.

– Bien, commandant.

Il disparut. À pareille heure, un passager qui ne se trouvait pas dans sa cabine était, en principe, facile à dénicher. Le bar. La piste de danse. Le casino. Les ponts-promenades. Mais Lazare demeurait bredouille. Et pour cause. Korb était passé de l'autre côté, à la manière *fantaisiste* des héros de Charles Dodgson dit Lewis Carroll – un petit orifice suffit, le trou d'une serrure, le miroir d'un face-à-main, la margelle d'un puits, l'entrée d'un terrier, la fente d'une tirelire, la flaque d'une mare. Il n'avait pas envie, ce soir, malgré l'insomnie probable, de traîner auprès des bandits manchots, de tomber sous la coupe du magicien jaloux. Il n'avait pas envie, non plus, de contempler la mer douce au milieu de gens comblés. Il n'avait pas envie de boire car son rôle, ici, était public, et il savait qu'il boirait vraiment trop. Il n'avait pas envie de lire car ses yeux étaient vitreux. Ni de réfléchir car sa cervelle était brouillée. Il tournait en rond, il tuait le temps, il le grignotait à petits coups de dents. Il s'était rarement jugé aussi désorienté.

Et soudain une blonde rayonnante, en chemisier noir et minijupe blanche. Il lui fallut quelques secondes pour reconnaître une des danseuses russes. Le matin, lors du jogging, il ne voyait guère les filles que de dos. Et le soir, au spectacle, elles étaient maquillées jusqu'à devenir interchangeables (sauf Svetlana qui se trouvait hors concours). Elle disait je m'appelle Liliana. Elle disait suivez-moi. Elle disait je suis l'amie de Svetlana, sa meilleure amie. Elle disait faites-moi confiance, ça n'est pas loin. Il la crut aussitôt, lui qui doutait de tout. Il avait tellement envie de la croire, de mettre ses pas dans les siens. Il serait incapable de se rappeler quelle porte elle poussa, une porte basse, camouflée, dans le style des arrière-boutiques d'atelier clandestin. Tout à coup, l'univers devint marron et verdâtre, de cette teinte qu'on attribuait naguère aux classeurs de bureau, aux wagons de cinquième classe, aux linoléums du service public. L'éclairage provenait de néons maigres. La largeur des coursives interdisait de prendre des hanches. Tout n'était que métal, mais pas un métal brossé, de la tôle blême.

Personne en vue. Liliana s'arrêta devant un panneau qui devait être une porte, sortit une clé et déverrouilla la serrure. Elle faisait signe à Korb de se presser. Il entra. Immédiatement, la porte se referma, la serrure tourna derrière lui. Ce qu'il discernait paraissait épouvantable. Une chose hérissée, des yeux globuleux. La pièce était à peine éclairée, juste assez pour qu'il lui semblât distinguer un dragon, un de ces dragons qu'une chaîne de manipulateurs fait circuler et bondir dans les rues chinoises, les jours de fête. La bête de tissu et de carton était si imprévue qu'il lui fallut encore vingt secondes pour découvrir Svetlana, dans sa robe noire élégante, celle qu'elle portait lors de leur premier tête-à-tête. Elle parla très vite, donnant d'une voix posée les informations strictement nécessaires. Information numéro un : ils avaient quarante minutes, le temps qu'Aliocha termine son court spectacle, au casino Raspoutine – la foule le suivait si bien qu'il avait été demandé au magicien de s'y produire régulièrement, après quoi une partie du public restait jouer. Information numéro deux : Liliana était digne de confiance, une amie de toujours, Korb n'avait rien à craindre. Quant à cette réserve du théâtre, elle n'était accessible qu'à très peu de personnel et servait rarement. Information numéro trois, en forme de question : le professeur préférait-il qu'elle se déshabille ou préférait-il la déshabiller ?

Ils se déshabillèrent mutuellement, à la hâte, et, cette fois, Korb se montra plus maître de ses gestes. Maître mais pas moins enthousiaste. Il se jeta dans le plaisir comme on se jette dans un torrent, avec une belle fureur, oubliant tout et le reste, excité d'entendre Svetlana gémir, heureux qu'elle frémisse pour de bon. Ils jouèrent de tous leurs muscles, de toutes leurs humeurs. Au moment de jouir, elle se retourna, il la prit par-derrière. Elle s'étirait, s'incurvait, s'ouvrait généreusement, et ils crièrent presque ensemble. Ils restèrent immobiles, haletants, incapables de prononcer un mot. Tout en reprenant son souffle, il effleurait les fesses de Svetlana, il suivait des mains leur courbe. Et puis il vit les traces à la chute des reins. Trois ronds violâtres, plus sombres sur le pourtour. Trois brûlures de cigarette. Il ne dit rien, il ne restait plus de temps pour parler. Regagnant sa cabine, il ne croisa pas Lazare et se coucha sans imaginer une seconde ce que Shrimp, près de la piscine, était en train de révéler. Tant mieux : son esprit n'était décidément plus capable d'engranger deux pensées à la fois.

CHAPITRE 6

OÙ BE-BOP TROUVE LA PETITE BÊTE

L'île Trebaol aurait certainement été une escale sublime, mais l'*Imperial Tsarina* ne l'atteignit jamais. Car, au jeu du mystère, bien malin qui peut prédire le prochain pli.

Marinette Chourgnoz s'assit d'un coup dans le lit. Son cœur battait anormalement vite. Une angoisse irraisonnée frissonnait entre ses omoplates. Sa chemise de nuit agrémentée, aux épaules, d'un peu de dentelle lui collait à la peau.

– Marcel, il y a un bruit. Un drôle de bruit, dit-elle à mi-voix.

Il était huit heures du matin. Malgré le rideau, le soleil commençait déjà de monter à l'assaut, s'infiltrait par le petit sabord (la cabine était classée verte, soit le milieu de gamme). Dans le lit jumeau, Marcel grogna. En temps normal, tous deux auraient été réveillés depuis longtemps. Mais la chaleur et le coucher tardif les avaient foudroyés.

– Je t'assure. C'est bizarre. On dirait une musique de Martiens.

 Malgré l'âge, Marcel avait conservé une ouïe fine. L'ouïe d'un horloger.

– Tu as raison, c'est bizarre. Moi je dirais plutôt un truc de drogués, quand les gens hallucinent.

Grâce à ses onze petits-enfants, Marcel était capable, éventuellement, de parler *djeune*. Marinette, par principe, se montrait plus récalcitrante. Elle tendit l'oreille.

– Ça imite le piano, ça voudrait nous faire croire que c'est du piano…

Ils se turent. Un chuintement se faufilait sous la porte et les enveloppait comme une brume perverse.

– Tu te rappelles le serpent dans *Le Livre de la jungle* ? demanda Marinette.

C'était exactement cela. Kaa version Disney. Ses pupilles hypnotiques. Sa voix mielleuse, l'inimitable voix de Sterling Holloway (qui l'avait déjà prêtée à la souris Roquefort pour *Les Aristochats*). Soudain, Kaa était dans la chambre, Kaa se glissait sous le tapis, contournait l'oreiller, Kaa souriait, faux cul comme jamais, agitait sa langue fourchue et murmurait «*Hello*», «*Hello everybody, this day is a special day, a very special day*».

– Qu'est-ce qu'il dit ?

Kaa traduisit lui-même, dans un souffle. «Attention, mes amis, ce jour est très particulier, attention, ce jour est très particulier, attention mes amis… » Quand il prononçait le mot « amis », il le laissait traîner, amiiiiiis, il le laissait mourir à tout petit feu. Et cela inquiétait Marinette.

– Mais il me fait peur, moi, à répéter toujours la même chose !

Progressivement, ils s'aperçurent, écoutant avec beaucoup d'attention, que Kaa, c'était Pajetta, un étrange Pajetta, un Pajetta tout en retenue, pire qu'en retenue, en pointillés, un Pajetta réduit à son ombre, à la portion congrue, un Pajetta quasi agonisant, *rallentando assai*, un Pajetta qui prononçait ou plutôt qui susurrait des mots incompatibles avec Pajetta. « Ce matin, lâchait-il dans un chuchotis, Erik Satie a bercé notre réveil avec sa troisième *Gymnopédie*. Laissons-nous flotter en sa compagnie chimérique, laissons le rêve se poursuivre. Aujourd'hui, nous allons nous détendre, nous allons prendre le temps de nous retrouver, nous allons rester suspendus entre le ciel et l'eau, nous allons chercher l'équilibre, l'harmonie, la sérénité. Nous allons nous offrir une journée de silence intérieur... »

– Si c'est comme ça, moi je reste dans la piaule, trancha Marcel.

Il fut interrompu par un bruit de froissement. Une feuille de papier venait d'apparaître devant la porte. Chaque matin, Zacharie, le garçon de cabine, fournissait à ses hôtes le programme des activités. Marcel s'enveloppa d'une robe de chambre rayée, et lut à voix haute.

– « À partir de 9 h 30, séance de tai-chi-chuan sous la conduite du maître Kyung Soon. Venez vous initier à cet art fondé sur la philosophie taoïste et la médecine chinoise. Découvrez le principe du yin et du yang. Apprenez à rechercher la voie du juste milieu par la connaissance des extrêmes. » (Marcel secoua la tête, accablé.) Même pas un concours de doublettes…

– Moi ça me plaît, dit Marinette. Je vais y aller.

Son mari la regarda comme si elle venait de renifler sous ses yeux une ligne de poudre.

– Mais oui. Il n'y a pas d'âge pour ces mouvements-là. À la télé, on voit les gens qui font ça dans la rue, les Chinois, les Japonais. Des mouvements très lents, très calmes. Il paraît que ça détend incroyable.

– Mais t'es pas tendue !

– Si, je suis tendue. Plus que tu crois. Tu ne te rends même pas compte. Toi aussi, tu devrais venir. Si t'étais moins tendu, tu t'apercevrais que je le suis.

– Tout est bizarre, ce matin, dit Marcel entre ses dents, comme pour lui-même.

Il avait raison. Il ignorait à quel point il avait raison. Si Marcel Chourgnoz avait osé emprunter le monte-charge de service et descendre jusqu'au tréfonds du navire, s'il avait osé forcer la porte de la machine, il aurait découvert un spectacle encore plus insolite que celui de son épouse pratiquant le tai-chi-chuan. Il aurait découvert Be-bop et Creux quasiment enlacés, étreignant en chœur une pompe déshabillée, la 3. Ruisselants, concentrés, apparemment solidaires – le graisseur lançant toutefois au chef des coups d'œil aigus. Ils se redressèrent, essuyèrent leurs mains avec un chiffon encore plus abominable qu'elles.

– Bordel de putain de saloperie de bécane ! jura le chef. Elle fait semblant d'être propre et elle se chie dessus.

– La chemise, elle est morte, constata Creux.

– Elle est morte, gueula Be-bop, à son tour, en direction du second.

L'intéressé se trouvait à l'autre extrémité de la salle, en compagnie de l'électricien, du tourneur et de l'homme qu'on appelait « l'officier bidet » parce qu'il était en charge de la caisse à merde, de la pression d'eau douce et de tous les réglages dont dépend l'hôtellerie. Il se rapprocha d'eux.

– Je comprends pas, je comprends plus rien, dit-il. On a tout nettoyé.

– Avec Dash six en un, on n'en serait pas là, ricana Creux.

– Tu vas quand même pas faire de l'humour ! hurla le chef. L'humour, c'est réservé aux officiers supérieurs, compris ?

Creux se contenta d'aligner un autre ricanement.

– Ça pisse de partout. Ça pisse comme un éléphant sénile, continua Be-bop. Et toujours l'espèce de confiture qu'on a dégagée il y a deux jours. Mais d'où elle sort, cette merde ? D'où elle sort, hein ? De quel cul ?

– Avec Dash six en un... reprit Creux qui avait un penchant pour le comique de répétition.

Le chef vira au rouge lie-de-vin.

– Je vais bâillonner ce mec, je vais lui coudre les babines avec du fil à maquereaux...

– On a un jeu de pompes complet. Toutes les dix, glissa prestement le second pour calmer Be-bop.

L'effet escompté se produisit. Les joues et le nez du chef retrouvèrent le rose.

– Tu en as dix ? Je croyais qu'on n'en avait commandé que huit !

– On avait obtenu un prix pour le lot.

– Ça m'aurait étonné que le Grec nous lâche le grand jeu sans une petite gratte. En tout cas, c'est la seule bonne nouvelle de la matinée, on va pas cracher dessus, je préviens Shrimp.

Il tourna la manivelle du téléphone blanc qui le reliait à la passerelle.

Le commandant dormait, effondré dans le grand fauteuil articulé qui lui était dévolu face au pupitre. Le lieutenant et le matelot de quart n'avaient pas jugé utile d'abréger son repos. De toute manière, la machine était stoppée, le navire dérivait à peine sur une mer insensiblement ondulante, aucune roche ne menaçait et le radar ne signalait nul autre bateau. Hormis la surveillance des échos et l'actualisation du point, les occupants de la passerelle se trouvaient au chômage technique. Quand le téléphone blanc grelotta, le lieutenant essaya de décrocher le premier. Mais le capitaine ouvrit les yeux d'un coup, comme s'il n'était pas assoupi, comme s'il avait fermé les paupières pour mieux analyser la situation.

– Oui… Très bien, excellent… Non, je ne bouge pas…

Il raccrocha. Dix secondes plus tard, il dormait à nouveau.

C'est sur le coup de cinq heures que Be-bop avait lancé son *Mayday*. Il avait appelé le commandant directement dans sa cabine.

– Faut arrêter tout. Tout de suite.

Shrimp avait l'impression de n'avoir somnolé qu'une dizaine de minutes. Reconnaissant toutefois la voix du chef dont l'épuisement n'était pas moindre, il s'était immédiatement ébroué comme un chien recevant un seau d'eau en pleine gueule. Be-bop était colérique, mais, s'agissant de panne et d'urgence, il n'avait pas coutume de crier au loup pour un boulon de travers.

– La pompe 3, c'est encore pire qu'avant. Elle fuit de partout. À gros bouillons. On va démonter. Si on traîne, on est mal. Et la 7, je la sens pas non plus.

– Combien tu veux ?

– Quatre ou cinq heures si je m'occupe des deux.

– C'est du délire. On va manquer l'escale, on arrivera de nuit, ou juste avant la nuit. Les passagers...

– J'ai pas le choix, Shrimp. Si on tourne une heure de plus, on va cramer la boutique, t'auras plus qu'à demander un remorqueur.

– Est-ce que je peux parler sans que tu t'énerves ?

– Ça dépend de ce que tu sortiras.

– Tu vas t'énerver, et c'est pas le moment.

– Allez, racle tes glaires et crache ta Valda.

– À Nosy Be, tu m'avais dit que si on nettoyait la caisse de décantation, c'était...

Le chef s'énerva.

– J'ai dit ce que je pensais et je le pensais parce que j'avais des raisons de le penser et j'avais des raisons de le penser parce je ne pense pas n'importe quoi et...

– Be-bop !

– … et je ne pense pas n'importe quoi parce que ça fait trente ans que je colle…

– Be-bop, tu t'énerves…

– … mon putain de blaze dans l'huile de vidange…

– Be-bop, c'est toi qui m'as dit qu'il fallait faire vite. Alors explique-moi vite pourquoi les pompes lâchent. Vite !

– J'en sais rien.

– Hein ?

– J'en sais rien. Une pompe, ça lâche parce que c'est usé, parce que ça manque d'entretien. Parce qu'il y a un défaut, une paille dans l'acier, parce que le piston et la chemise ne s'entendent plus, parce que les joints sont nazes. Mais là (il avait retrouvé un ton normal), on lui a fait la totale, à la 3, on a vérifié son cholestérol, ses transaminases, on lui a décapé les rognons et les ovaires. Moyennant quoi elle étouffe et les injecteurs avec. Alors je sais pas. Tu entends, Shrimp ? Moi, le chef, je sais pas. Je sais pas.

– J'entends. Tu ne sais pas.

– Tout ce que je sais, et ça j'en suis sûr, c'est qu'il faut probablement changer la pompe. Au moins celle-là. Et, pour les autres, je parierais pas sur la tête du petit Jésus.

– Réponds-moi calmement, Be-bop.

– Comme d'habitude.

– Est-ce que tu es en train de m'annoncer que tu pourrais être obligé de changer toutes les pompes ?

– Possible.

– À deux heures la pompe ?

– Ça, c'est sûr. Et le contrôle des injecteurs.

– Tu es en train de m'annoncer qu'on pourrait être en avarie de machine pendant vingt heures.

– Affirmatif. Y a des cailloux dans le coin ?

– Rien. On dérivera à un demi-nœud, un nœud avec un peu de vent. Même si ça se levait, et la météo dit le contraire, on aurait de l'eau à courir. C'est pas ça le problème. Le problème, c'est que ce bateau est un bateau de croisière…

– … mystère. Et pas qu'un peu.

– Si tout ça n'est pas éclairci dans les vingt heures, je serai obligé d'appeler la compagnie et d'informer les passagers. Vas-y. Je te fais confiance.

– T'es taré. Moi-même je me fais plus confiance.

– Briefing à six heures. En passerelle.

Le commandant n'avait guère eu le temps de préparer la réunion, ni même de réfléchir. Il faisait encore nuit quand les principaux responsables, un à un, gravirent l'escalier ponctué de loupiotes rouges. Le commissaire se présenta le premier. À la bouffissure naturelle, le réveil en fanfare ajoutait, sur son visage, une sorte de voile fripé.

– Nous avons des soucis, paraît-il.

– Même si nous avions mis le cap sur Mombasa, nous n'y serions probablement pas parvenus.

– Je ne comprends pas de quoi vous parlez, commandant.

– Et moi je ne comprends pas votre attitude. Les psychanalystes appellent ça un déni, je crois.

Le commissaire demeura impassible.

– Je n'y connais rien en psychanalyse. Et je ne suis pas certain d'être le plus fou, sur ce bateau.

Pajetta fit irruption, escorté de Be-bop et de Ronnie.

– De deux choses l'une, dit Shrimp. Ou nous annonçons l'avarie. Ou nous essayons de gagner du temps pendant que le chef répare.

– Pendant que le chef *essaie* de réparer, précisa l'intéressé.

– C'est à ce point-là ! s'étonna Ronnie.

– Quand j'aurai trouvé la panne, j'aurai trouvé la solution. Mais je suis devant ce truc comme si on me demandait de baiser une libellule. Si ça n'est pas réglé dans la journée, y a plus qu'à appeler le Samu.

Le Grand Animateur expira profondément.

– Vingt heures ! Déjà que Dotty Thunderbay s'est plainte, hier soir, que je n'avais pas fourni de nouvel indice quant à notre destination. J'ai botté en touche, mais elle va revenir à la charge. Et puis elle a trouvé une copine, une Hollandaise, une écolo hard qui proteste parce que la fumée du bateau est trop noire et qu'on rejette des tonnes de CO_2 dans l'atmosphère.

– Eh ben là, gloussa Be-bop dans un ricanement amer, elle va être contente, la Hollandaise. On ne pollue plus, je le jure et je le déplore, on ne va pas tarder à gréer une misaine de fortune avec les serviettes du restaurant.

– Est-ce que je pourrais avoir un peu de silence ? demanda Massimo d'un ton concentré.

– Le monde à l'envers, ironisa Be-bop. Vous nous remplissez les oreilles à longueur de journée, et maintenant vous voulez qu'on entre au couvent.

Pajetta ne se formalisa pas. Il demeurait calme et grave, et parla sur un ton mesuré, réfléchissant tout haut comme s'il poursuivait une méditation.

– Le problème, c'est de ralentir la vie du bord.

– Ça, pour ralentir, on ralentit. On est même arrêtés.

– Les gens ne s'en apercevront pas, pas tout de suite. Très peu observent la marche du bateau, très peu s'intéressent à la direction qui est prise, à l'angle de notre course avec le soleil, avec le vent. Très peu se penchent pour vérifier si notre mouvement génère un sillage, une vague d'étrave. Au mieux, les passagers s'intéressent à l'horizon. Ils perçoivent la mer comme un complément du ciel, et, si nous sommes près d'une côte, comme un ornement du rivage, comme une bordure de fleurs le long d'une allée. Alors, si nous les détendons, si nous revendiquons notre lenteur, ils vont nous suivre, ils vont se mettre au tempo – du moins quelques heures. Et c'est ça le but, si j'ai bien compris : gagner quelques heures.

– Vous savez que, dans une autre vie, vous feriez un excellent dalaï-lama, dit Be-bop sans dissimuler une pointe d'admiration.

Pajetta restait sérieux.

– Vous n'êtes pas tombé si loin de ce qui remue dans ma tête, figurez-vous.

Il se tourna vers le commandant.

– Connaissez-vous une toile d'Yves Tanguy intitulée *Jour de lenteur* ?

Shrimp dut avouer sa totale ignorance. Ni l'artiste ni l'œuvre n'éveillaient quoi que ce soit dans son esprit.

– Le tableau a été peint dans les années trente, en pleine vogue du surréalisme. Il représente un curieux paysage où tout, même l'horizon, est devenu alangui et courbe, où la lumière elle-même se dilate, s'étire, où les objets s'amollissent.

– Quel rapport avec nous ? questionna Ronnie.

– Nous aussi, répondit Pajetta, nous allons devoir inventer notre « jour de lenteur ».

– Excusez, dit Be-bop, manifestement indifférent à la culture artistique de Massimo, mais si ça ne vous dérange pas, moi au moins, je suis pressé.

Il se dirigea vers la sortie.

Le commissaire les regardait tous d'un œil à la fois méprisant et traqué, l'œil d'un homme bien portant ou réputé tel, en tout cas convaincu de l'être, entraîné malgré lui, à l'asile psychiatrique, dans une séance de thérapie collective.

– Tu délires, souffla-t-il au Grand Animateur tandis qu'ils quittaient la passerelle. Marios te cassera.

– Tu paries ? Rendez-vous au Jugement dernier.

Ce qui fut réalisé à l'issue de cette courte réunion resterait, dans les annales professionnelles de Massimo Pajetta, comme un morceau d'anthologie, un moment de vérité. Une croisière, plus encore que toute autre séquence de la vie sociale, est méticuleusement préparée, répétée, avec une haine farouche de l'imprévu. « Mystère » ou pas, tout est écrit d'avance, tout est planifié, calculé, chiffré en minutes et en dollars. Ni Thomas More, ni Tommaso Campanella, ni Étienne Cabet, ni Charles Fourier, ni aucun autre utopiste ne fut plus porté qu'un organisateur de croisière à prévoir par le menu chaque détail de l'existence, chaque frontière visible ou invisible, chaque fragment du code, chaque article de la loi. Les utopistes, prisonniers d'un monde si rude qu'on n'en pouvait s'évader que par le songe ou par la guerre, imaginaient une société définitive et close où les arbitrages seraient rendus d'avance. Tout le contraire d'un rêve, d'un bouquet de possibles, d'alternatives et de hasards. Pajetta y avait souvent réfléchi. Les concepteurs de croisières, estimait-il, sont des marchands d'utopie modernes : ils invitent leurs clients à intégrer le plus libre des univers mais en ont préconçu chaque règle, chaque rite. Le Grand Animateur aimait l'idée d'un ordre accepté de tous, vécu comme un privilège, où le bonheur était à ce point garanti que la négociation devenait inutile. Il aimait cette idée parce qu'il aimait le pouvoir, et aussi parce qu'il aimait le danger : il suffisait d'un rien pour que le plan capote, que l'horloge se dérègle.

Et l'heure du dérèglement avait sonné. Entre la trahison de la pompe numéro 3 et le branle-bas exceptionnellement confié à Erik Satie, il fut obligé d'éroder ses propres pierres angulaires.

Secteur après secteur, corps de métier après corps de métier, il entreprit de tout remettre à plat. Les garçons de cabine qui servaient le petit déjeuner en chambre reçurent consigne de re-proposer du café, du thé, du jus d'orange et de mangue, de la salade de fruits ou des viennoiseries.

 Quant au déjeuner, Ronnie et sa brigade, ainsi que Salman, le chef cuisinier, furent invités à prolonger les repas, à faire patienter les convives du deuxième service en les gavant de canapés et de kirs renouvelés jusqu'à ce que leur tour vienne doucement. Aux serveurs, on recommanda d'expliquer la carte en détail, de souligner la complexité des choix, l'intérêt de chaque option, et d'inciter les clients à s'attarder en fin de repas – un deuxième café, une petite liqueur, une autre offerte par la maison. Aux sommeliers bulgares, ou plutôt italiens, on suggéra enfin d'inviter les clients à goûter plusieurs vins afin de se prononcer en connaissance de cause, de déguster méthodiquement. L'hérésie parfaite, le monde à l'envers.

Avec son régisseur, Pajetta conçut une programmation musicale inédite. Ils dénichèrent des enregistrements rares, du chant grégorien monodique en cadence plagale, des ondes Martenot, des synthétiseurs New Age, et surtout des prières bouddhistes tibétaines et chinoises où les murmures dévidés alternaient avec des tambours, des trompes profondes, des gongs dont la vibration n'en finissait pas de se disséminer. Aux musiciens de l'orchestre, il fut spécifié que l'*adagio placido* devenait le paroxysme du niveau rythmique toléré, le *lento*, le *larghetto perdendosi* ou le *largo morendo* lui étant préférables. Un violoncelliste, Athanase Trendafilov, dont les formes corporelles imitaient celles de son instrument et qui rêvait de reprendre une carrière classique ébauchée à Sofia, proposa d'exécuter les suites de Bach tout au long de ce jour, en se déplaçant d'un point à l'autre du navire.

Il ne s'agissait pas seulement d'aller lentement, et de gommer par cet artifice l'inertie du bateau dans l'esprit des passagers, il ne s'agissait pas seulement de créer une *ambiance*, une atmosphère de laisser-aller, de nonchalance. Sous les tropiques, par ce beau temps et cette chaleur ardente qui ne désarmaient pas, la cause paraissait presque gagnée d'avance, au moins l'espace d'une matinée. Les deux jours précédents, les croisiéristes avaient tous débarqué, marché, nagé, plongé, dansé. Ils goûteraient volontiers l'inertie. Mais à une condition : ne pas éprouver le sentiment d'y être contraints. Et tout était là. Pour que ce sentiment ne risquât point de naître, il importait de présenter la lenteur comme une *activité*.

Tout de suite, Massimo conçut que les femmes seraient ses alliées. Qui d'autre est capable de rester huit heures immobile sous un soleil meurtrier ? Qui d'autre accepterait de payer pour être enduit de purée d'algue ou de boue, claquemuré nu dans une papillote et mis à rôtir sous une rampe chauffante ? Qui d'autre s'abandonnerait avec une passivité suspecte aux pognes du masseur, technicien caressant et amant substitutif ? Qui d'autre, enfin, se repaîtrait de jets, de vapeurs, de bouillonnements, de flot lustral indéfiniment transvasé, au point que cette régression dissolve la vie même ? Le Grand Animateur mobilisa les deux kinésithérapeutes, les demoiselles du centre de beauté Zibeline, le docteur Charif (lequel, à vrai dire, ne se démobilisait jamais) : ce jour serait jour de soin, jour de drainage et de peeling, de microcirculation et de dermabrasion, de programme anti-teint terne, de retonification plénière, de restructuration brumisée, de gommage radiant. On casserait les prix. Et, surtout, pour une fois, on n'annoncerait rien de tel. Pas de promotion tonitruante, pas de rabais affiché. Cela circulerait comme circule la rumeur des « ventes privées » organisées par les grandes marques, les couturiers huppés, les chausseurs haut de gamme. Josué, garçon de cabine, le dirait à Mme Heudebert qui le dirait à Mme Lawson qui le dirait à Mme Roncalli qui le dirait à Mlle Montini qui le dirait à Mme Ogasawara...

Massimo savait aussi que cela ne suffirait pas. Que cela occuperait nombre de croisiéristes mais resterait un phénomène de consommation et de coquetterie. Un phénomène susceptible, même, d'agacer les mâles et de les inciter à regarder au-dehors, à poser des questions, à s'étonner, à consulter leur montre. Pour conjurer ce danger, il fallait autre chose qu'un « geste commercial ». Il fallait une idéologie, un semblant d'idéologie, un ersatz de culture. L'idée avait surgi quand le chef mécanicien, par dérision, avait évoqué le dalaï-lama, quand le régisseur et lui avaient écouté les trompes himalayennes. On n'allait certes pas s'initier au zen et à la méditation, ni fréquenter l'enseignement des écoles rNying-ma-pa et Jo-nang-pa, encore moins devenir adeptes du Tantrayãna, Petit Véhicule accéléré réservé aux êtres de catégorie supérieure. Mais on allait prendre le vent, suivre l'humeur, s'inscrire dans ce courant où nagent médecines douces hyper-naturelles, arts martiaux à pointe émoussée, sagesse d'un week-end brahmanique, lait de soja, ruminations transcendantales et trente-troisième position du lotus. Ce que les mystiques de la dernière heure, les débitants de stages, les gourous de magazine féminin et les comités touristiques des zones insulaires et des déserts ruraux nomment « ressourcement ».

Pour lancer la campagne du grand ressourcement, Massimo devait donner l'exemple, prouver le ressourcement en se ressourçant lui-même, s'afficher sectateur du cours nouveau. Il n'hésita pas à se renier. Tout son jeu était fondé sur l'exagération, il empruntait aux clowns et aux tribuns (espèces qui se confondent volontiers, surtout en Italie), espérant susciter ainsi le rire et la complicité : on se moque du clown parce qu'il est drôle, mais on l'aime parce qu'il a l'audace de faire le clown. Eh bien il allait, pour gagner la bataille des vingt heures, changer son fusil d'épaule.

Le plus difficile fut de convaincre Kyung Soon. C'était un excellent matelot et un bon barreur, capable d'assurer son quart sans se laisser distraire une seconde. Mais il souriait peu, ne parlait guère, remplissait son contrat et, pour le reste, ne communiquait qu'avec ses compatriotes. Le bosco, Jin Ho, était sans doute le seul à connaître son histoire. La femme de Kyung Soon, qui travaillait à la chaîne, près de Gwangju, dans une usine Manoti fabriquant des téléviseurs, avait eu la tête tranchée par un rotor dont la sécurité était défectueuse. La justice avait innocenté l'industriel – la tradition des pots-de-vin et des dessous-de-table, chez Manoti, restait solidement établie – et aucune indemnité n'avait été accordée. Depuis, il naviguait trois cent soixante-cinq jours par an, expédiait les

214 quatre cinquièmes de sa paie à ses parents et beaux-parents pour leur entretien et celui des enfants, et ne s'accordait qu'une passe, de temps à autre, dans un bordel d'escale, notamment le Shy Panther de Durban où sa préférée, Grololo, avait pour spécialité une torsion du bassin finale qui lui arrachait des larmes de jubilation.

Mais on le disait expert en tai-chi et il est vrai que, chaque jour, accompagné de Park, Yang et Kim, on le voyait pratiquer sur la plage avant, près des guindeaux. La chose était autorisée car les passagers goûtaient manifestement le spectacle.

Pajetta avait demandé à Ronnie de l'accompagner au carré de l'équipage – le délégué syndical était censé faciliter la négociation. Vautré sur une banquette de skaï marron, la couleur dominante du lieu, Kyung Soon les envoya balader. À Massimo, il expliqua qu'il faisait son travail, tout son travail, rien que son travail, point barre. À Ronnie, en termes nettement moins policés, il déclara que les soi-disant syndicalistes qui lèchent le cul des Blancs pour leur tirer des pourliches ont définitivement oublié ce qu'est la lutte de classes et ne méritent pas d'être considérés comme d'honnêtes travailleurs, surtout si leur cul à eux est noir comme une merde avariée. Il souligna sa diatribe d'un crachat qui manqua le cendrier. Ronnie ne broncha pas et ajouta l'injure à la longue liste des chiens de sa chienne, liste qui tôt ou tard appellerait vengeance.

Il fallait aller vite. On parla donc d'argent. Moyennant une prime équivalant à un demi-mois de salaire, c'est-à-dire 47 dollars, Kyung Soon fut placé hors quart pendant vingt-quatre heures et s'engagea, escorté de ses trois partenaires habituels, à offrir aux passagers une démonstration de taichi. Il fut convenu que les trois partenaires toucheraient, eux, le tiers d'un mois de salaire, moins dix pour cent ristournés à Kyung en son incontestable qualité de leader du groupe. Il fut enfin convenu que, dans l'hypothèse où certains passagers s'enthousiasmeraient durablement pour l'exercice, le Coréen assurerait une séance quotidienne de cinquante minutes en échange de laquelle il serait dispensé de quart de nuit. Un codicille précisa que cet accord était valable jusqu'à la fin de la croisière et ferait l'objet, le cas échéant, d'une renégociation en présence du camarade Ronnie, sous-merde noire sans doute, mais greffier indispensable.

L'essentiel était acquis. Et le ressourcement fut général.

Si l'on avait questionné les passagers, ce samedi-là, nul n'aurait pu exactement préciser pourquoi il avait fait la grasse matinée. Troisième *Gymnopédie*, chuchotements du Grand Animateur, petit déjeuner à rallonge. Toujours est-il que les plus entreprenants croisiéristes ne se hasardèrent sur le pont que fort tard. Ils eurent d'ailleurs l'impression que les brumes de l'aube n'étaient pas dissipées. Un peu partout, dans des vasques de cuivre, brûlaient des résines puissantes qui dégageaient simultanément une odeur tenace et une épaisse fumée bleutée. Ajoutez les gongs, ajoutez les trompes. Ajoutez bientôt les silhouettes asiatiques parées de soie (ou d'acétate simili-soyeux) jaune bonze, bleu Yangzi, rouge dragon. Pajetta, sachant que maître Kyung Soon et ses acolytes n'ouvriraient pas la bouche, avait réquisitionné deux hôtesses coréennes multilingues. Elles avaient charge d'annoncer l'événement, elles auraient charge de le commenter. Pour l'heure, tandis que les quatre hommes se tenaient parfaitement immobiles, elles évoquaient le *jing*, force souple et dynamique opposée à la force physique pure, le *song*, décontraction qui permet de délier les mouvements, le *dantian*, point d'énergie situé deux pouces en dessous du nombril, et l'onde de choc bientôt suscitée par l'ondulation des articulations.

Tous s'approchèrent. Tous, sans exception. Le contraste était si brutal, et délectable, entre les animations tonitruantes des jours précédents et la quiétude du moment que chacun se sentait attiré ou intrigué. Diverses hôtesses, elles aussi d'éventuelle soie vêtues, avaient parcouru les tables du petit déjeuner, pour ceux qui voulaient le prendre dehors, et les abords de la piscine. Elles remplissaient leur office avec grâce. Rien à haute voix. Radieuses sans qu'on sût pourquoi, porteuses d'une sibylline bonne nouvelle, elles se courbaient vers les passagers assis ou allongés, et propageaient le message – soin et sérénité. Celles d'entre elles dont l'origine était indubitablement asiatique allaient plus loin, offraient un bref mais persuasif massage des deltoïdes, ou bien, demandant à l'interlocuteur de ployer la nuque, un pianotage sur les vertèbres du cou. Un tressaillement jouissif commença de se répandre, prometteur et contagieux. Pajetta brillait par sa discrétion. On le voyait parfois se mêler fugacement à un groupe, mais il n'insistait guère, comme s'il n'avait été, ce matin, qu'un passager parmi les passagers.

Maître Kyung Soon était parfait. Au vrai, c'était à son insu.
Les bras croisés sur la poitrine, l'air de s'ennuyer royalement – le rôle n'était pas de composition –, le visage fermé et carrément revêche, il avait tout du sage tellement sage, tellement peu désireux d'exporter sa science infinie, que l'aborder, mettre ses pas dans les siens, ou tout simplement l'observer, devenait une quête et un privilège. La plage arrière avait été dégagée. Ils furent bientôt deux cents autour des officiants, et trois cents autour des postulants. Alors maître Kyung, maître Park, maître Yang et maître Kim entrèrent en action, invitant les passagers à les imiter. Jambes largement fléchies « en cavalier », corps droit, bras arrondis, ils initièrent les chi-kong posturaux, dits « de l'arbre », d'abord immobiles, puis en marchant un peu. La foule suivait, très attentive et concentrée. On étudia successivement des mouvements évoquant la terre, l'homme et le ciel. On apprit à se relaxer et à relier chaque partie du corps : si une partie bouge, tout le corps bouge, si une partie s'arrête, tout le corps s'arrête. Puis on apprit à libérer l'énergie, à « exploser » comme claque un coup de fouet. Marinette Chourgnoz, pieds nus, en pantalon de toile en en T-shirt bouton-d'or proclamant «*BE MINE*» (le seul disponible à sa taille chez Natacha's), était gagnée par une sensation inédite et bienheureuse. Tout à coup, elle aimait les voyages, elle avait même envie que ça dure.

Shrimp écrivait avec application. Deux heures auparavant, plutôt que de somnoler à la passerelle, il avait carrément regagné la bannette de sa cabine. C'était ce qu'il avait de mieux à faire. Be-bop réparait. Pajetta distrayait. Le bosco profitait de ce que le navire était stoppé pour effectuer un peu d'entretien, reprendre une main courante, dessaler les sabords. Le capitaine, lui, avait considéré que son premier devoir était de dormir. Et maintenant qu'il avait retrouvé quelques forces et un brin de lucidité, il mettait à jour le rapport qu'il établissait en continu, notait laborieusement chaque étape de ses décisions et réflexions. Entre journal et compte rendu, il voulait ainsi que quiconque, armateur, expert ou tribunal, puisse être juge de ses actes et de ses motivations.

Au fond de lui-même, il ne goûtait pas la mise en scène de Massimo – dont il saluait, par ailleurs, l'imagination féconde. Évidemment, la croisière boitait si la machine se mettait à hoqueter. Évidemment, il importait de ne pas gâcher la fête, de ne pas trahir l'attente des passagers, le besoin qu'ils éprouvent de surfer sur les vagues sans jamais se mouiller, sans l'ombre d'un désagrément. Évidemment, c'était le contrat. N'empêche. Shrimp était bon public, il aimait l'orchestre et les danseuses, les jeux au bord de la piscine et même la grandiloquence des menus. Mais là, on basculait vers autre chose, on transformait le théâtre en théâtre d'ombres, on glissait des lambeaux de mensonge dans la tunique de Vendredi, on remplaçait le jeu où nul n'est dupe par un jeu de rôles où les initiés manipulent ceux qui ne le sont pas. C'était peut-être nécessaire, peut-être inévitable, mais Shrimp se découvrait incapable de l'admettre. Croisière mystère, d'accord, tant que le mystère est une épice et non un ersatz. Entre les pannes de Be-bop et les coups fourrés de Soteriades, il n'avait guère le loisir d'approfondir la question mais elle restait posée dans un coin de son cerveau comme une tâche indûment différée ou comme un remords.

On frappa à la porte.

– Entrez !

Rien. Une sorte de grattement.

– Entrez donc, bon sang ! gueula Shrimp.

C'était Creux. Enfin, le sosie de Creux, une copie flageolante du mécanicien, qui demeurait interdit sur le seuil, fourrageant de la main droite dans ses cheveux.

Le capitaine n'était pas moins étonné que son visiteur n'était désemparé. Chez les marins, hormis les vrais amis, les tout proches, on ne se rend pas visite d'une cabine à l'autre, on se débrouille pour parler au carré, à la passerelle, à la machine, sur le lieu de travail, dehors, sachant que l'espace privé est rare et inviolable. La porte fermée est une frontière, ces mètres carrés-là valent un royaume. *A fortiori* entre un graisseur et un commandant, pareille intimité est exclue sauf en cas d'incendie ou d'iceberg. Et s'il y avait eu flamme ou glace, Creux aurait parlé sans hésitation.

– Amène-toi.

De la main, Shrimp lui fit signe de pénétrer dans la pièce et de prendre le fauteuil club qui jouxtait le bureau. Mais Creux, pour rien au monde, ne se serait assis dans le fauteuil personnel du Tonton – ainsi est surnommé le titulaire des quatre galons. Il se dandinait d'un pied sur l'autre, si raide que Shrimp finit par se lever et se planter devant lui.

– Vous avancez, en bas ? questionna-t-il.

– Oui. Enfin pas sûr...

– Qu'est-ce que tu me veux ?

Les lèvres du graisseur remuaient sans articuler le moindre son, tel un patient frappé par la maladie de Parkinson. Il se lança enfin.

– Commandant, j'ai beaucoup travaillé à la grande pêche.

– Je sais, Creux, on se connaît.

– Le plus dur, c'était la mer de Barents, entre Arkhangelsk et Svalbard. Une fois, on est restés sur zone cent dix-sept jours, cent dix-sept, on était ravitaillés au large. Les Russes nous marquaient à la culotte. Dès qu'on s'installait plus de trois jours, ils rappliquaient pour sonder. Moi, j'ai toujours pensé qu'on était pistés par des sous-marins.

Shrimp avait compris que Creux tirait des bords, louvoyait contre le vent, mais poursuivait un objectif précis. Il suffisait d'attendre. Et ça pouvait être long.

– C'était peut-être vrai.

– Les Russes, attention, ils ont des bons scientifiques, des sonars très sensibles. Même les Norvégos ont peur d'eux. Même les Japonais.

– On est d'accord là-dessus.

– Les branlées qu'on se ramassait ! Une fois, on a capeyé pendant quatorze jours, quatorze. On dégueulait tous, sauf le bosco, un petit sec de Fécamp, un chauve, qu'on appelait La Gloire parce qu'il disait qu'il était fier d'être marin. Un vrai con. Ça se pense, ça se dit pas, non ?

– Chez nous, on n'aime pas trop, c'est la pudeur.

– Vous imaginez qu'après ça, quand j'ai fait le vivaneau et le barracuda autour de Madagascar, j'avais l'impression d'être au Club Med.

– Fait chaud, quand même.

– Ça c'est sûr. Et puis les chefs, une fois qu'ils ont calé la clim, ils détestent y toucher, tu pèles ou tu crames. Après ça, y a eu les gambas…

– Congelées ?

– Oui, on congelait à bord. Les gars de l'usine, d'ailleurs, je les enviais pas. De toute façon, ils sont jamais à envier, les gars de l'usine… Mais si je vous raconte tout ça, commandant…

Nous y étions.

– … c'est parce que sur ces bateaux-là y avait généralement pas de centrifugeuse. Ou alors un petit moulin de rien du tout. Alors on était souvent en avarie, alors on perdait un temps fou à quai. Et un fric ! J'ai calculé que les bactéries, elles m'ont bien bouffé une part et demie.

– C'est beaucoup d'argent.

– 37 852 francs de l'époque. 37 852. Vous vous rendez compte, commandant ?

– À cause des bactéries ?

– Des bactéries. Une saloperie qui devrait pas exister.

– Mais nous, nous avons une centrifugeuse sur ce bateau…

Le graisseur fit la moue et regarda Shrimp à la manière dont le médecin prépare le terrain pour la mauvaise nouvelle.

– Pas fraîche, si vous voulez mon avis, pas fraîche. Elle est supposée séparer l'eau du gasoil, mais je vous le jure, commandant, ce truc-là, c'est plutôt un batteur à mayonnaise.

– Nous n'avons jamais eu de problème jusqu'ici.

– La nouvelle politique, commandant.

– Pardon ?

– L'armement, vous savez bien. On nous oblige maintenant à faire le refuelling dans des coins pourris pour gagner dix dollars. D'abord, c'est pas sûr que les cuves de ces coins-là soient saines. Et puis on roule souvent avec nos cuves à nous pas pleines en attendant le coin où on économisera dix dollars. Du coup, on a de l'eau dans le fuel et on a des bactéries qui poussent. C'est mon sentiment. Fallait que je vous dise.

Shrimp regarda le graisseur bien en face.

– Tu sais depuis le début, hein ?

Les yeux du mécano fuyaient.

– On n'est pas sûr tant qu'on n'est pas sûr.

– Regarde-moi.

Creux releva la tête, lentement.

– Je ne sais pas si je dois te remercier ou te punir, poursuivit Shrimp. Réponds au moins à une question. Pourquoi t'es-tu décidé à venir me voir aujourd'hui ?

Creux avait ravalé ses effrois. Il parla d'une voix nette.

– Le bateau est arrêté. Avec les gens dessus. Ça, je peux pas. Je suis un marin, quand même. Avec les passagers, je peux pas.

– Et pourquoi n'as-tu rien dit au chef ou au second ?

– Ça, je peux pas non plus.

– Faute professionnelle, non ?

Le ton du graisseur changea complètement, tourna farouche.

– Je suis victime de harcèlement moral, c'est le service juridique du syndicat qui me l'a expliqué.

– Tu es victime de la connerie humaine, y compris de la tienne. Allez, file.

Le commandant ouvrit lui-même la porte. Creux fonça vers la sortie mais Shrimp interrompit sa course.

– Merci, Creux. Ça n'était pas facile, je suppose.

L'autre eut un hochement de la tête et une sorte de grimace, puis s'éloigna.

Tout allait très vite dans la tête de Shrimp, tout prenait place, s'ajustait, s'organisait, devenait limpide et rationnel. Il se rappelait, aux débuts de la télévision familiale en noir et blanc, la manière dont le commissaire Bourrel joué par Raymond Souplex, imper mastic et moustache brune, bouille ronde et nœud à pois, heurtait le creux de la main gauche de son poing droit fermé en s'exclamant « Bon sang mais c'est bien sûr ! » et, *illico*, dissolvait l'énigme. Les bactéries. Celles de l'eau, celles du fuel, mêlées. Assez proliférantes pour former un magma visqueux, assez protéiformes pour s'insinuer dans les pompes, les durites, les injecteurs. Il avait étudié cela. Fatalement. C'était au programme, entre mille autres points du programme dont il n'avait jamais eu à se servir parce que l'occasion ne s'était pas présentée. Comment les combattre, au juste, les bactéries ? Be-bop devait savoir. Be-bop savait, même si lui non plus n'y avait guère songé faute de l'avoir vécu.

Le chef mécanicien, à présent, était le problème. Jamais il n'accepterait la vérité. Jamais il n'admettrait que son ennemi intime et subalterne ait posé le diagnostic quand lui-même n'entrevoyait ni le mal ni le remède. Il fallait ruser de toute urgence, il fallait inventer un stratagème qui donnerait à Be-bop l'illusion d'avoir trouvé par son génie propre. Shrimp consulta sa montre. Le premier service du déjeuner sonnerait dans une demi-heure. Be-bop monterait manger un morceau. Une demi-heure pour l'honneur de Be-bop. Trente minutes pour enfanter une ruse. Shrimp ne bougeait plus, respirait calmement, tel un plongeur conjurant l'effort. Et le commissaire Bourrel lui apparut comme la sainte Vierge aux bergers crédules. Angelo Romano, bon sang ! c'était bien sûr.

La table du commandant, à l'orée du repas, arborait une étrange allure. Shrimp avait pourtant prié ses invités de la première heure, ceux de la soirée inaugurale. Les piliers, en quelque sorte. Mais Aliocha, selon son habitude, restait quasi muet, Be-bop manquait à l'appel, Korb semblait ailleurs, et Pamela Hotchkiss elle-même, si encline à la convivialité, souriait distraitement et répondait aux sollicitations avec une courtoisie machinale. Était-ce l'effet de la vague zen, du ressourcement en cours ? Rien ne le donnait à croire. Le reste de la salle à manger paraissait joyeux et détendu. On prenait son temps, on appréciait la disponibilité des serveurs. Et puis Salman, le chef cuisinier, innovait. À côté des « noisettes de pré-salé aux mange-tout et leur gousse de liliacée rose » (agneau et haricots à l'ail), le menu, en pleine dérive orientaliste, annonçait une « tempura de crustacés aux feuilles de shiso avec leurs chapeaux de shiitakés », soit des beignets de gambas aux champignons aromatisés d'herbe japonaise. Ajoutez quelques notes de koto distillées par les enceintes de Massimo et l'on se serait cru au temple sur pilotis rouges de Miyajima, face au grand tori qui plonge dans les eaux de la mer Intérieure.

La réserve de Pamela Hotchkiss ne devait rien à l'atmosphère du jour. Pour la première fois, Norbert ne l'avait pas reconnue au réveil. Voilà vingt-deux ans que le rite était établi. Il ouvrait un œil, paraissait s'étonner de découvrir sa femme, refermait l'œil et réclamait un baiser qu'elle déposait sur sa paupière. Il ouvrait alors les deux yeux et réclamait, cette fois, une déclaration d'amour. Depuis vingt-deux ans, sans exception ou presque, Pamela improvisait quotidiennement une déclaration d'amour, jamais exactement la même. Ensuite, et ensuite seulement, Norbert allumait la radio et s'inquiétait du cours du brent à Londres.

Ce matin, Norbert n'avait quémandé ni baiser ni déclaration d'amour. Ses yeux céruléens divaguaient, inhabités. Un regard sans objet, avait songé Pamela, une porte ouverte sur le flou, sur un désert confus, exempt d'hostilité comme de la moindre présence. Un regard posé sur elle et qui aurait pu, tout aussi bien, se poser sur la table de nuit, sur le livre qui s'y trouvait, sur la lampe. C'est du moins ce qu'elle avait cru au début. Esquissant de petits mouvements latéraux, elle avait fini par s'apercevoir que ce regard évanoui la suivait quand même, presque par mégarde, et le constat l'avait pétrifiée, lui avait noué l'épigastre. Une sorte de terreur l'avait poignardée. Elle ne bougeait plus, tant elle avait peur de cet accompagnement mécanique pire que l'absence, la séparation, peut-être même la mort. Elle avait patienté, immobile dans sa chemise de soie turquoise, les muscles noués. Elle n'imaginait pas, jusqu'alors, combien l'immobilité volontaire était un travail de force.

Au bout d'une heure et demie, Norbert avait émergé du *no man's land*, par étapes, aspirant de courtes bouffées d'air. Avant que ses yeux ne s'expriment, sa main avait étreint le bras de Pamela et l'avait serré avec force. Puis il avait émis un bredouillis qui crevait en bulles de bave, sans prendre sens. Elle le laissait s'approcher, le touchait, lui caressait les épaules, la joue, lui disait : « Viens, reviens, je suis là, je t'attends... » Tout à coup, il avait demandé l'heure, s'était étonné qu'il fût si tard, l'avait, cette fois, regardée pour de bon, les yeux dans les yeux, et avait questionné à nouveau :

– Est-ce que je viens seulement de me réveiller ?

Pamela Hotchkiss savait se taire mais ne savait pas mentir parce qu'elle ne voulait pas mentir. Entre elle et son mari, la franchise était si crue qu'elle frôlait parfois la désinvolture. Nombre de leurs amis s'étonnaient qu'un couple « si uni » fût capable d'échanger sur un mode presque brutal, sans apprêt, sans diplomatie, avec l'assurance que rien d'honnête n'entamerait sa complicité. Aujourd'hui, Pamela s'était tue.

– Pam, est-ce que je viens seulement de me réveiller ?

Elle continuait de se taire.

– Je suis resté légume combien de temps ?

Comme toujours, il avait instantanément compris. Ce n'était pas la peine de réfuter les mots, d'arrondir, de mégoter, de lui dire tu n'es pas un légume, chéri, je ne te verrai jamais comme une chose aphasique. Elle avait commandé un brunch à Chrysostome. Norbert avait mangé un peu et s'était rendormi du sommeil du faible. Elle avait alors résolu de s'obliger à honorer l'invitation de Shrimp, à rejoindre le restaurant, à dire bonjour aux autres, à dire comment allez-vous ? oui le ciel est magnifique. Elle manquait soudain de confiance en elle et c'était un sentiment qui lui était ordinairement étranger. Ici, à table, elle n'y pouvait rien, le chagrin la verrouillait férocement. Ce n'était pas même une plainte refoulée à toute force, c'était pire : une onde glaciale l'enlaçait, l'ankylosait.

Korb, lui, était la proie d'une obsession incoercible. Depuis qu'il avait quitté Svetlana, la nuit dernière, l'image des trois brûlures de cigarette se superposait à tout autre spectacle. Il était capable de les décrire minutieusement. Celle de gauche était mauve, cernée de rose et piquée de points sombres. Celle du centre, la plus petite, était uniformément violette, avec une tache bleue à onze heures. Celle de droite avait plus ou moins la forme d'un haricot (peut-être le tortionnaire s'y était-il repris à deux fois) et le rouge sombre dominait, rouge sang, rouge plaie. Toute la nuit, les cicatrices l'avaient poursuivi. Ce n'était pas l'œuvre d'un emporté victime d'une bouffée de colère ou de jalousie.

 C'était calculé, méticuleux. L'emplacement n'était pas anodin, il était choisi pour que, même si l'artiste ne portait qu'un string, les blessures fussent invisibles. Sans doute était-il fou, Aliocha, mais d'une folie machiavélique, la folie d'un détraqué veillant à observer ses rituels, à satisfaire ses pulsions, mais aussi à préserver son impunité. Un effroyable salaud. Je le démasquerai, je la vengerai. Korb serrait les mâchoires en y pensant, si violemment qu'il déformait son visage, l'animait d'une palpitation rythmique.

Durant son insomnie, il avait passé en revue les sévices dont le magicien pervers se rendait certainement coupable, convoqué les souvenirs de ses lectures sadiennes, imaginé des fouets, des cérémonies haletantes, des seins déchirés, des écartèlements, des pleurs et des cris. Et ce, avec une rage d'autant plus vive qu'elle s'accompagnait de trouble et que son indignation sincère ne l'empêchait pas de bander, de vagabonder sur les flots du fantasme. Il en voulait au tourmenteur d'éveiller en lui un mélange confus de fascination et de honte. Le fantasme, raisonnait-il pour se rassurer (dans la mesure où son aptitude à raisonner subsistait encore), n'est que liberté de la cervelle, poésie, tandis qu'Aliocha, lui, frappe pour de bon, pince pour de bon, brûle pour de bon, et abîme avec plaisir.

Au matin, il s'était à peine rendu compte que Joseph mettait les petits plats dans les grands, rapportait une troisième fournée de toasts. Il avait écouté le garçon de cabine d'une oreille indifférente quand ce dernier lui avait annoncé que Massimo Pajetta souhaitait organiser, cet après-midi même, une « rencontre mystère » dont le thème serait « temps et éternité ». Pourquoi pas, quelle importance ? Une petite causerie, les généralités usuelles sur la relativité restreinte et les espaces infinis. Il avait dit oui comme il aurait dit non ou peut-être, il avait oublié que Pajetta lui donnait des boutons, il avait oublié la croisière, Dalida, les photographes, les sommeliers bulgares et tout le barnum. Il avait renoncé au jogging, car il n'aurait pu, à la remorque des fesses de Svetlana, courir sans hurler que, sous le short jaune fluo, l'ignominie était à vif. Le grand ressourcement, les fumées bleues, les gongs caverneux lui avaient échappé. Tout lui échappait.

Et maintenant, il avait le monstre sous les yeux, égal à lui-même, avec sa gueule de clown blanc et son air d'être là sans y être. Le monstre, qui avait retenu l'option japonaise, lapait une soupe miso en attendant la tempura et semblait apprécier la saveur du tofu, le fromage de soja qui en assure le parfum. Comme tous les monstres, le monstre cachait son jeu, le monstre avait l'air fondamentalement normal, tant il est vrai que les monstres cultivent aussi les plus banales habitudes, un sachet de caramels au beurre salé, un Keno le vendredi, une bière blanche quand il fait chaud. Et une soupe miso. Korb se rappelait que son professeur de philosophie, au lycée, avait présenté à ses élèves un test où l'on exprime son antipathie ou sa sympathie envers les photographies de personnages dont certains sont des maniaques épouvantables. Il avait jeté son dévolu sur un petit frisé à la mine timide. C'était un étrangleur de dames mûres : il leur arrachait par touffes les poils pubiens après leur avoir brisé la nuque. Présentement, le monstre souriait vaguement en écoutant Ines raconter, ironique, un peeling aux acides de fruits qui remplaçait avantageusement, lui avait-on juré, le scalpel du chirurgien et mettrait son visage à l'abri des rides.

– Je crains, observa-t-elle, que cette grande découverte n'arrive un peu tard.

– C'est comme moi, enchaîna Be-bop qui surgissait enfin. Excusez, rien que pour me nettoyer les mains, ça m'a pris vingt minutes. Je préfère pas vous informer de l'état du reste, au cas où vous auriez un brin d'appétit. Vous gênez pas pour me dire si l'odeur vous incommode, je peux manger à la cuisine.

– Il paraît, dit Angelo, qu'il faudrait se laver les mains en les tenant vers le haut, avant-bras repliés. C'est d'ailleurs la façon dont procèdent les médecins, cela permet d'être sûr que les bactéries sont entraînées par l'eau.

– Oui, en bonne hygiène, confirma Shrimp, il ne s'agit pas seulement de se laver les mains, c'est jusqu'aux coudes qu'il faut aller. Sinon les bactéries réoccupent le terrain.

– Mais est-ce qu'elles appartiennent au règne animal ou au règne végétal, ces fameuses bactéries ? demanda Ines.

Korb et Be-bop semblaient déconcertés par le tour que prenait la conversation. Pamela aussi. Aliocha s'en moquait, la conversation n'étant pas son affaire. Mais les trois autres avaient l'air passionné.

– Excellente question, répondit Angelo avec un enthousiasme inattendu dans une bouche de théologien. Savez-vous qu'en 1960 les bactéries étaient encore classées dans le règne végétal ? Elles étaient considérées comme la forme la plus élémentaire des champignons. N'est-ce pas, professeur ?

Korb sursauta.

– Euh... oui, probablement. On les décrivait comme des champignons scissipares.

– Qu'est-ce que ça signifie, ce mot-là ? dit Pamela, histoire de dire quelque chose car elle connaissait la réponse.

Korb était si absorbé qu'il ne fournit pas l'explication. Angelo monta au filet.

– Les bactéries se reproduisent généralement sans sexualité, par simple division.

– Pauvres bêtes ! ironisa Be-bop.

Le chef s'approchait de l'hameçon. Du coin de l'œil, Shrimp encourageait Angelo à poursuivre.

– Au moins, quand elles se reproduisent, à défaut d'avoir un orgasme, elles ont des millions de bébés...

– Des milliards, précisa Be-bop tout en ferraillant avec ses noisettes d'agneau.

– Faut quand même pas exagérer, glissa Ines, pour tenter une relance.

– J'exagère pas, se défendit Be-bop. C'est pas des lapins, c'est pire que les poux. Oh pardon !

Il venait d'enfreindre la loi qui interdit aux marins, du moins aux marins français, de prononcer le nom de l'animal aux longues oreilles, censé porter la poisse.

– T'inquiète, dit Shrimp, ici on est aux Seychelles.

– Parce que les lapins, reprit Be-bop rassuré, c'est pas si prolifique que ça, regardez pendant la guerre, on aurait bien voulu qu'ils se multiplient comme les poux... Une lapine, vous savez, ça prend un mois pour la gestation. Alors que chez les poux, la femelle peut avoir trente petits par jour.

Le commandant lança, en direction d'Ines et d'Angelo, un SOS muet. On s'enfonçait dans l'impasse. Ines tenta le tout pour le tout.

– Bah ! les poux, ça grattouille, voilà tout. Alors que les bactéries, ça vous refile le tétanos, la syphilis ou le choléra.

Pamela Hotchkiss faillit tout compromettre. Elle avait beau être la proie d'autres soucis, cette empoignade sur la sexualité et les méfaits potentiels des lapins, des poux et des bactéries la laissait pantoise. Elle se tourna vers Ronnie qui apportait le dessert japonais, une sorte de friandise en pâte de haricots (l'option indienne avait été, ce jour, écartée).

– Ça n'est plus un paquebot, ici, Ronnie, c'est une école vétérinaire ! Ils n'arrêtent pas de parler de lapins.

Ronnie sursauta.

– Des marins français qui parlent de lapins ! À bord ! J'ai du mal à vous suivre, madame Hotchkiss. Les Français, un lapin, ça leur fait plus peur qu'un ouragan. Mais vous savez, les Argentins, c'est les chevaux. Tous les marins sont superstitieux, c'est plein de mystères, la mer.

– Et les bactéries ? Parce que, ce midi, c'est aussi un festival de bactéries !

– Les bactéries, pas de problème, madame Hotchkiss. Ça fait peur aux docteurs, pas aux marins.

Et Ronnie s'éloigna en riant.

– Vite dit, vite dit ! réagit Be-bop. Les bactéries, chez nous, c'est une sacrée galère. Si ça commence à envahir les cuves… Quand du carburant est stocké dans un réservoir où le volume d'air est excessif, les variations de température provoquent de la condensation sur les parois. Ça ruisselle dans le fuel et ça fabrique un bouillon de culture au fond. Moi, j'ai jamais connu ça, mais les copains m'ont raconté que lorsque ça se colle dans ta machine, c'est une vraie glu…

Il s'interrompit, la bouche ouverte. Shrimp, un instant, crut qu'il allait être victime d'un malaise cardiaque. Il cherchait sa respiration, ses joues et son menton étaient blancs, son nez, lui, avait atteint le gris. Mais il se reprit peu à peu, se leva lentement, posa sa serviette, et s'adressa aux convives d'une voix mesurée, presque mondaine.

– Mesdames et messieurs, je crains d'être au regret de vous quitter précipitamment. J'en suis confus car le repas n'est pas achevé mais une décision très urgente a mûri dans ma tête et je crois devoir la mettre en œuvre toutes affaires cessantes. Veuillez me pardonner.

Il quitta la table et pivota sur lui-même, direction la sortie, d'un pas guindé.

– Qu'est-ce qui lui prend ? s'étonna Pamela.

– Quand il est sous le coup d'une émotion violente, expliqua le commandant, notre ami Be-bop redevient

Robert de la Mare en trois mots et se rappelle qu'il a été élevé chez les frères de Sainte-Geneviève-du-Doux-Sourire, qui avaient une école très bien tenue.

Il se tourna vers Angelo et Ines, leur fit un clin d'œil.

– Vous deux, je vous dois une sacrée chandelle. Merci.

– J'ai l'impression, avoua Pamela qui avait retrouvé le monde extérieur, d'avoir raté un épisode.

Shrimp posa sur son bras une main apaisante.

– Pas du tout. Vous avez été parfaite, une reine de l'impro. Venez prendre un café au salon, je vais vous expliquer le scénario.

Ils se levèrent, suivis d'Angelo et d'Ines. Korb restait assis et ne quittait pas Aliocha des yeux. Le magicien, qui achevait son dessert, ne semblait nullement troublé d'être l'objet d'une attention à ce point soutenue. Il esquissait une sorte de moue patiente. Alentour, on abordait le pousse-café et le volume sonore s'amplifiait. Korb craqua le premier. Ou il le réduisait en miettes devant tous les passagers du premier service, ou il s'en allait. Il s'en alla en se traitant de lâche.

Creux s'attendait au pire. Il était certain que le commandant ne le trahirait pas, n'irait pas expliquer au chef que son connard de graisseur avait plus d'expérience que lui. Mais il était non moins certain que M. de la Mare en trois mots descendrait à sa rencontre avec la tronche de Moïse revenant du Sinaï – Creux, on l'aura compris, était grand amateur de films en Cinémascope – et lui expliquerait longuement ce qu'est une bactérie, comment elle se multiplie, quelle relation elle entretient avec l'eau et avec la chaleur, pourquoi le fuel et la flotte se mélangent indûment. Il ne pourrait pas, l'autre, s'empêcher de jouer au maître d'école. Il oublierait aussitôt qu'il venait de patauger durant des jours. Peut-être même engueulerait-il ses subordonnés et s'abaisserait-il à leur reprocher sa propre défaillance.

Et là, Creux avait peur. Non du chef. De lui-même. Parce que là, il risquait de cogner. Sec. Il n'opterait pas pour le coup de boule à la Zidane. Impulsif et finalement peu efficace. Il agirait en deux temps très rapprochés. D'abord un crochet au foie, ensuite un direct à la mâchoire supérieure, juste sous le nez, à hauteur des quenottes qui coûtent le plus cher. Il aurait d'abord le plaisir de voir l'autre se casser en deux – le foie, ça ne rate pas – puis celui de regarder le sang dégouliner de ses narines velues, encadrer son menton trop large et pisser sur le plancher. Ça coûterait cher à l'arrivée mais il ne savait pas exactement, Creux, ce qu'il espérait le plus et ce qu'il redoutait le plus. Il se disait qu'il serait sage de se contenir, sachant que l'autre, lui, en était incapable. Mais, ma foi, si les choses dérapaient, si le poing partait, ce serait la faute au destin.

Le chef mit un sacré bout de temps avant d'apparaître. À se demander ce qu'il bricolait. Mais quand il franchit la porte métallique et s'avança vers les moteurs, Creux dut réviser son pronostic. Pas un signe d'impatience, pas un mouvement désordonné. Be-bop paraissait grave et maître de lui.

– Où en sommes-nous, pour la 7 ? demanda-t-il au second.

– Ça se tire. On s'arrête là, ou on enchaîne ?

– Je voudrais tout le monde au PC. Tout le monde, même l'officier bidet.

Dix minutes plus tard, le local étroit, encombré d'écrans, de tableaux, de téléphones et de « boîtes à cafards » (relais électroniques ou d'alarme) était bondé. Le chef prit place aux côtés de la pin-up, une vraie rousse qui vantait les mérites des outils Facom.

– Cette fois, on avance. Comme disent les flics, l'enquête progresse. Tout donne à penser que les difficultés que nous rencontrons sont liées à une prolifération de bactéries.

Il marqua un temps de silence, balaya lentement l'auditoire des yeux, n'esquivant pas ceux du graisseur qu'il croisa sans broncher, très neutre. Puis il reprit :

– J'imagine que certains d'entre vous y avaient songé. Parce qu'ils sont plus malins que moi ou parce qu'ils ont eu l'occasion d'observer cette saloperie lors d'autres embarquements.

Crevure ! ruminait Creux prêt à la détente, tu vas nous coller ça sur le dos...

– Peut-être n'ont-ils pas osé émettre l'hypothèse parce qu'ils ne me voyaient pas chercher de ce côté. Pour ma part, ça ne m'est jamais arrivé de tomber dessus, comme quoi la vie de mécano, c'est pas monotone.

Mais où il va, là ? s'interrogeait Creux.

– Si j'ai donné à l'un ou à l'autre d'entre vous l'impression d'être bouché à l'émeri et de ne pas pouvoir entendre sa suggestion, je lui présente mes excuses, la faute m'en incombe.

Le salaud ! explosait Creux dont les méninges bouillaient.
L'ordure ! Je vais même pas avoir le droit de lui casser la tête. Il me fauche ma vengeance.

– Voilà ce que nous allons faire, poursuivit Be-bop. On va remettre en route tout doux d'ici deux ou trois heures, sans chercher à gagner du nœud, sans tirer sur les pompes. Et on va se laisser glisser vers la première île pourvue d'un aérodrome. Il va falloir affréter un zinc pour nous livrer du Kathon. Le FP 15 est un biocide qui traite les cuves déjà contaminées à raison de 30 à 50 grammes pour 1 000 litres. J'espère qu'on en trouvera, ça va être coton. D'ici là, on jette un œil aux injecteurs et aux groupes électrogènes. Si on perdait le jus, on perdrait la guerre. Je vous laisse, il faut que je voie tout ça avec le commandant.

Le dépit de Creux était à son comble. Il fulminait, il se voyait trahi. L'autre enflure avait retourné la situation. Des excuses, tu parles, des excuses, manquait plus que ça…

Le PC machine s'étirait tout en longueur si bien que, progressant vers la sortie, Be-bop donnait l'impression d'inspecter les troupes. Creux était le dernier. Ses yeux restaient fixes comme aux pires moments. Le chef ne s'attarda guère à sa hauteur mais le mécano, sans pouvoir rien certifier, eut l'impression qu'une petite voix un rien grinçante, ténue, comparable à celle que les ventriloques prêtent quelquefois à leur marionnette, susurrait entre les dents :

– Dans le cul, tu l'as eu dans le cul !

À la passerelle, Shrimp, avec Slivovice, épluchait toutes les cartes et tous les documents disponibles. La seule destination qui n'était pas lointaine et qui possédait une petite piste d'atterrissage herbue était minuscule et se situait à 43 milles de l'*Imperial Tsarina*. L'île se nommait Rosedo et était fort peu décrite – tout juste était-il indiqué que la côte, dépourvue de dangers, était accore, et qu'un hôtel, bizarrement, s'y était installé. Le Navtex garantissait encore deux jours de météo paisible, soleil et nuages mais peu de vent, après quoi un train de dépressions semblait se profiler et n'autoriserait plus le mouillage forain.

– Préviens le bosco qu'on appareille à 18 h 30, dit-il au lieutenant. Dis-lui aussi que nous aurons quatre ou cinq heures de route, je ne dépasserai pas dix nœuds.

Slivovice s'en alla vers les étages inférieurs tandis que Be-bop, dégoulinant de sueur, achevait, lui, son escalade.

– Il faut que je joigne Martinon, avertit le chef. Je sais qu'il a eu des bactéries, il y a trois ou quatre ans, sur le *Commandant Glémot*. Il est à terre, en ce moment.

Martinon, un grand sec chevelu et buveur d'eau, était le frère d'études de Be-bop. C'était aussi un remarquable technicien, et chacun avait l'habitude de consulter l'autre quand il venait à buter sur une difficulté singulière. En quelque point de la planète qu'ils se trouvent, ils se débrouillaient pour établir la jonction et confronter leurs analyses. Aujourd'hui, c'était facile grâce au satellite, mais Be-bop se rappelait les liaisons épiques sur des quais pourris où la cabine téléphonique était prise d'assaut.

– Pas de problème, répondit le commandant. On a tout reconnecté. Tu sais la meilleure ?

– Je vais pas tarder à la savoir.

– J'ai eu l'agent, à Port Victoria.

– Laisse-moi deviner. Il t'a envoyé aux pelotes, Soteriades a prévenu tout le monde par télex qu'avant de lever le petit doigt pour l'*Imperial Tsarina* il fallait consulter Athènes.

– Eh bien pas du tout, figure-toi. La routine. Il suffit que tu confirmes ta commande par fax.

– Je suis quand même obligé d'envoyer copie au siège.

– Tu fais ce que tu penses devoir faire, Be-bop. Mais j'ai encore deux bonnes nouvelles pour toi.

– Ça devient louche.

– La première, c'est qu'ils ont du Kathon FP 15 en stock, à Port Victoria. À cause des thoniers qui déchargent là-bas. La deuxième, c'est que l'agent a dégoté un Cessna Caravan qui peut te livrer à dix heures demain matin.

– Pajetta est prévenu ?

– Pas encore, pas eu le temps.

– Qu'est-ce qu'il va nous inventer ? Une nuit sur le mont Chauve ? La prise de la smala d'Abd el-Kader ?

– Massimo trouvera. Bien obligé. Il y a quand même une incertitude...

– Je commençais à m'ennuyer...

– Achille Valentin...

– Pardon ?

– ... C'est le nom de l'agent. Il m'a prévenu que l'île Rosedo est entièrement privée et qu'il faut donc l'autorisation des propriétaires pour qu'un avion s'y pose. Quant au transfert des fûts de Kathon...

– Ce sont des conteneurs de vingt kilos, pas besoin de sonner la Légion, on se débrouillera. Allez, j'appelle Martinon.

Be-bop décrochait le téléphone Inmarsat quand le fax annonça par une mélodie gracieuse l'arrivée d'un document. Cette mélodie, au demeurant, n'était pas quelconque : le chef avait programmé le thème du film *Titanic*.

Shrimp s'approcha de la machine qui commençait à débiter du papier blanc. Une dépêche de Port Victoria, pensa-t-il. Achille Valentin avait dû obtenir le feu vert des occupants de l'île Rosedo. Mais, contre toute attente, la feuille demeura vierge jusqu'en son milieu. Intrigué, le capitaine se pencha vers elle. Il vit apparaître un trait gras vertical, bientôt coupé par un autre trait, horizontal celui-là. Une croix, une croix chrétienne. Un message pour Angelo ? Une deuxième feuille se présenta. Cette fois, du texte s'imprimait. Très court, quelques lignes. Shrimp lut, coupa le papier et le tendit à Be-bop qui se mit à jurer d'effroyable manière.

Cela tenait en peu de mots. « La compagnie Splendid a l'immense regret de vous annoncer que son président-directeur général, victime d'une lâche agression, est décédé ce jour à Athènes. »

– BB l'a eu, dit Be-bop d'une voix rauque. On est mal. Balakirev lui a troué la peau !

CHAPITRE 7
OÙ LE CADAVRE DE MARIOS N'A PAS LE TEMPS DE REFROIDIR

Pendant ce temps-là, au cinéma Babouchka, Angelo donnait la pleine mesure de sa verve et, ce jour où la sagesse bouddhiste était à l'affiche, s'efforçait d'exposer la singularité du catholicisme qui, non seulement, est monothéiste, mais conçoit Dieu comme une personne. D'une certaine manière, expliquait-il, Dieu sait et attend, simultanément. Il sait tout de toute éternité. Mais, voulant que sa créature soit libre, il lui accorde le temps de cette liberté et accepte d'être suspendu à son histoire. En ce sens, disait-il, ce Dieu-là est radicalement différent d'une divinité qui tendrait à l'équilibre des contraires, ce Dieu entre dans la tragédie, participe de la douleur et de l'incertitude humaines.

Ines, l'écoutant, succombait à pareille éloquence, songeait que son amant n'était pas seulement beau et intelligent mais sincère. Catastrophe ! pensait-elle avec délice, moi qui suis agnostique, si je continue comme ça, je vais devenir une fan, une supportrice, une groupie, une ombre – danger... Pajetta, lui, était beaucoup moins conquis. Non qu'il fût intellectuellement déçu, mais il se demandait si l'assistance serait capable d'entrer dans le débat, de se passionner pour ce temps de la tragédie où la fin est connue d'avance sans que le déroulement de l'action soit moins palpitant, et pour un dieu si peu zen qu'il s'incarne et souffre.

Il incita Korb à se lancer, à prendre le relais, comptant que l'orateur expédierait l'auditoire au septième ciel en révélant la découverte d'un nouveau monde, par exemple du Trident de Neptune, à quarante années-lumière de la Terre, dans la constellation de la Poupe. Mais le professeur, soucieux de philosophie générale et refusant de voler au ras des pâquerettes, entreprit de montrer combien la science contemporaine accorde un rôle constructif au temps. Ce n'est pas, déclama-t-il, parce que l'univers est soumis aux lois de Newton qu'il est linéaire : la nature, comme l'homme, est en devenir, connaît des événements ; si tout était équilibre, il n'y aurait ni vie ni quête de cohérence.

La prochaine fois, se dit le Grand Animateur, il faudra que je tape un peu moins haut. Prigogine, c'est très chic, très Collège de France, mais au-dessous de bac plus cinq, attention au crash. Il me faudrait un vulgarisateur, un journaliste scientifique, un de ces types qui t'expliquent avec le même enthousiasme le moteur à poudre, la fibre optique ou la fécondation *in vitro*, et puis un moine tibétain, en robe évidemment… Peut-être une religieuse, une ancienne cloîtrée, le style j'ai été clarisse pendant dix-sept ans…

– Si l'on redescend sur terre, professeur… commença-t-il pour redistribuer les cartes. Ah ! excusez-moi…

Un serveur tout noir et tout blanc lui apportait un papier plié sur un plateau.

– Oui, si l'on redescend sur terre et si l'on s'interroge sur notre propre perception du temps rapportée à ce qu'en dit la science…

Il jeta un coup d'œil assez désinvolte au message.

– Notre temps subjectif en quelque sorte… Nom de Dieu !

Le contenu du papier venait de le frapper de plein fouet. Il blêmit, se fana, oublia la décontraction spéciale, le style col ouvert qu'il affectait lors de ces rencontres, à la manière dont les grands patrons et leur staff tombent en chœur la veste pour suggérer qu'exceptionnellement, très exceptionnellement, on ne va pas faire de chichis. Et perdit le sourire comme on perd la tête.

L'exclamation déclencha une vague de rires dans l'auditoire. S'il était un homme qu'on ne s'attendait pas à voir interloqué, c'était Massimo Pajetta. Peut-être ne déplaisait-il pas au commun des mortels que l'homme qui avait réponse à tout, l'homme qui ne se démontait jamais, bref l'homme qui faisait profession de repartie fût susceptible d'avoir le sifflet coupé net.

Massimo le savait, sentait le danger. Il parut s'ébrouer, agir un à un sur des interrupteurs cachés. L'œil redevint clair, l'allure détendue, et le sourire lui-même fut rallumé.

– Je suis confus, dit le Grand Animateur, d'avoir cédé à l'émotion au point d'interrompre un échange aussi passionnant. Confus, aussi, d'avoir involontairement blasphémé. Et (il regardait Angelo et le professeur) je supplie nos invités,

244 nos maîtres, d'avoir l'indulgence de me pardonner. (Il baissa la voix.) Voyez-vous, il est un homme, à bord, dont le pouvoir est aussi étendu que méconnu. On l'appelle le commissaire. Rien à voir avec Scotland Yard, ce commissaire-là est en charge des commissions, si j'ose dire. À terre, on l'appellerait l'intendant ou le gestionnaire. Et, vous l'avez deviné, son rôle est de tenir fermement les cordons de la bourse. Eh bien je viens d'avoir le choc de ma vie. Notre commissaire, mon ami Tribis, Philippos Tribis, qui est payé pour ne pas dépenser, m'annonce que ce soir, avant le dîner, il offre à titre personnel le champagne pour tous les passagers. (Le ton quémandait l'indulgence.) Vous comprendrez qu'on défaille à moins !

Les rires redoublèrent, mais complices. Ah ! Pajetta, il nous a eus cette fois encore. On aurait pourtant cru.

– Et maintenant, je reviens aux choses sérieuses dont je n'aurais jamais dû m'éloigner, aux idées qui volent dans nos intelligences comme des bulles dans une flûte...

Le crépuscule fut suave. Le navire se mouvait très lentement et la transition avec l'immobilité avait été quasi indécelable. Le « champagne » Marquise de Pompadour pétillait et les hurlements du commissaire, criant au chantage, au coup monté, ne parvinrent pas jusqu'à ses bénéficiaires. Les croisiéristes se sentaient parfaitement détendus. Ils avaient oublié la notion même de programme, le prix de sagacité, ils ne pensaient plus au lendemain, ne posaient plus de questions, se laissaient flotter. Les contre-pieds étaient si rares qu'ils devenaient inaudibles. Marcel Chourgnoz s'était ennuyé – et, surtout, il ne supportait pas la bonne humeur de sa femme qui, elle, avait adoré le grand ressourcement. Dotty Thunderbay, remontée à bloc par sa nouvelle amie hollandaise Margriet Van Leeuven, présidente, à Haarlem, d'un comité très actif contre les émissions de gaz pernicieux, essayait de faire circuler une pétition dénonçant la noirceur des fumées du navire et exigeant l'analyse et l'affichage des rejets constatés. En vain. Assurément, vers six heures et demie, un panache sombre avait couronné les cheminées, mais il s'était dilué et l'affaire rencontrait moins d'écho que les suites pour violoncelle exécutées par Athanase Trendafilov.

En coulisses, l'ambiance était tout autre. Shrimp, pour convoquer les initiés, avait visé un créneau très précis. À vingt et une heures, au théâtre Balalaïka, Massimo devait lancer la « soirée surnaturelle » dont Aliocha serait l'unique vedette. Après une brève mise en train assurée par les danseuses, il devait faire disparaître sa femme, puis tenir la scène durant soixante minutes avec le seul concours de Liliana (Pajetta avait jugé que Svetlana, promue « star de Splendid », devait moins apparaître en banale comparse, et l'avait dispensée d'égayer les abords du restaurant). Une heure durant laquelle le Grand Animateur serait disponible.

Au pub du ballast 33, les visages des marins étaient chiffonnés, les regards perplexes. Shrimp, Be-bop, Pajetta et Ronnie se trouvaient en compagnie de Pamela Hotchkiss, d'Angelo Romano et d'Ines Magri. Le capitaine avait pris sur lui de les entraîner dans les coursives interdites, de leur dévoiler la face cachée du paquebot, les couloirs maussades, les cages de fer, la climatisation discontinue, les escaliers étriqués, les trous d'homme à pic. En d'autres circonstances, Pamela aurait fort goûté la visite mais la somnolence chronique de Norbert demeurait sa première préoccupation – le docteur Charif, appelé à la rescousse, s'était déclaré impuissant et avait suggéré de « le laisser se reposer », comme s'il était concevable de faire autre chose. Tout en montrant le chemin, le commandant avait informé ses hôtes du décès de Soteriades.

La présence des passagers suscita un débat court mais nerveux.

– Ne le prenez pas mal, déclara Be-bop, absolument rien de personnel, mais je suis obligé de dire qu'à mon avis Shrimp délire en vous amenant ici. Les merdouilles de la compagnie, c'est nos oignons. Vous, vous êtes là pour bronzer, point à la ligne.

– On ne peut pas bronzer et avoir une opinion ? interrogea Ines.

Ronnie assura le relais. Lui qui paraissait toujours à son aise en salle avait soudain l'air de marcher sur des œufs.

– Bien sûr, madame, qu'on peut bronzer et réfléchir. L'autre jour, j'ai même vu une passagère, à la piscine, qui lisait un roman de M. Naipaul. M. Naipaul, vous vous rendez compte ? Je ne l'ai jamais lu mais je sais que c'est un grand écrivain. Moi, ce qui me gêne, c'est qu'on m'a toujours

appris une chose comme on apprend à faire la différence
entre la gauche et la droite : notre monde et celui des passagers, c'est deux mondes, faut pas mélanger. Si tu as un furoncle, tu souris, s'il y a un problème en cuisine, tu souris. Même si ta mère est morte, tu souris...

– Si le bateau coule, tu souris...

Be-bop, évidemment. Pajetta corrigea la dérive. Shrimp, lui, se contentait d'observer.

– Je devrais être le dernier à approuver cette initiative. Mon boulot, sur l'*Imperial Tsarina*, est de veiller à ce que nos clients soient dégagés de tout tracas. Mais les circonstances nous obligent à prendre des libertés avec les règles et avec les coutumes. Pas seulement pour nous, parce que nous défendons notre emploi. Nous le faisons aussi pour vous, parce que vous avez droit à votre croisière. En ce sens-là, il est normal que vous puissiez comprendre nos actes et nos choix.

– Je n'ai rien à ajouter, dit le commandant. Massimo a exprimé mon propre point de vue.

– Pas la peine de compliquer les choses, intervint Angelo à l'adresse de Be-bop et de Ronnie. C'est vous qui prenez des risques. Nous ne sommes ni des experts ni des juges. Des partenaires, sûrement, et des amis, peut-être.

– Si on passait à l'ordre du jour, enchaîna Pamela. Vos états d'âme, messieurs, sont fascinants. Mais maintenant, nous sommes ici. Autant que ça serve à quelque chose, non ?

Elle fut interrompue par l'arrivée du commissaire. Le capitaine l'avait averti de la dépêche et de la réunion mais nul n'escomptait sa présence. Il avait la mine défaite, l'œil brouillé, la barbe et les cheveux en bataille. Il entra, fit un pas ou deux, et s'immobilisa comme un enfant coupable.

– J'ai pensé… bredouilla-t-il.

– Pas possible ! ironisa Be-bop.

– J'ai pensé que, vu les circonstances…

– Asseyez-vous donc, commissaire, dit Shrimp. Votre présence est souhaitable et elle était souhaitée.

Philippos Tribis semblait hagard et regardait les passagers présents avec une lueur d'effroi dans l'œil.

– Vous pouvez parler librement, précisa le commandant. Nos amis savent tout.

Le commissaire s'assit lourdement.

– BB ne l'a pas tué, bafouilla-t-il, il ne l'a pas tué, je le jure.

– Ça, c'est la meilleure, ricana Be-bop. Le lèche-cul officiel défend l'assassin de papa !

– Be-bop !

Shrimp était hors de lui.

– On n'a pas le temps de jouer à ces jeux-là.

– Je m'excuse, concéda l'incorrigible. Je retire.

Mais le commissaire paraissait indifférent aux railleries du chef. Il poursuivait une sorte de méditation douloureuse.

– Vous vous trompez, je vous assure que vous vous trompez. Balakirev marche à l'argent, à rien d'autre. Il veut se venger mais il se débrouillera pour ne pas y laisser de plumes, c'est un type qui compte tout le temps.

– Ça me fait penser à quelqu'un ! ne put retenir le chef.

– Pourquoi es-tu aussi sûr de toi ? demanda Massimo à Tribis.

– Marios me l'avait expliqué lui-même. Il m'avait dit que Balakirev était capable de tuer en Russie mais qu'à l'étranger il se méfierait. BB voyage de plus en plus pour son business, il a besoin de se déplacer sans problème, il ne risquera pas d'avoir Interpol sur le dos. Et puis son associé lui est beaucoup plus utile vivant que mort.

– En attendant, le patron, quelqu'un l'a flingué, rappela Ronnie. C'est peut-être une bavure, mais c'est un fait.

– Je ne comprends pas, avoua le commissaire.

– Qu'est-ce qu'il va se passer, à Athènes ? interrogea Be-bop.

Shrimp haussa les épaules.

– Je ne sais pas exactement. Mais pour Splendid, ça sent encore plus le sapin. BB voulait le dépôt de bilan, il va dégager son fonds de pension si ce n'est déjà fait, négocier pour récupérer ce qui est récupérable, et il nous vendra aux enchères.

– Probable, acquiesça Massimo.

– Concrètement, dit Pamela, qu'est-ce que vous décidez ?

– Ça, paradoxalement, c'est assez simple, répondit le commandant. Je ne vois qu'une ligne à tenir : continuer, continuer jusqu'à ce qu'on m'en empêche. Le comble est que nous avons une avarie à gérer. Aucune idée de ce que nous allons pouvoir offrir à nos passagers, demain, sur cette île de rien du tout.

– Je vais gamberger cette nuit, promit Pajetta, le front plissé de rides incongrues. Au briefing de 6 h 30, il faudra bien que j'aie trouvé une idée. Vous allez contacter le siège, commandant ?

– Forcément. J'ai besoin de savoir qui tient le manche, désormais. Mais avant d'appeler la boîte, demain matin, je téléphonerai au domicile de Marios. Je présenterai mes condoléances et j'arriverai peut-être à savoir quelque chose.

– Qu'est-ce que nous pouvons faire pour vous ? questionna Angelo.

À la surprise générale, ce fut le chef qui répondit.

– Poursuivez comme ça.

– Pardon ?

– Poursuivez, vous êtes très pédagogues, tous les trois.

Ses interlocuteurs le considéraient avec étonnement. Be-bop se mit debout, plia les genoux, parut se pencher sur quelque chose et leva les deux mains, avant-bras pliés, paumes tournées vers lui. L'assistance cherchait en vain la signification de cette gymnastique. Il sourit et poursuivit benoîtement.

– Mais oui. Aujourd'hui, vous m'avez appris à me laver les mains. Ça peut servir. Vous avez toute ma reconnaissance, et je suis très sérieux. Allez, ce n'est vraiment pas un jour de rigolade, on m'attend à la machine.

Il se redressa, se tourna vers la sortie, et, au passage, donna une petite tape sur l'épaule du commandant.

– Il est malin, le Shrimp. Aussi rusé qu'une bactérie…

Il disparut. Tribis continuait de fixer la porte comme s'il avait été le témoin d'une apparition maléfique.

Korb, une fois de plus, avait manqué le coche. Le capitaine avait encore tenté de l'approcher, de l'informer. Mais celui que tout le monde, à bord, ne désignait plus que par son titre et sa fonction, « le professeur », jouait à cache-cache avec d'éventuels interlocuteurs. Sitôt la rencontre achevée au cinéma Babouchka, il avait tenté de se réfugier dans la bibliothèque mais était tombé sur Dotty Thunderbay et Margriet Van Leeuven en train de comploter contre les moteurs thermiques. Il avait fui et s'était rabattu sur sa cabine où il s'était enfermé. Un peu avant le dîner, le téléphone avait sonné et la voix de Svetlana lui avait donné rendez-vous à 21 h 20 précises, pont Astrakhan, près du grand baromètre. Le temps qu'il prenne sa respiration, elle avait raccroché.

C'était un baromètre à mercure, un long tube de Torricelli, escorté d'un thermomètre et d'un hygromètre. Dix minutes à l'avance, Korb était déjà là, feignant d'analyser avec toute sa science les données météorologiques du soir. Le lieu était désert, le théâtre voisin avait drainé les populations disponibles, et il battait la semelle, impatient, essayant avec un succès contestable de prendre l'air dégagé.

– L'alizé nous ménage, apparemment.

Il faillit faire un bond. C'était la doyenne, la vieille dame anglaise qui passait les trois quarts de l'année en paquebot. Comment se nommait-elle déjà ? Mme Travis. Elle souriait, affable.

– Oui, nous avons de la chance.

– Un peu trop uni, ce ciel, peut-être. Un peu trop carte postale.

Encore six minutes. Il ne pouvait pas ne pas répondre.

– Vous trouvez ?

– Je suis sans doute excessivement difficile. En Grande-Bretagne, je veux du chaud, je veux des couleurs vives, et ici, pour un peu, je serais en mal d'automne.

Quatre minutes. Elle allait lui gâcher son rendez-vous.

– Personne n'est jamais d'accord sur la météo.

– Moi, ce qui m'épate, c'est que le vent de nord-ouest soit aussi constant. Chez nous...

Trois minutes. Au bas mot.

– ... la dépression s'annonce par le suroît, puis les vents remontent. Et vous savez le plus étonnant ?

Elle allait arriver. Rose Travis n'attendit pas la relance.

– Le plus étonnant, c'est qu'on croit la dépression finie, on voit le soleil revenir, et là, le vent forcit, vous donne de sacrées claques !

Des sacrées claques, quelle bonne idée !

– Mais je vous ennuie avec ces histoires. Vous savez, les Anglais sont capables de parler presque sans rire, pendant deux heures, de la dernière grêle ou du plumage des mésanges bleues. C'est peut-être une façon de masquer combien nous sommes féroces, nous donnons le change...

La cause était perdue. Svetlana marchait droit vers lui, à grands pas, épanouie, dévorant la coursive. Elle n'apercevait pas Rose Travis, en léger retrait, dissimulée par le panneau où s'affichait la pression atmosphérique.

– Professeur ! Professeur !

Sa voix était joyeuse, trahissait une impatience, une faim engageantes.

Il empoigna Rose Travis assez rudement, l'attira vers lui, dévoilant sa présence.

– Attention ! dit-il, un moustique, une femelle !

La vieille dame éclata de rire.

– Un moustique en pleine mer ! Et vous reconnaissez les femelles à l'œil nu ! Aucune étoile ne doit vous échapper, professeur...

Svetlana était à leur hauteur. Elle ne se démonta nullement.

– Bonsoir madame. Professeur, désolée de vous interrompre, mon mari aimerait beaucoup vous consulter sur un décor qu'il a imaginé, une sorte de... Comment appelez-vous cela ? On voit tout le ciel...

– Un planisphère ?

– Voilà.

– Eh bien, volontiers. Quand cela ?

– On est en train de le monter en coulisse...

– Allons-y. Bonsoir madame Travis.

Dans les couloirs caca d'oie, Svetlana filait comme une flèche.

– Repérez bien l'itinéraire. De ce pont, c'est très facile. Comme ça, la prochaine fois, vous viendrez seul.

Korb s'appliquait à mémoriser les coudes du labyrinthe, à s'orienter malgré l'uniformité de la décoration. Svetlana était d'humeur enjouée, comme d'habitude.

– Vous avez vu, professeur ? Je suis une bonne menteuse, hein ? Tous les artistes sont des menteurs, c'est la base du métier.

Son rire sonnait contre les parois monotones.

Dix minutes plus tard, ils étaient allongés aux pieds du dragon de carnaval et Svetlana n'était plus vêtue que de bas résille et d'escarpins dorés, ce qui suffisait amplement. Elle avait aménagé, sur le sol, une couche rudimentaire mais assez moelleuse, essentiellement composée de drapeaux chinois, étoiles jaunes sur fond rouge, et de petits coussins violets ornés d'un tigre rose.

Korb, sitôt la porte refermée, s'était apprêté à l'interroger mais elle l'avait devancé tout net.

– Je sais ce que vous allez dire, professeur. Vous allez me poser des questions. Ne me posez pas ces questions-là. Même si je mens bien, ne m'obligez pas à vous raconter des mensonges. Ces questions-là, il faut les laisser dormir.

– J'ai quand même le droit de...

Elle avait ri, à nouveau, de ce rire dont les éclats ricochaient alentour.

– Non, professeur, cette fois-ci, vous n'avez aucun droit. Cette fois-ci, c'est moi qui commande, c'est moi qui ai tous les droits. Et, pour commencer, je vous interdis de regarder mes fesses.

Il devait avoir l'air passablement dépité car elle rit à nouveau, se planta devant lui, et, lentement, commença de retrousser sa jupe.

– Ne soyez pas contrarié, professeur. Vous pouvez regarder le reste tant que vous voulez. Regardez, mais ne bougez pas. Aujourd'hui, c'est moi qui bouge.

Elle tenait maintenant sa jupe relevée à deux mains. Il vint vers elle, il la voulait tout de suite.

– On ne bouge pas (sa voix était devenue mordante mais une intonation amusée signifiait, en même temps, que ce n'était qu'un jeu, que c'était pour rire). Je vous l'interdis.

Elle le soumit au supplice bienheureux d'une mise à nu savante et fervente, mais sans jamais se retourner. Korb était chaviré. Ce qui le bouleversait le plus, par-delà l'incroyable fougue libertine de cette femme, c'était sa légèreté, sa facilité. L'érotisme, pour lui, s'accompagnait de soufre, d'obscur. Il devait entrer de la douleur dans cette jouissance, du danger, et probablement du remords. Mais Svetlana ignorait ce registre, l'invitait au plaisir comme on invite à danser. Rien de tout cela n'était grave, semblait-il, hormis le goût qu'il y prenait.

Elle s'approcha de lui, défit ses vêtements. Il la saisit aux épaules mais elle le repoussa.

– Pas touche ! C'est moi qui touche. Allongez-vous, professeur.

Elle prit le sexe de Korb dans sa bouche, le lécha, le suça, d'abord à petites gorgées puis par aspirations profondes. Elle alternait les rythmes, ralentissait quand elle sentait son amant près de l'acmé, ajoutait à la pression des lèvres les cajoleries de la langue. Korb vibrait de tout son être, et laissa bientôt échapper une note aiguë et continue dont il n'avait pas même conscience.

– Je vais jouir, dit-il enfin d'une voix rêche. Attention, je vais jouir.

Svetlana n'était nullement disposée à « faire attention ». Quand elle sentit le sperme venir, elle garda la verge dans sa bouche jusqu'au dernier moment tout en émettant des petits grognements de satisfaction.

Puis elle rit, une fois de plus. Elle rit à pleine gorge, comme si quelqu'un venait de lui raconter la meilleure blague du monde.

– Quand même, quand même, on se met dans des états ! Pour si peu... Vous ne trouvez pas ça incroyable ?

Korb était hors d'état de parler. Son ventre était maculé de semence blanche. Svetlana, du bout du doigt, commença de dessiner une fleur, étalant la substance laiteuse. Puis elle porta le doigt à sa bouche, goûta, parut réfléchir attentivement.

– Votre sperme est particulier, professeur. D'abord, c'est l'amertume qui l'emporte. Mais à la fin, il y a une touche d'anis, très agréable. On vous l'a déjà dit ?

Il reprenait haleine. Le timbre était sourd, on aurait juré qu'il s'éveillait.

– Non, non, personne ne me l'a dit...

– C'est très étonnant. Le goût d'anis y est, je vous assure.

– Vous savez... Vous savez...

– Qu'est-ce que je devrais savoir ?

– Aucune femme ne m'a...

À présent, Svetlana le considérait avec stupéfaction.

– Aucune femme n'a jamais goûté votre sperme !

– Non... Ma foi non... D'habitude... Et encore...

– Vous avez quel âge, professeur ?

– Quarante-sept ans.

– Et, en quarante-sept ans, jamais ?

– Jamais.

Svetlana eut encore un rire.

– Elles étaient bizarres, vos femmes. Elles n'aiment pas l'amour, les savantes ?

– Je pense que ça n'a rien à voir. Elles sont différentes les unes des autres, comme toutes les femmes.

– Et la vôtre, celle que vous avez quittée ?

– C'est elle qui m'a...

– Elle aimait l'amour ?

– Je croyais.

– Vous n'en êtes plus sûr, maintenant ?

Il y eut un long silence. Korb paraissait extrêmement sérieux, concentré, les yeux baissés. Svetlana l'observa d'abord avec un rien d'ironie, puis l'inquiétude l'emporta.

– Ça va, professeur ? Ça va ?

Il ne répondit pas tout de suite. Elle dut patienter un bon moment avant qu'il concède, entre les dents :

– Non, je n'en suis plus sûr maintenant.

Voilà pourquoi il avait manqué le coche. Pourquoi il ignorait tout, l'assassinat de Soteriades, l'agonie de la compagnie Splendid, la révolte de Shrimp et des autres. Korb avait renoncé à la curiosité et même à la protestation. Tout juste avait-il remarqué, parce que c'était chez lui un point sensible, que le niveau sonore de « l'animation » avait baissé des deux tiers, à tout le moins. Quelques jours plus tôt, il baladait son désœuvrement, son irritation d'être là, irritation qui lui rappelait les motifs de sa présence, l'avalanche de déboires endurés ces derniers mois. Désormais, il baladait

258 son emportement, son double emportement : pour Svetlana et contre celui qui la torturait.

Il était devenu asynchrone. Après s'être rapproché d'Angelo et d'Ines, il ne cherchait plus l'échange. Ce soir, il avait même boudé le dîner à table, le *vindaloo* très relevé de Salman, et avait avalé une pizza médiocre dans la solitude de sa chambre malgré les protestations de Joseph. Il sortait quand les couloirs étaient déserts, ne foulait le pont qu'à la nuit noire, et maudissait la notoriété dont son titre l'avait encombré.

Svetlana le quitta brusquement, comme à son habitude. Le show d'Aliocha devait tirer à sa fin. Elle s'était procuré pour Korb une clé de la réserve au dragon et le professeur prit son temps, laissa s'écouler un bon quart d'heure avant de gagner la sortie. Au vrai, il s'orientait sans grande difficulté dès lors qu'il était contraint de se débrouiller par lui-même. Dehors, les spectateurs du théâtre s'égaillaient et il les évita, monta aussi haut que possible, aussi loin. Il ne voulait plus mettre les pieds au casino, ni au bar, ni aux alentours de la piscine. Sur un paquebot plus récent, où chaque cabine est dotée d'un « balcon privatif », il se serait installé sur ce dernier et n'en aurait guère bougé. Sans y penser, il se retrouva, une fois de plus, auprès de la bibliothèque, juste sous la passerelle. C'était, de nuit, une impasse assez sombre qui venait buter contre une pancarte « *Crew only* » bien qu'on n'y rencontrât jamais le moindre membre de l'équipage. C'était aussi le point le plus haut d'où un passager pouvait contempler la mer striée de lune.

Korb sursauta. Une silhouette noire était accoudée au bastingage. Aliocha. À son approche, le magicien se retourna, s'adossa contre la rambarde, et le regarda soigneusement. Son corps paraissait en déséquilibre, cintré, anormalement flexible. Mais ses yeux ne vacillaient pas, rivés à lui de manière inquiétante, haineuse. Il prit l'initiative.

– Je pensais bien avoir une chance de vous rencontrer, professeur. Vous n'aimez pas la lumière.

– Qu'est-ce que vous me voulez ?

– J'ai regretté que vous ratiez mon spectacle. Vous m'avez manqué. Beaucoup.

– Je ne doute pas que c'était remarquable.

– Merci. Mais je n'ai pas de chance. Chaque fois que je monte sur scène, vous, vous êtes ailleurs. C'est une coïncidence malheureuse.

Korb commençait à éprouver un malaise. C'était plus fort que lui, il ne pouvait s'empêcher de se sentir en faute. Il aurait dû monter à l'assaut, corriger le monstre. Au lieu de quoi, il répondit platement :

– Une coïncidence, oui…

– Et malheureuse. Malheureuse pour tout le monde.

– Écoutez…

– Mais non, je ne vais pas vous écouter, professeur. Parce que vous n'avez rien à m'apprendre. Rien que je ne sache déjà. Rien, vous entendez ?

Il avançait lentement sur Korb et Korb avait peur. Honte, aussi. Honte d'être incapable de réagir, de répliquer, de passer à l'offensive s'il le fallait. Très vite, sa tête pensait qu'il avait appris comment les instabilités gravitationnelles engendrent des protoplanètes mais qu'il n'avait pas appris à attaquer avec ses poings, à contrôler la fébrilité qui gagnait son corps dans ces moments-là. Il savait qu'Uranus et Neptune échangent leurs positions mais il ne savait pas comment et où cogner un gamin qui n'avait guère trente ans, assez fragile d'aspect, et sans doute pas armé.

Aliocha s'arrêta tout près de lui.

– Faites attention, siffla-t-il d'une voix très basse, elle, je ne peux pas l'empêcher. Mais vous, professeur, je le ferai… Je vous empêcherai, je vous empêcherai…

– Espèce de…

Korb écumait. Il n'eut pas le loisir d'achever sa phrase ; l'injure, « maniaque », lui resta dans la bouche. L'autre avait disparu, s'était fondu dans l'obscur comme il escamotait chapeaux et jeux de cartes.

Le professeur avait toutefois eu la surprise de remarquer, sur son masque blanc, une larme. Au moins le monstre était-il capable de pleurer, fût-ce de haine et de rage.

C'était la première fois que Ronnie pénétrait dans la cabine de Massimo Pajetta. Et le décor l'étonnait. Les gens de mer, ordinairement, se savent de passage. Pour s'approprier leur territoire, le temps d'un embarquement, ils se contentent d'orner le mur d'une photographie. Celle des enfants. Celle de la maison. Ou encore un paysage de la région d'origine (imagine-t-on combien de cimes enneigées et de champs d'artichauts décorent les cloisons métalliques des parallélépipèdes qui sillonnent l'océan, de terminal en terminal ?). Jamais ou rarement leur femme ou l'image de la femme qu'ils rêvent de voir leur. Cette photographie-là reste secrète, dans le pli d'un portefeuille, dans le tiroir d'une table de nuit. Pour le reste, quelques chemises et une brosse à dents. Le savon est fourni.

Nulle photographie chez le Grand Animateur. Sa singularité était de ne jamais se déplacer sans bibliothèque. La cabine n'était pas immense mais un panneau entier, composé de trois rayonnages, était couvert de livres – des réglettes protégeaient chaque rangée contre un éventuel coup de roulis. Et, au pied des reliures, un fauteuil Voltaire garni de rouge cramoisi hébergeait le lecteur. Quelle que fût sa destination, Massimo intégrait au contrat le droit d'apporter à bord cinq lourdes cantines d'ouvrages dont il refusait de se séparer. Il les connaissait, il ne cessait de les fréquenter, et, avant de leur adjoindre un nouveau titre, ce dernier faisait l'objet d'une exploration minutieuse.

À l'arrivée de Ronnie, il lisait, comme chaque jour au réveil, une page d'Homère tout en écoutant la neuvième sonate en *la* majeur de Mozart (*allegro con spirito*) par Maria João Pires. Le grec ancien ne lui était pas assez familier pour qu'il fût capable de traduire avec précision, mais il parvenait à deviner la scansion d'origine, le mouvement des dactyles et des spondées, une longue deux brèves ou bien deux longues. Ronnie s'excusa de son intrusion et se permit une question.

– Vous avez le temps de lire ?

– Bien sûr que non. Je n'ai pas dormi de la nuit, je pense à Marios qui est la première victime de ses propres coups fourrés, j'ignore à quoi va ressembler la journée qui vient. Alors je prends un quart d'heure, je décide que j'ai un quart d'heure… Si je ne le décide pas, je ne l'ai pas.

– Je voudrais vous parler de l'équipage…

– Attendez, attendez. Je n'ai pas fini. « Je suis beau, je suis grand, je sors d'un noble père, une déesse fut ma mère, et néanmoins la mort est sur ma tête, et l'impérieux destin… »

Ronnie ne savait plus où se mettre. Pajetta, lui, continuait pensivement.

– C'est un curieux personnage, Achille. Arrogant, trop béni des dieux. Mais s'il souffre, s'il laisse la porte ouverte à sa sensibilité, il peut devenir magnifique et généreux. On le voit avec Priam, tout à la fin, après la mort d'Hector.

Il parut sortir d'un rêve, lui qui n'avait guère dormi se dressa tout à coup, rangea le gros livre. Il était vêtu d'une robe de chambre vert sombre.

– Bon. Qu'est qu'il nous arrive, à l'équipage ? Et pourquoi venez-vous m'en parler plutôt qu'au commandant ?

– Ce n'est pas vraiment une question de service. En tant que délégué syndical, je suis amené à voir un peu tout le monde, comme vous savez. Eh bien, je suis inquiet. En bas, ça ne tourne plus rond.

– En bas ? Qu'est-ce que ça veut dire, en bas ?

– Les navigants. Les hommes du pont, surtout. Ils disent que tout est bizarre, qu'on n'a pas vu un port depuis des jours. Ils sont jaloux de Kyung et des trois autres. Ils disent que n'importe qui peut faire du tai-chi, que ça n'est pas juste de payer quatre hommes pour ça. Ils disent qu'on leur cache des choses, qu'à la machine il y a des gros problèmes. Ils disent que le bateau est en panne.

– C'est vrai. Le bateau est en panne. En principe, ça se tire, mais c'est vrai.

– Ils disent qu'on n'a jamais vu une croisière pareille, que ça ne se fait pas de déguiser les marins en sauvages.

– Ils disent, ils disent, et alors ?

– Alors ils disent qu'ils vont se mettre en grève si ça continue.

– Nom d'un chien ! Il ne manquait plus que ça ! Il faut informer le commandant.

– Il a déjà trop de soucis, le commandant. Et puis les matelots, ils parlent beaucoup de grève mais ils ont peur de la faire. Ça n'est pas ça qui manque, les matelots pas chers.

– Vous êtes un drôle de syndicaliste, vous ! Est-ce que vous savez clairement de quel bord vous êtes ?

– J'aimais beaucoup mon oncle qui était communiste. Il lançait des grèves dures. Les grèves, avec lui, il fallait que ça soit long et que ça soit dur. Alors la police venait, ou la troupe, l'usine était fermée et tout le monde se retrouvait dehors. Et mon oncle n'avait plus qu'à lancer une autre grève longue et dure un peu plus loin. Moi, je suis un réformiste. Mon oncle détestait les réformistes, pire que tout. Mais il m'aimait bien, il ne savait pas que je deviendrais réformiste. C'était un homme courageux. Il avait juste tendance à couler le bateau pour libérer l'équipage.

– Vous ne croyez donc pas que nos marins vont se mettre en grève ?

– Pas tout de suite. Mais si le malaise touche les autres, ça deviendra inquiétant. Même chez nous, à la cuisine et au restaurant, j'entends de la grogne. Tout change tout le temps. Les hôtesses aussi, elles en ont marre. Il n'y a que les Philippins qui sont contents : quand il y a du changement, pour eux, il y a du pourboire.

– Qu'est-ce que vous voulez que je fasse ? Je n'y peux rien...

– Si, vous y pouvez. C'est vous le chef d'orchestre.

– Drôle de chef. Je suis à la remorque des autres, j'essaie de boucher les trous. Vous préférez négocier avec le commissaire ?

– Écoutez, il suffirait d'un jour. Un seul jour à peu près normal. Et tout ça retomberait. Mais chaque matin, vous lancez un nouveau truc...

– Je n'ai pas le choix. Aujourd'hui, par exemple, nous devons faire halte près d'un îlot inconnu, récupérer un produit de traitement contre les bactéries, et attendre que ce produit assainisse les cuves et nous permette de repartir. Qu'est-ce qu'ils vont penser, nos passagers ? Qu'est-ce que j'ai à leur offrir ? Vous croyez qu'ils ne vont pas finir par se mettre en rogne, eux aussi ? Et pendant ce temps-là, notre président est assassiné ! Essayez donc d'expliquer au personnel que personne, personne ne fait de caprice par les temps qui courent...

Le syndicaliste en fut offusqué.

– Je ne suis pas le représentant de la direction devant le personnel, je suis le représentant du personnel devant la direction…

– Ah ! la lutte des classes est de retour ! Il serait fier de vous, finalement, votre oncle !

Ronnie, très exceptionnellement, s'énerva.

– Je ne vous permets pas, c'est ma famille…

Pajetta, fébrile, en manque de sommeil, s'énervait aussi.

– Eh bien moi, ma famille, elle est sur ce bateau, figurez-vous ! Alors ne venez pas me dire que je m'en fous !

– Mais je ne dis pas…

– Si ! Bien sûr que si ! Vous me dites que tout le monde en a par-dessus la tête, de mes trucs. (Il alla se planter nez à nez avec Ronnie, postillonnant copieusement sur sa veste blanche.) Mais vous l'attendez, hein ? le truc du jour. Vous comptez sur Pajetta pour vous le pondre chaque matin, le truc du jour. Bien frais !

– Je ne conteste pas…

Ronnie battait en retraite. Vainement : le Grand Animateur était lancé.

– … mais aujourd'hui, figurez-vous, il y a du nouveau. Vous allez être comblés, tous autant que vous êtes. Parce que le truc du jour, j'en ai pas, j'en ai plus. À sec ! Toute la nuit, j'ai cherché. Rien de rien de rien. Ce qui s'appelle rien. *Nothing. Nada. Nichts.* Qu'est-ce que vous voulez que j'invente encore ? Les canons de Navarone ? La mort du cygne ? Le trésor de Toutankhamon ? Je suis sec comme un coing, Ronnie. C'est les Français qui disent ça. Comme un coing et comme un con ! Sec. Y a plus que l'*Iliade* pour me calmer, et encore. La preuve.

Il tremblait. Il était dans un tel état d'agitation que le camarade syndicaliste opta pour la fuite, bredouillant une phrase confuse. Resté seul, Massimo se passa la tête sous l'eau, enfila un pantalon de toile et une chemise unie. Il était 6 h 10. Dans vingt minutes, au briefing, il resterait muet et les autres le regarderaient avec stupéfaction d'abord, consternation ensuite. Pajetta trouve toujours, n'est-ce pas ? Sacré Pajetta !

Dehors, l'aube s'annonçait. Non que la nuit fût complètement achevée. C'était plutôt un parfum, une qualité de l'air. Le pont semblait désert, comme toujours à cette heure. Plus jeune, Massimo était couche-tard et mondain, goûtant les soirées branchées, les festivals nocturnes, les vernissages assortis d'« événements » – musiques incongrues, déshabillages inopinés, bref, l'éternelle épate. À présent, il continuait, à terre, de fréquenter par obligation les réseaux imposés (pour « rester dans le coup »), mais son plaisir secret, outre Homère, était ce qu'il baptisait « l'avant-aurore », la dégustation de cet instant où les uns sont couchés et les autres pas encore debout, instant de silence parfait. Interlude. Pause dans la comédie.

Pour la solitude, ce matin, c'était fichu. Pamela Hotchkiss, au détour du pont Bolchoï, arpentait le sol de teck en se croyant, elle aussi, hors jeu, hors de vue. Elle ne contemplait pas la mer, ne respirait pas avec énergie comme tous les amateurs d'éléments « toniques ». Elle errait, simplement.

Elle était sortie pour sortir, pour échapper un peu à la chambre, au suspense du réveil ou du non-réveil de Norbert dont la respiration ténue lui serrait la gorge. Elle mettait un pied devant l'autre et s'efforçait de ne plus penser ni sentir, et c'était impossible.

Ils se regardèrent un assez long moment en silence. L'un comme l'autre auraient voulu éviter de prendre la parole. Mais les usages sont les usages, et, paradoxalement, ils n'étaient pas assez proches pour déroger à la règle. Massimo la salua donc et il fallut bien qu'elle lui répondît. Puis un nouveau silence leur fut octroyé. Cette fois, c'est Pamela qui le rompit.

– Mon mari. J'ignore s'il est réellement vivant.

– Je comprends. J'imagine que je comprends.

– Et vous ?

– Je suis en panne. Je ne sais plus quoi dire ni quoi faire !

– Vous !

– Oui, moi. Je m'aperçois que, pour improviser, il faut quand même avoir une petite idée de la direction qu'on va suivre. On croit qu'on invente, qu'on fabrique quelque chose à partir de rien, mais c'est faux. On n'invente pas, on raisonne, on bricole avec des indices. Ce coup-ci, je n'ai pas la queue d'un indice. Je ne sais pas où nous sommes, je n'ai aucune notion de ce qu'il va se passer. Et voilà. Mon imagination légendaire est au point mort.

Pamela Hotchkiss l'observa avec une grande intensité.

– Pourquoi tenez-vous tant à meubler les silences ? Vous aimez le silence, non ?

– Je croyais que personne, sur cette terre, ne s'en était aperçu.

Elle eut un demi-sourire.

– Vous vous donnez beaucoup de mal pour le cacher...

– Ne vous moquez pas, c'est trop facile.

– Vous n'avez pas répondu à ma question.

– Pourquoi je tiens tant à le meubler, le silence ? Ce n'est pas moi, ce sont les gens. Le silence leur donne le vertige. Ça les angoisse, ils ont inconsciemment l'impression d'un manque, l'impression d'être abandonnés.

– La faute aux autres, la faute aux gens. Et si c'était vous qui vous trompiez ?

– Mais je les écoute, je prends soin d'eux.

– Vous auriez fait un bon ministre, en tout cas un bon candidat.

– J'aurais aimé cela. Vous êtes perspicace.

– Alors, monsieur le ministre, comment allez-vous vous débrouiller pour meubler avec rien ?

– Je vous l'ai dit, je ne sais pas.

– Mon mari a, là-dessus, une théorie très solide.

– Au point où j'en suis, toutes les théories m'intéressent.

– C'est un businessman, vous savez. Il bluffe bien. Il dit que, quand on n'a plus rien à dire, restent trois choses à faire : organiser une fête, promettre une surprise, et lancer un scandale. La fête parce que ça démontre que tout va bien. La surprise parce que ça laisse entendre que le temps travaille pour vous. Le scandale parce que ça occupe l'adversaire.

– La fête, pas de problème, j'ai ça en stock. Ce soir, j'ai pensé que ça serait opportun de sortir les robes longues et les violons.

– Parfait. Vous voyez que vous n'êtes pas si sec que cela.

– Attendez. La surprise, la surprise, alors là…

– La surprise viendra d'elle-même. Il suffit de l'annoncer.

– Dans mon métier, on n'aime pas le poker. Nous sommes des besogneux, nous autres, des scénaristes à la petite semaine, on écrit tout d'avance.

– Eh bien il va falloir sortir votre carré d'as. Même si vous avez un deux de trèfle.

– Admettons. Et le scandale ?

– Vous êtes ministre, non ? Un petit scandale, ça ne devrait pas vous faire peur…

Pour la première fois depuis longtemps, elle eut un commencement de rire.

Ce matin-là, l'équipage, les hôtesses, les garçons de cabine avaient perdu le nord. Même le commissaire vint s'enquérir du pourquoi de la chose. Tous étaient déjà inquiets des à-coups de la machine, des lents ronds dans l'eau qui semblaient devenir le propre du paquebot. Mais là ! Dans le petit studio qui servait de quartier général à l'équipe d'animation, le régisseur contemplait d'un œil incrédule le micro sur pied inutile et solitaire. Huit heures précises, et Massimo Pajetta ne s'était pas présenté pour souhaiter le bonjour aux passagers dans toutes les langues de la création.

 Lors du briefing, il avait laissé entendre que, ne sachant quelle information donner, il communiquerait le moins possible. Mais ne plus dire bonjour...

Pas de musique, non plus. Tout juste un bruitage, des échos de jungle, des cris d'oiseaux et de singes, des bruissements de cascade. Le navire était stoppé devant une île conique qui paraissait déserte, entièrement revêtue de verdure foisonnante. L'eau, à son approche, virait au turquoise, et une couronne de sable ivoirin l'enserrait. Des nuages piquaient le ciel, s'agglutinaient au sommet de l'île, comme si l'ancien volcan qu'elle était à coup sûr avait décidé de se ranimer. C'était d'une beauté manifeste, d'une harmonie sans artifice.

Sur le pont, maître Kyung et ses trois acolytes étaient déjà prêts à réveiller, chez leurs zélateurs, le *jing*, le *song* et le *dantian*. Les hôtesses, habillées comme la veille de soieries ou plutôt d'acétateries, souriaient d'un sourire sucré. Et Marinette Chourgnoz patientait, arborant son T-shirt *BE MINE*.

Achille Valentin, l'agent de Port Victoria, avait transmis au commandant et au chef les recommandations de la direction du Platinium Lagoon Villas and Spa, hôtel de luxe absolu dont Rosedo était la propriété. Elle acceptait la visite du paquebot et la livraison du Kathon à condition que le navire mouille sur la face au vent de l'île, d'où il serait invisible et d'où nul croisiériste ne pourrait découvrir les onze résidences privées allouées à des occupants très jaloux de leur intimité. Aucun passager ne serait autorisé à débarquer. Il était enfin précisé que, pour récupérer les fûts d'agent biochimique, l'équipage devrait – moyennant finance – utiliser les seules vedettes de l'hôtel, contourner les appontements dévolus à chaque client afin de ne pas entrer dans son champ visuel, et observer la plus grande discrétion. Rien de tout cela n'était négociable.

À la passerelle, Be-bop rongeait donc son frein, les yeux rivés aux nuages d'où descendrait le Cessna Caravan libérateur. Shrimp, pour sa part, jugea l'heure venue d'appeler Athènes. Marios Soteriades lui avait confié le numéro de la propriété qu'il occupait à Kolonaki, le quartier cossu de la capitale grecque. Il décrocha, composa les treize chiffres.

– *Kalimèra*, dit une voix féminine qu'on aurait pu, bizarrement, croire enjouée.

En anglais, Shrimp prit le ton de circonstance, timbre de gorge, excuses pour le dérangement, compassion déclarée. Il n'avait guère à forcer la note : la mort de Marios l'atteignait vraiment, ajoutait au gâchis de la crise une tragédie insupportable.

– Ne quittez pas, reprit la voix, je vais chercher quelqu'un.

Shrimp devina qu'un conciliabule était en cours. Deux ou trois personnes, par bribes incompréhensibles, échangeaient rapidement des messages chuchotés. Une seconde voix de femme s'affirma, plus mûre.

– *Parakalo ?*

– Madame, commença le capitaine avec l'emphase appropriée, nous ignorons les conditions exactes de…

– Vous êtes le commandant de la *Tsarina* ?

– En effet.

– M. Shrimp ?

– Santucho. Commandant Santucho.

– Ne quittez pas, je vous passe quelqu'un…

Nouveau conciliabule. Puis un étrange bruit, gloussement ou sanglot. La phrase le cueillit comme un coup de poing.

– Alors, Shrimp, vous refusez d'assumer votre surnom, maintenant ?

Le timbre de Marios était jovial, comme s'il poursuivait une conversation plaisante. Le capitaine, lui, avait le souffle coupé.

– Eh bien, Shrimp, vous avez peur des fantômes ?

– Je ne crois pas que cette blague-là soit de bon goût, articula difficilement le commandant.

– Laissez-moi en juger, voyons. C'est de ma mort qu'il s'agit.

– Figurez-vous que je vous ai pleuré. Je ne suis pas sûr que ça en valait la peine.

– Et moi, je suis sûr que non. La preuve.

– C'est quoi, le but du jeu ?

– D'abord, vous montrer que ça ne sert à rien d'essayer de rouler un Grec. Question d'orgueil national. Ensuite, vous féliciter.

– L'humour vous emporte.

– Pas du tout, je suis très sérieux. Et je vais être beau joueur. Je reconnais que vous nous avez fait gagner un temps utile. La tension de BB a l'air d'être un peu redescendue. Je ne sais pas ce qui le tracasse en ce moment mais il a quitté Mourmansk pour Moscou et je lui envoie Kissamos. On va essayer de parlementer.

– Il veut toujours retirer son fonds de pension ?

– Je ne sais pas. Ce que je sais, c'est qu'il ne bouge plus.

– Vous avez une monnaie d'échange ?

– Un chalutier. À prix d'ami.

– Tout ce que vous vendez est à prix d'ami, non ?

– Vous êtes insolent, ce matin. Vraiment à prix d'ami.

– Si vous aviez commencé par là…

– Si j'avais commencé par là, je ne serais pas l'associé de Balakirev, je serais son larbin. Ne me cherchez pas des poux, Shrimp. J'efface l'ardoise. Vous vous êtes très bien démerdé.

– De quoi parlez-vous ?

– Farquhar et compagnie. Il fallait trouver. Moi-même, j'ai cherché un bon moment sur la carte. Il paraît que Massimo s'est surpassé.

– Vous avez lu ça dans le journal, Marios ?

À l'énoncé du prénom de Soteriades, Be-bop, soudain, tendit l'oreille, ouvrit la bouche tel un enfant déconcerté. Puis fonça vers le pupitre de communication.

– J'ai ma propre agence de presse, dit l'armateur, les nouvelles sont plus fraîches.

Be-bop arracha le combiné des mains du commandant.

– Vous, vous devriez être mort ! Vous n'avez pas honte ?

– Ah ! chef, comment va votre élevage de bactéries ? Dès que nous serons dans un port convenable, il faudra refourguer ce fuel pour être tout à fait tranquilles.

Le commandant reprit le téléphone.

– Quelles sont vos consignes, Marios ?

– Vos passagers ont certainement hâte de retrouver la civilisation. Vous êtes à combien de Diego Suarez ?

– Quinze, dix-huit heures, à vue de nez. Si le moulin tourne plein pot.

– On y va. Et les Comores à suivre.

– Je ne pense pas pouvoir appareiller avant minuit.

– Tâchez d'arriver en fin d'après-midi.

– Je ne réponds de rien, pour l'instant.

– Vous avez toute ma confiance.

– Croyez-vous que c'est réciproque, Marios ?

– Allons, on a assez de soucis comme ça. Vous n'allez pas me gâcher mon retour sur terre…

Il raccrocha net. Shrimp et Be-bop demeuraient pétrifiés, les yeux dans les yeux. Tous deux étaient sous le choc. Mais, comme d'habitude quand l'émotion était trop violente, c'est le chef qui récupérait le plus vite. Le capitaine, lui, fulminait.

– Fils de pute ! Le salopard de fils de pute !

– N'insulte pas des dames dont certaines méritent le respect et, accessoirement, ta reconnaissance. Et puis ne me pique pas mon rôle. Le mec qui jure et qui dit des gros mots, ici, c'est moi.

– Be-bop, comment peux-tu fabriquer des vannes dans un moment pareil ?

– Ça soulage, mon frère. Toi, tu rentres tout, tu te bouffes la rate. Et puis un commandant, ça doit rester zen. Tu veux prendre des cours avec Kyung ?

– Arrête, Be-bop, arrête. Tu sais ce qui me fout en rogne ?

– Y a le choix. Y a le Grec. Y a le Russe. Mais y a aussi l'autre enfoiré qui est allé cafter dans notre dos.

Shrimp n'entendait pas dévier de son chemin.

– Ce qui me fout le plus en rogne, c'est que je suis content que ce salopard n'ait pas été buté. Content, tu te rends compte ? Ravi qu'il nous ait roulés dans la farine !

– Moi aussi, mais j'ai l'élégance de ne pas le dire.

Le commissaire fit son apparition. Il paraissait fort agité.

– Ça n'est plus possible. Là, ça n'est plus possible !

– Vous tombez très bien, commença Be-bop, la mine farouche. Très très bien. Parce que vous allez m'expliquer qui est allé baver dans son petit téléphone satellite...

– Qu'est-ce qui n'est plus possible ? demanda Shrimp, l'interrompant net.

– Pajetta. Maintenant, il se retire sous sa tente. Il ne dit même plus bonjour aux passagers, il n'affiche plus le programme, et la sono diffuse des chants d'oiseaux. Commandant, je vous conjure d'arrêter ça, j'ai un bateau à gérer !

Le chef, lui, poursuivait son idée et sa colère montait.

– J'ai un bateau à gérer... Mais t'es pas tout seul, mon grand ! T'as ton Marios au bout du fil matin et soir. Et peut-être même à midi. Qu'est-ce que tu viens nous gicler ta bile à la passerelle ? Rentre dans ta petite cabine et branche ton petit rapporteur...

– Qu'est-ce qui vous prend ? Pourquoi vous me tutoyez ?

– Déjà en maternelle je tutoyais les donneuses. Alors à mon âge, t'imagines ?

Shrimp se disait qu'il devrait modérer le chef. Mais, dans le fond, il ne pensait pas autrement. Si Marios connaissait aussi bien leurs faits et gestes, la source n'était guère mystérieuse. Tribis, toutefois, réagissait curieusement, paraissait réellement étonné devant les reproches qui lui étaient adressés. Il ouvrait de grands yeux, il frissonnait, il avait peur. Be-bop l'agrippa aux épaules et l'expédia contre la cloison d'un coup sec.

– Allez, libère ta conscience, pour combien tu nous as vendus ?

Il le ramena vers lui et renouvela son geste. Le commissaire se liquéfiait.

– Il te paie au mois ou à l'info, Soteriades ?

D'un coup, Tribis se redressa.

– Mais il est mort, Soteriades ! hurla-t-il. Il est mort à cause de vous. C'est vous qui l'avez tué ! C'est vous ! Je ne sais pas ce que vous avez bricolé, mais c'est vous...

Be-bop se ramassait pour cogner plus fort. Shrimp s'interposa.

– Vous savez très bien qu'il n'est pas mort, commissaire. Que c'est une mise en scène.

– T'es même le mieux placé pour le savoir !

Tribis restait interdit, l'œil mouillé.

– Une mise en scène ?

Il respira profondément, son corps parut se détendre.

– Bravo, ricana Be-bop, pour la mise en scène, t'es aussi fortiche que le patron. On s'y croirait, tu devrais essayer Shakespeare. Iago, de préférence.

Philippos Tribis demeurait planté sans mot dire, sans même se défendre. Il semblait tellement désorienté que le chef lui-même finit par se taire. Puis il haussa les épaules d'un air désabusé, et se dirigea vers la sortie.

– Qui c'est, Iago ? questionna le commandant quand il fut hors de vue.

– Le traître. Celui qui persuade Othello que sa femme le trompe. Il faut que tu sortes, Shrimp. Ça te changerait les idées.

– Tu penses qu'il a un téléphone Iridium ?

– Je ne le pense pas, je le sais. Tu veux qu'on fouille sa cabine ?

– Non. Jusqu'à la fin de cette croisière, il est le commissaire de bord. Nous ne pouvons pas faire sans lui. Il est assez humilié comme ça.

– Y a pas de requins, ici ?

– Pas que je sache.

– Dommage.

Shrimp le considéra gravement.

– Tu ne devrais pas parler comme ça, Be-bop. Sur un paquebot, il ne se passe rien et il n'y a pas de méchants. Tu comprends ? C'est pour ça que les passagers viennent. Parce qu'ici il n'y a pas de méchants. Et qu'il ne se passe rien.

Le chef poussa un long soupir.

CHAPITRE 8
OÙ MR SMITH OUVRE LE BAL

Norbert s'éveilla sur le coup de huit heures et réclama, aussitôt, son baiser et sa déclaration d'amour. Pamela l'embrassa sur les paupières.

– Je t'aime, dit-elle, parce que, ce matin, tu exiges de moi une déclaration d'amour.

– Et le *Wall Street Journal*, enchaîna-t-il aussi sec.

Elle reprenait espoir, au moins provisoirement. Son compagnon ne paraissait pourtant pas en très grande forme. Chaque mouvement s'effectuait au ralenti, les rides du front et des joues s'étaient creusées. Les yeux vifs étaient anormalement exorbités. Mais le débit de la voix restait impeccable et il avait parfaitement conscience que, la veille, il avait traversé un ample épisode de confusion. Il était incapable, expliqua-t-il, de mesurer la durée de sa « panne », mais il en conservait la trace comme on se souvient d'un paysage mangé par le brouillard.

Il chipota sur le petit déjeuner servi par Chrysostome, le garçon de cabine, s'appliquant à dissimuler son peu d'appétit, avalant le café par infimes séquences. Percevant que sa femme l'observait, il la bombarda de questions pour occuper ailleurs son esprit, s'informa des derniers développements de l'affaire Soteriades (que Pamela croyait encore défunt), s'étonna grandement du meurtre, refusant de l'admettre, découvrit l'histoire des bactéries, s'amusa des tentatives de diversion conduites par le Grand Animateur. Rien n'y faisait, toutefois. Il percevait l'acuité du regard de Pamela comme un rayon laser, il savait qu'elle-même aurait souhaité le rendre, ce regard, plus léger, moins tourmenté, et qu'elle n'y parvenait pas. Il insista pour monter sur le pont.

Dehors, les adeptes du tai-chi décrivaient des cercles languides, buste fléchi. Les Hotchkiss découvrirent Shrimp, Be-bop et Pajetta en grande conversation avec deux hommes vêtus d'une sorte d'uniforme de cosmonaute, impeccablement blanc, n'était, sur l'épaule gauche, un logo argenté affichant « PL ». Ils s'approchèrent. L'échange semblait animé.

– Ces messieurs, dit Shrimp, nous sont envoyés par les propriétaires de l'île et de l'hôtel qui s'y trouve. Ils ne veulent pas nous autoriser à emmener suffisamment d'hommes pour récupérer vite fait les fûts dont nous avons besoin.

– Ils ont décidé de nous emmerder, compléta Be-bop, parce qu'une poignée de richards vautrés sur le bide ne supportent pas l'idée que les braves gens travaillent.

– Le Platinium Lagoon est un refuge, commença d'expliquer le plus âgé des hommes, qui paraissait aussi le plus gradé.

– Ne dites pas de mal des richards, lança Norbert au chef. J'en suis un. Et je supporte parfaitement l'idée que vous travaillez pour moi.

La plaisanterie détendit un peu l'atmosphère. Le commandant tenta une approche pédagogique.

– Je n'arrive pas à comprendre pourquoi vous tenez tant à ce que nous fassions cinq voyages avec trois hommes plutôt qu'un seul avec quinze. Tout le monde y perd. Nous vous dérangeons plus, et je vous assure que ça n'est pas ce que nous cherchons.

– Si vous nous obligez à poireauter, on s'incruste, confirma Be-bop. Forcément.

– Écoutez, dit le cosmonaute aîné, nous avons actuellement, parmi nos résidents, une personnalité mondialement connue. Une personnalité qui vient chez nous pour y jouir d'un total anonymat.

– Mais on ne va pas lui chatouiller les doigts de pied, au prince Charles ! plaida Be-bop.

– Je suis obligé de trahir un secret et d'enfreindre notre déontologie, poursuivit l'homme en blanc. Voyez-vous, cette personnalité a invité une autre personnalité…

– Et ils auront beaucoup de petites personnalités, c'est tout ce qu'on leur souhaite. La baise, nous les marins, on serait plutôt pour.

L'autre attendait patiemment.

– Il se trouve que cette deuxième personnalité souffre d'agoraphobie. Elle ne peut pas supporter de voir plus de sept individus à la fois.

– Sept, intervint Pamela, excitée comme une puce. Vous avez dit sept ! Pas huit, pas dix ? Vous êtes sûr ?

L'homme battit précipitamment en retraite.

– J'ai rien dit, j'ai rien dit. C'était juste une façon de parler.

– Mais personne ne vous accuse de quoi que ce soit, mon vieux, dit Norbert. Il se trouve simplement qu'une personnalité et une seule souffre de ce mal à un point aussi précis.

– Angelina est avec eux ? interrogea Pamela. Ça, pour une coïncidence, ce serait extraordinaire…

On aurait cru que l'envoyé du Platinium Lagoon allait mourir foudroyé.

– Vous ne vous rendez pas compte, balbutia-t-il. Je risque… Je risque mon job…

C'est peu dire que Shrimp et Be-bop n'y comprenaient rien. Pajetta, lui, était rongé par la curiosité comme par un acide.

– Mais on ne va pas vous conduire au bagne, répondit Norbert en lui tapotant l'épaule. Arrangez donc l'affaire de nos amis en deux ou trois passages au lieu de cinq, et sans traîner parce que le temps presse.

– Ça serait toujours ça de pris, approuva le commandant.

Le cosmonaute avait eu si peur qu'il mollit.

– En trois fois, alors, et sans bruit…

– Tous nos matelots sont muets, certifia Be-bop. On leur arrache la langue et on la file à bouffer aux crocos. Aucun ne s'est jamais plaint, pas un mot.

Norbert sortit sa carte de visite d'une poche intérieure. Il s'exprimait comme s'il était le président des États-Unis en personne.

– Et donnez donc ça à Mr Smith en lui disant que nous l'attendons vers dix-huit heures pour l'apéritif.

– Dites aussi à la deuxième personnalité qu'on l'embrasse, ajouta Pamela. Elle ne voudra sûrement pas venir à bord, il y a trop de monde, mais ça lui fera plaisir.

Norbert sursauta comme s'il avait négligé une donnée très importante qui lui revenait en mémoire.

– Dix-huit heures ! Pam ? Tu crois que je serai encore présentable à cette heure-là ?

Pamela posa la main sur sa manche et serra son bras maigre.

– Aujourd'hui est un bon jour.

Le commandant et le chef étaient intrigués mais avaient d'autres soucis en tête. Ils se dirigèrent, avec les deux hommes du Platinium Lagoon, vers Jin Ho, le bosco, qui attendait un peu plus loin le résultat des pourparlers. Pajetta, pendant ce temps, révéla aux Hotchkiss que le décès de Soteriades n'était qu'un bobard. Mais, curieusement, cette nouvelle capitale semblait moins le passionner que l'identité de la personnalité numéro un. Il mourait d'envie de savoir, il trépignait presque, il avouait, par son attitude, par le feu roulant de ses questions, combien il était incapable de supporter l'idée qu'à bord il ne fût pas entièrement maître de l'information. Et, du coup, il donna envie à ses interlocuteurs de le taquiner, de le laisser tirer la langue.

« Vous tenez votre surprise, lui dit Pamela, mais vous l'annoncerez encore mieux si, pour vous, c'en est une aussi. »

Elle s'interrompit, apercevant Angelo et Ines dont elle ignorait s'ils avaient appris que Marios Soteriades était ressuscité. Agitant le bras, elle se dirigea vers eux. Massimo Pajetta vit que Norbert fatiguait et lui offrit un fauteuil de toile.

– Mme Hotchkiss m'a enseigné votre théorie de la fête, de la surprise et du scandale, dit-il.

– Ça n'est pas une théorie, objecta le businessman, c'est un fruit de l'expérience.

– Nous allons le vérifier puisque j'ai décidé d'appliquer la recette. La surprise, vous ne voulez toujours pas me la dévoiler…

– Non, ça serait trop facile. Mais vous allez tomber sur le cul de bonheur. C'est quand, votre anniversaire ?

– Le 11 octobre.

– Erreur.

– Pardon ?

– Votre anniversaire, c'est aujourd'hui, moi je vous le dis. Et le cadeau va vous épater.

– J'espère que vous avez raison.

– J'ai raison. J'ai toujours raison, c'est même lourd à porter. À Wall Street, ils m'ont surnommé le Père la Raison. L'histoire du meurtre, par exemple. Quand ma femme me l'a racontée ce matin, je ne la croyais pas. Le Russe a une âme d'assassin mais un cerveau de profiteur. Peut-être qu'il

tuera un jour le Grec, mais pas avant de l'avoir fait cracher.
J'avais raison.

– Pour ce qui est de la fête, je vais annoncer ce midi un grand bal viennois.

– Excellent. Vous pouvez être sûr que les dames ne verront pas passer l'après-midi. Savez-vous comment j'ai séduit ma femme ? Mon père était ouvrier plombier dans le Bronx. Il était tout chétif mais il avait du succès. Un jour, il m'a appris que, quand on n'est pas beau, il faut savoir valser. Ça a marché, figurez-vous, ça a rudement bien marché. Et le scandale ? Qu'est-ce que ça sera, votre scandale ?

– Là, je patine.

– Mais c'est très important, le scandale ! Si vous voulez que la fête et la surprise fonctionnent, il faut le scandale. C'est lui qui occupe les râleurs et les sceptiques, et il y en a toujours.

– C'est quand même contre nature. Mon boulot est de faire en sorte que tout baigne.

– Justement. Le scandale, voyons, ça sert à ça. À faire diversion. À empêcher les vraies objections ou les vraies frustrations de sortir. Et puis ça ne dure pas, un scandale, ça s'en va comme c'est venu. Vous qui êtes italien, vous n'allez pas prétendre le contraire. Vous êtes les virtuoses du scandale, vous autres ! Et ça finit toujours bien.

– Je ne vais quand même pas laisser courir le bruit que le chef touche sa commission sur le fuel qu'on achète !

– Effectivement, je ne vous le conseille pas. Il y a beaucoup trop de chances que ça soit vrai. Si ça n'est pas le chef, c'est le cuistot, si ça n'est pas le cuistot, c'est le commissaire. Mais ce qu'il y a de juste dans votre idée, c'est l'argent. Un scandale réussi, ça se fabrique avec deux ingrédients : le fric ou le sexe. Ou les deux.

– L'argent, ça serait malvenu.

– Probablement. Reste le sexe. Je vous écoute.

Le ton était celui de l'examinateur lors d'un grand oral. Massimo s'efforçait d'être un bon candidat.

– Une rumeur d'adultère ?

– Ça fonctionne toujours, mais l'inconvénient, c'est que ça ne touche pas tout le monde, ça s'arrête au premier cercle – sauf s'il s'agit du président de la République ou de Lady Di.

– Une *gay pride* à bord ?

– Là, jeune homme, vous m'intéressez. C'est le prototype de la bonne idée. Tout le monde a un point de vue, personne n'est d'accord avec personne. Épatant, épatant. Dites-moi, vous êtes pédé, vous ?

– Non.

– Je me demandais. On va croire que vous l'êtes, et militant.

– Je vais peut-être vous étonner, mais ça ne me gêne pas qu'on le pense. Ce qui me gênerait, ce serait plutôt de me déguiser en militant.

– Alors trouvez autre chose.

L'élève Pajetta se concentra de toutes ses forces et resta silencieux deux bonnes minutes. Il prit enfin son courage à deux mains, regardant le professeur avec une réelle appréhension.

– Un concours de strip-tease ? Pour les passagères.

– Excellent, ça, excellent. Plus universel, tu meurs.

Le Grand Animateur chercha lui-même l'objection.

– Ça ne collera pas. Il n'y aura pas de candidates.

– Vous êtes marié ?

– Je suis veuf.

– Vous courez le jupon ?

– Rarement. Rarement. Je suis assez solitaire.

– Et timide, hein ?

– Comment savez-vous cela ?

– Les grands braillards sont généralement des timides qui se soignent.

– Merci.

– De rien. Moi aussi, je suis un grand braillard – à ma manière. Mon vieux, si vous craignez qu'il n'y ait pas de candidates, c'est que vous ignorez tout d'une composante essentielle de la personnalité féminine : l'exhibitionnisme. Je vous parie dix mille dollars que vous aurez sept ou huit volontaires. Sans compter celles que ça démangera et qui n'oseront pas se lancer.

– Mais c'est horriblement vulgaire !

– Bien sûr que c'est vulgaire. Si ça n'était pas vulgaire, il n'y aurait pas de scandale. Vous en voulez un ou vous n'en voulez pas ?

– Et vous pensez que toutes les femmes…

– Bien sûr que non. Si toutes les femmes étaient exhibitionnistes, il n'y aurait pas de scandale non plus. La mienne, par exemple, qui est l'être le moins cul pincé que je connaisse, va être scandalisée. Et dans le fond, je crois qu'elle aura raison.

– J'aurai raison de quoi ?

Pamela était de retour.

– Nous parlions de l'exhibitionnisme féminin.

– Il est bien réel. C'est une espèce de maladie dont nous ne mourrons pas toutes mais dont nous sommes toutes plus ou moins frappées.

– Je disais à notre ami que tu es un cas bénin.

– Je suis à ta disposition pour la danse des sept voiles, chéri, mais dans l'intimité.

Ils rirent tous trois. Norbert était secoué par de joyeux spasmes.

– Tu as vu, Pam ?

– Quoi, mon cœur ?

– Je tiens le coup, tu sais. Je tiens le coup pour de bon.

Pajetta ne les écoutait plus. Il était absorbé par une fantasmagorie anxieuse où défilaient Mata Hari ôtant très vite sa robe, Rita Hayworth ôtant très lentement ses gants, et Bertha von Paraboum n'ôtant rien, tout étant préalablement ôté.

Il était temps. À l'heure du repas de midi, les croisiéristes commençaient à se demander pourquoi le paquebot était ainsi mouillé devant une île, certes jolie à voir, assurément verdoyante et accidentée, mais en direction de laquelle aucun projet de visite ou de découverte ne paraissait formé. Qu'attendait-on ? Aucune trace de vie n'était perceptible,

hormis les allers et retours d'une vedette élégante, en bois
verni. Les plus perspicaces notèrent que des matelots semblaient rapporter du matériel. Quelques-uns prêtèrent attention à l'avion qui survolait le navire en saluant des ailes, pour dire au revoir.

Et puis le ciel se chargeait, le bleu s'étiolait, le vert était à l'offensive, des nuages bordés de mauve promettaient la pluie, un vent d'orage, nerveux et brûlant, balayait le pont, tournoyait aux abords de la piscine. Les passagers regagnaient l'intérieur du bateau.

Aussi le Grand Animateur fut-il reçu comme un prophète de bonheur quand il exposa que ce jour serait celui du grand bal d'apparat. L'objectif principal étant fixé, il circula de table en table, lâchant, sur le ton de la confidence, qu'on n'était pas là pour rien, que l'île mystérieuse abritait un trésor, et que la patience des croisiéristes serait récompensée. Non, n'insistez pas, il n'en dirait pas plus, ce serait gâcher la fête. *Illico*, nombre de femmes quittèrent un instant la table, s'éclipsèrent pour prendre rendez-vous, damant le pion à la concurrence, au salon de coiffure Éléna et au centre de beauté Zibeline. *Le Beau Danube bleu* exigeait quelques sacrifices. Plusieurs, incidemment, se plaignirent auprès de Massimo que la soirée dansante fût annoncée au dernier moment. « Mais je l'ignorais moi-même ! » répondit-il avec son sourire maximal et un pétillement des prunelles. On s'amusa beaucoup de la repartie…

Il en était un qui ne riait plus – encore moins que la veille – et c'était Marcel Chourgnoz. Il contemplait le menu sans dissimuler son hostilité chronique : « véritable Wiener Schnitzel à la manière du maréchal Radetzky ». Qu'est-ce que c'était que ce machin-là ? Encore un truc garni avec du riz ? Il en avait jusque-là des fantaisies exotiques, des fruits dont on ne savait même pas reconnaître l'écorce de la chair, des sauces multicolores et indéchiffrables. Il attrapa Ronnie au vol. Un Ronnie tourbillonnant qui paraissait avoir plus d'entrain que jamais.

– Escalope milanaise, traduisit le maître d'hôtel.

– On aurait pourtant dit de l'allemand. L'allemand c'est plein de Z.

– C'est pareil, viennoise ou milanaise, c'est pareil.

Manquait plus que ça. Pareil. Marcel se sentait glisser vers les abîmes de la mondialisation, où l'étranger tisse, autour de vous, un entrelacs qui vous digère peu à peu.

Son agacement, au vrai, n'était pas uniquement gastronomique. Plus encore que la nourriture, sa femme le déconcertait, et l'exaspérait par cela même. Hier soir, elle avait proclamé qu'elle « retrouvait son corps » ; et, vêtue de pilou rose, avait exécuté, à même le sol de la cabine, des mouvements d'assouplissement qu'elle accompagnait d'onomatopées bizarres. Ensuite, installée dans un fauteuil, elle avait, expliquait-elle, concentré son esprit sur une onde de chaleur qui envahissait son index, puis sa main, puis son bras, puis son buste, et son corps tout entier.

– Tu te rends compte, disait-elle, je suis toute chaude maintenant, j'avais cette source en moi et je ne m'en doutais pas une seconde. Tu te rends compte ?

Non, Marcel ne se rendait pas compte. Le corps de Marinette avait depuis longtemps déserté son esprit. C'était juste une présence, un objet familier, telle une horloge franc-comtoise dont le balancier tictaque sans qu'on y prenne garde. Entre eux, les choses n'avaient jamais été passionnelles, le devoir avait été accompli sans drame et sans excès. Ce que Marcel appréciait dans la vieillesse, c'était précisément la rusticité enfin garantie, la protection qu'elle offrait contre l'imprévu et le compliqué. Il vivait la routine comme une liberté et, jusqu'à cette croisière involontaire, il aurait juré que son épouse, elle aussi, était ravie d'être débarrassée des palpitations anciennes, fussent-elles d'ampleur modérée.

Et voici qu'elle redécouvrait son corps ! C'était aussi incongru que l'escalope milanaise du maréchal Radetzky. Quasiment une faute de goût. Elle se comportait d'ailleurs de façon désinvolte et incompréhensible. Dès que le grand bouffon – selon le terme préféré des petits-enfants – avait annoncé le bal du soir, elle s'était levée de table sans s'excuser. Il pensait qu'elle allait se laver les mains, mais ça durait interminablement. Et quand il la vit revenir, il ne put s'empêcher d'éprouver une bouffée d'irritation en s'apercevant qu'elle souriait avec toutes les apparences de la volupté.

– Je vais faire trois soins cet après-midi. D'abord un enveloppement d'algues, ensuite un bain hydro-massant, et pour finir une douche au grand jet. Solange est très gentille, le troisième soin est gratuit.

– Tu parles qu'elle est gentille et que c'est gratuit ! On dirait que t'as oublié ce que c'est qu'une promotion. C'est pourtant toi qui tenais la caisse.

– Mais ça me fait plaisir, à moi, d'oublier. Et c'est vrai qu'elle est gentille, Solange.

– De toute façon, c'est moi qui paie.

– Élégant... Très élégant...

– Mange ton escalope, c'est tout froid.

– C'est peut-être toi qui paies, comme tu dis, mais moi, tu ne m'as jamais payée. J'ai pourtant bossé comme une bête dans ton magasin.

– Mange donc.

– Tu me coupes l'appétit, Marcel. T'es trop vieux.

– Je suis trop quoi ?

– Trop vieux. Je sais qu'on a le même âge mais t'es vieux dans la tête, t'es plus curieux de rien.

– J'ai jamais été bien curieux.

– Puisque tu le dis.

– Et toi, tu crois que tu seras moins vieille avec tes « soins » ?

Il cracha le mot comme un noyau de prune et eut un ricanement hargneux. Leurs compagnons de table les observaient, déconcertés. Le ton montait. Marcel prit conscience qu'ils se donnaient en spectacle.

– Tais-toi donc, on nous regarde.

Elle haussa les épaules et se servit un peu de salade. Marcel reposa sèchement sa serviette, se leva et s'éloigna d'un pas martial. Marinette interpella son plus proche voisin.

– Qu'est-ce qu'il vaut, ce vin ?

– Un rouge chilien. Pas mal du tout. Vous voulez goûter ?

Elle sourit et tendit son verre.

C'était bon. Avait-elle jamais songé que le vin, c'est bon ? Tout ce qui était alcoolisé semblait plutôt l'affaire des hommes, non ? Les femmes n'avaient droit qu'à des petits fonds sirupeux. Elle essaya de capter, sur le bout de la langue, les arômes mystérieux dont parlent les spécialistes à la télévision. Fleurs blanches, violette, anis. Anis, c'était ça. Si on le gardait un peu dans la bouche, on décelait un soupçon d'anis. Amusant.

Trop plouc, Marcel. Qu'aurait-il pensé s'il avait su que la petite Solange, avec son minois frais et ses taches de rousseur, lui avait susurré un complot ludique pour ce soir même, minuit, au cinéma Babouchka ? Un concours de strip-tease amatrices, juste pour rire. Rien d'officiel, ça ne serait sur aucun programme. Et la gagnante aurait tous les soins gratuits jusqu'à la fin de la croisière. Tous les soins à volonté. Sainte nitouche, la petite Solange. Elle disait que le strip-tease, c'est un art, un art de la scène, je vous jure madame Chourgnoz, vous verrez, et qu'elle-même, quand elle n'était pas embarquée, pour arrondir ses fins de mois mais aussi pour le plaisir, se produisait lors de fêtes privées – les enterrements de vie de garçon, surtout.

Ce que préféra Marinette, c'était le grand jet. Les algues, très bien. Le bain hydro-massant, toutes ces bulles qui vous titillent le dos et les recoins, délicieux. D'autant plus délicieux qu'à cette heure Marcel faisait sa sieste et que, pour une fois, il ronflerait seul. Mais le grand jet, alors là ! Ça vous revigore plus vite que l'eau de Lourdes. Ça vous fouette le sang, ça vous rend la vie. C'est agréablement violent. Elle donna un pourboire plus que généreux à la jeune Hai Ly qui, armée d'une sorte de lance à incendie, lui avait réveillé l'épiderme. Après tout, c'était Marcel qui payait.

Elle ne quitta pas tout de suite le centre de beauté. Dans une petite salle, au fond, Solange, drapée d'une sortie-de-bain blanche et verte, prodiguait à un groupe de femmes attentives ses recommandations techniques. L'épilation, très important l'épilation. La mode est à la chasse au poil, c'est désordre, le poil. Le parfum, très important le parfum, ne pas oublier d'en mettre au creux des genoux, des coudes et des seins, pour prolonger vos mouvements d'un sillage voluptueux. Et huilez-vous la peau avec une crème hydratante : elle prendra mieux la lumière. Ajoutez une pincée de paillettes dans le décolleté, sur les cuisses et les fesses. Quant à la lingerie, très important la lingerie, elle révèle votre âme et votre libido. Êtes-vous femme fatale ou Lolita, êtes-vous noir ou blanc, êtes-vous guêpière ou soie fluide ? Attention, si vous jouez Lily Marlene en bleu azur, vous allez à l'erreur de casting.

Marinette était un brin choquée. Non tant par ce qui était dit que par la manière dont c'était dit. Cette jeune femme s'exprimait avec un aplomb impressionnant. Et parlait de posture érotique comme elle aurait parlé de coupe de cheveux, de sa dernière petite robe ou de piperade en omelette. Bien dans sa peau. Est-ce que c'est cela, se demandait

Marinette, être bien dans sa peau, est-ce que ça n'est pas un peu neutre ? Et elle regrettait d'avoir attendu tant d'années pour se poser ce genre de question.

La suite confirma son impression première. On passait à l'action. Toute improvisation fut découragée. Solange recommanda l'entraînement, la répétition gestuelle devant un miroir, conseilla l'emploi d'une chaise qui permet de varier les poses, de mettre en valeur les jambes et le reste. Et en vint au déshabillage proprement dit. Souple et naturelle, ordonna Solange, faites glisser, faites glisser, proscrivez tout vêtement qui demande un effort disgracieux, soyez ondulante. À l'étape du soutien-gorge, l'avant-dernière, ménagez l'attente, dévoilez un peu mais pas tout, pas tout de suite, jonglez avec les bretelles, avec les bonnets, et n'oubliez pas que le dos se dégrafe en dernier – quoique, sur ce point, il y ait plusieurs écoles. Reste le string. Difficile, le string. Très difficile. Debout, jouez lentement avec lui, baissez-le partiellement, dégagez les fesses, mais sachez qu'il est impossible d'aller plus loin dans cette position sans vous tortiller lamentablement. Alors asseyez-vous pour finir le travail et sortez en tournant le dos au public. La tradition est de ne pas saluer, on s'esquive en sautillant.

– Bien sûr, conclut Solange, nous n'étudions ici que le show soft. Dans la version hard, il y a tout un jeu autour du clitoris, on écarte les grandes lèvres, les petites lèvres, les fesses. Au Japon, les spectateurs ont même des lampes électriques pour regarder de plus près. Les victimes sont complètement fascinées.

– Qu'est-ce que ça veut dire, les victimes ? demanda quelqu'une.

– C'est comme ça qu'on appelle les clients, nous autres. Mais aujourd'hui, on ne peut évidemment pas tout voir, on n'a pas le temps, on va rester simple. Bon. Qui commence ?

Une chiquenaude, et la sortie-de-bain tomba à ses pieds, la dévoilant en deux-pièces. Il se déclencha, comme à l'armée quand l'adjudant réclame des volontaires, un pas en arrière collectif. Mais cinq ou six spectatrices, elles, ne reculèrent pas. Marinette Chourgnoz s'enfuit.

Massimo Pajetta était content de lui. Sincèrement, objectivement content. Cette histoire de scandale le tracassait. Manque d'expérience. Il avait peur que le phénomène lui échappe, glisse entre ses doigts, prenne une tournure qu'il n'aurait pu ou su redresser. Mais il avait déniché l'idée géniale, il n'était pas si sec, finalement. Le strip-tease ne serait point une exhibition médiocre devant un parterre de mâles braillards, ce serait une initiative féminine, un jeu de femmes conçu entre femmes et d'abord pensé pour le plaisir des femmes. À la manière de ces calendriers où les gens d'un quartier, d'une équipe, d'une profession, d'une rue commerçante, décident de poser nus au profit de la bonne cause. Assez scandaleux pour déclencher la polémique, assez bon enfant pour demeurer politiquement correct.

Solange lui était revenue en tête. Il avait l'habitude d'éplucher les curriculum vitae des personnels qui s'offraient à travailler chez Splendid. Parfois, un hobby, la pratique d'une langue, d'un instrument de musique étaient susceptibles d'enrichir les spectacles ou les activités proposés aux croisiéristes. Il n'avait pas oublié l'esthéticienne de vingt-six ans qui avait consciencieusement écrit : « Anglais : parlé ; sports : roller et chariot à voile ; initiation à l'étude du langage sémaphorique des chiens et des loups ; trois ans de formation à l'institut polyvalent de strip-tease Violeta Glamour, 27, rue Léon Bronstein, Bruxelles. » L'information dormait dans une archive de son cerveau, et il l'avait opportunément ressortie.

La polémique montait à merveille. La rumeur s'était disséminée dans tout le navire. Et l'information divisait le bord, divisait les groupes nationaux, divisait les couples, voire la culture et la conscience de chacun. Rose Travis, qui ne faisait pas mystère de son homosexualité, proclama que ses convictions féministes n'étaient guère compatibles avec ce type d'exercice mais que, ma foi, des belles femmes nues, et volontaires avec ça, c'était quand même bien tentant. Ines refusa de se formaliser, les émissions de variétés berlusconiennes lui paraissant autrement sordides que ce petit jeu d'un soir, et déclara qu'elle s'y rendrait « pour tenir compagnie à Angelo » – propos dont la charge iconoclaste déclencha les commentaires qu'on imagine. Dotty Thunderbay jura de s'enchaîner aux portes de la salle afin de protester, mais sa nouvelle amie Margriet Van Leeuven, qui en avait vu d'autres dans les quartiers chauds d'Amsterdam, plaida que le destin de la couche d'ozone était une affaire plus urgente. Seul Martin Korb n'émit aucun avis : il restait invisible.

À la machine, on avait d'autres soucis et l'on se donnait beaucoup de mal pour qu'ils restent, eux aussi, invisibles. Après de longues conversations téléphoniques avec son collègue Martinon, Be-bop dirigeait la manœuvre, veillant à ce que les pourcentages soigneusement calculés du produit antibactérien fussent respectés. On dosait, on nettoyait, on dosait encore, on laissait agir, on sondait les cuves, on s'efforçait de mesurer l'effet du traitement. Personne n'avait mangé ni même envisagé pareille hypothèse. La poursuite de la croisière exigeait une intervention rapide et coordonnée. Une négligence, un oubli, et tout était à reprendre – autant dire que tout devenait vain et que la compagnie Splendid, cette fois, ne serait pas mise à mal par le duel de ses dirigeants mais par la défaillance ou la malchance de ses navigants. Creux en oubliait presque de lancer au chef ses regards homicides.

Shrimp ne pouvait plus qu'attendre. Il avait renoué avec les règles habituelles, rendu compte à la direction technique de l'armement. Maintenant, il patientait. Dans ces cas-là, il gardait son calme sans effort. Se sachant impuissant, il était libéré du soin de décider, de trancher, donc du risque de se tromper. D'ici quelques heures, la machine serait ou ne serait pas en état de déhaler le navire. Ce qui le préoccupait de plus en plus, c'était la météo. Pas très méchante pour l'immédiat, des rafales irrégulières, des vagues courtes. Le paquebot s'ébrouait, perdait son impassibilité, la chaîne d'ancre claquait dans l'écubier, mais rien d'alarmant – sinon qu'en cas de pépin il ne ferait pas bon s'attarder indéfiniment au mouillage. Car, à l'horizon de quarante-huit heures, la situation paraissait incertaine voire menaçante. Le temps basculait vraiment, une détérioration se profilait, et le capitaine connaissait suffisamment l'océan Indien pour demeurer sur ses gardes.

Un homme fit irruption à la passerelle, un homme qu'on n'y voyait jamais et qui n'avait rien à y faire. Pas un marin, en tout cas. Il dégoulinait de sueur et d'émotion.

– Excusez, commandant, excusez.

Il était si perturbé que les mots s'emmêlaient. Shrimp se disait qu'il connaissait ce type, qu'il l'avait déjà vu à bord, et même plusieurs fois. Un technicien ? Il devait avoir un boulot très pointu.

– Je suis désolé… À la passerelle… Mais il faut que je vous dise, commandant…

– Dites-le donc, s'il le faut. Et dites-moi d'abord qui vous êtes.

– Mais je suis Francesco, le diacre !

Shrimp n'était guère assidu au service dominical.

– Ah ! vous êtes le diacre. Le coiffeur, c'est ça ?

– C'est épouvantable, commandant. On va profaner la chapelle.

– La chapelle ? Mais il n'y a pas de chapelle, sur ce bateau !

– Le cinéma. Des femmes nues, pour s'amuser…

– Je vous demande pardon, mais les femmes nues au cinéma, par les temps qui courent, c'est d'une grande banalité.

– Des vraies. Elles veulent faire un concours. Il faut intervenir, commandant.

– Elles sont majeures ?

– Oui, commandant.

– Personne ne les oblige ?

– Je ne crois pas, commandant.

– Elles sont jolies ?

– Je ne sais pas, commandant.

– Revenez me voir quand vous serez fixé là-dessus.

Francesco n'avait aucun humour. Il se jugea trahi et prit congé amèrement. Shrimp éclata de rire. Les bonnes nouvelles étaient si rares.

Norbert Hotchkiss avait été prévenu par VHF que la personnalité numéro un, *alias* Mr Smith, se rendrait volontiers à l'invitation. Seul. Norbert en était ravi mais il tremblait d'appréhension. Il avait peur qu'au tout dernier moment sa cervelle et son corps le trahissent. Il se guettait lui-même, redoutant d'infimes signaux d'alerte. Ce n'était presque rien, d'habitude : une sécheresse de la gorge, des picotements fébriles au bout des doigts. À peine le temps de s'apprêter à plonger, et il s'enfonçait dans un mystère visqueux où il disparaissait. Tout l'après-midi, tandis qu'on polémiquait sur le concours de strip-tease et repassait les robes de bal, lui ne cultivait qu'un but, comme un athlète en phase de préparation : pourvu que je dure, pourvu que « ça » dure.

Il essayait de cacher à Pamela son appréhension, de la maquiller sous une salve de ces bons mots new-yorkais qu'il alignait en rafale. Mais il savait qu'elle savait, et elle savait qu'il le savait – dialectique affreuse. Il n'avait pas osé, non plus, donner quelques heures d'avance à Pajetta en lui révélant l'identité de son invité : s'il basculait au dernier moment, la déception de l'animateur serait insupportable.

Vers seize heures, pour tromper l'attente et tirer parti de sa lucidité fragile, il avait joint par Internet le nommé Davidenkoff, son homme de confiance. Comme prévu, Balakirev se débattait dans une sacrée mélasse. Tout le monde, en Russie, se moquait comme de l'an quarante des appropriations désinvoltes qu'il s'était autorisées, mais il avait des ennemis à l'affût, il fréquentait trop le cercle des grands bénéficiaires de la manne énergétique pour que cette petite rumeur ne fût pas exploitée. Il fallait qu'il se justifie en public et que, dans l'ombre, il donne des gages, arrose, promette. D'après Davidenkoff, qui tenait le tuyau d'une source proche, fiable et rémunérée, BB enrageait et n'excluait nullement que le Grec fût impliqué dans tout ce cirque – mais il n'avait pas l'ombre d'une preuve et c'est la raison pour laquelle il allait recevoir l'envoyé de Marios, histoire de le cuisiner.

– Parfait, avait répondu Norbert. Mets-moi un peu de fric canadien sur le fonds de pension Empyrée, promène-le gentiment, sans à-coups. On l'occupe, c'est tout, on n'a pas intérêt à ce qu'il s'emballe.

« Ça » avait tenu. L'arrivée de Mr Smith était maintenant imminente et Norbert comptait encore parmi les lucides. Il s'était bichonné, avait revêtu une chemise prune et un superbe costume décontracté de chez Jack K. Butler – son tailleur attitré depuis vingt-six ans, un bourreau de travail qui livrait dans les dix heures et transformait en gravure de mode une betterave emballée par ses soins. Pamela, elle, avait opté pour un ensemble rose bonbon et s'était juchée sur des escarpins italiens dont le strass clignotait à chacun de ses pas. Ils se trouvaient, tout à coup, presque légers, en récréation.

Le Grand Animateur les rejoignit. Il n'en pouvait plus.

– C'est comme le strip-tease, lui dit Norbert. Tout est dans le suspense. Vous ne trouvez pas qu'une femme à moitié nue est beaucoup plus excitante qu'une femme qui prend sa douche ?

Pajetta émit un son difficile à interpréter.

– C'est vrai que ça n'est pas votre truc. Allez, j'enlève le haut. La personnalité numéro deux, l'homme qui ne supporte pas de voir plus de sept personnes à la fois, c'est Don Melrose. Je suis son courtier, je crois même pouvoir dire que j'ai fait grossir sa pelote de 29 % au dernier exercice. Je suis peut-être en vrac mais je reste une bonne gagneuse.

– Qu'est-ce qu'il fait, ce Melrose ?

– Ce que fait Don ? Vous me demandez ce que fait Don ? Mes oreilles sont encore en état de marche ? Il produit, monsieur. Il produit en grand, il produit les grands. Avec Dolby stéréo et son surround. Pigé ? D'où vous déduisez que la personnalité numéro un, dont j'aperçois d'ailleurs le canot, est… ?

Pajetta ne hasardant aucune réponse, il l'incita à se pencher et chuchota dans son conduit auditif. Pamela souriait malicieusement.

La réaction du Grand Animateur fut immédiate et spectaculaire. Il ne marqua même pas un temps d'arrêt. Il sortit fébrilement une oreillette de sa poche, ainsi qu'un microphone miniature.

– Branle-bas ! annonça-t-il. Branle-bas. Au point F4. Je répète : au point F4. Que l'officier de quart prévienne le commandant. Procédure relations publiques. Je répète : procédure relations publiques. Pas de changement de tenue. Je répète : pas de changement de tenue.

Il planta là ses interlocuteurs qui s'amusaient beaucoup, et, à toutes jambes, courut vers le point F4.

Shrimp en personne vint accueillir Brad Pitt à la coupée et l'accompagna jusqu'au bar où ses amis l'attendaient. L'acteur portait un pantalon grège et une chemise blanche. Il semblait d'excellente humeur. Sans l'avoir réellement calculé, les Hotchkiss, en gardant pour eux l'identité de la « surprise », avaient rendu un fier service à Pajetta. Assiégée, la star se serait aussitôt rétractée – on ne recherche pas la tranquillité d'une île confidentielle pour multiplier les bains de foule. Le paquebot lui apparut, au contraire, comme une maison sereine et discrète où l'on est libre d'aller à sa guise. C'est fort paisiblement qu'il le traversa jusqu'au point de rencontre. Il embrassa Pamela comme du bon pain.

Le Grand Animateur avait réagi au quart de tour. Surtout, il avait immédiatement compris que la mobilisation générale qu'il déclenchait devait servir, non à propager la nouvelle, mais à protéger l'arrivant. Ronnie, dépêché à la rescousse, avait prestement ordonné que des tables soient retirées, en sorte que les trois VIP n'aient à souffrir d'aucune promiscuité.

Massimo n'aimait pas les anniversaires. D'une enfance orpheline (on l'avait confié à une famille d'accueil plus motivée par le revenu que par le gosse), il avait hérité le souvenir de rituels sans âme. Et aujourd'hui, il ne voyait nulle raison de se consoler du vieillissement par une fête annuelle. Ce n'était donc pas un cadeau d'anniversaire qui lui était offert. C'était mille fois mieux, mille fois autre : un don du ciel, un couronnement, un bâton de maréchal.

Il se rappelait les gesticulations triomphales de Giancarlo Bordiga, son collègue de Romatours, quand il avait obtenu, contre une suite en première classe, la fugitive présence, à bord du *Sea Conqueror*, d'Adriana Luciani, assez pâle vedette de la série télévisée *Mamma mia*. Ou les intrigues de Micky Fudge pour attirer sur le *Sun Symphony* un vague beau-frère de Pavarotti censé décrypter les arcanes du bel canto. C'était un étrange marché que celui de la *guest star*. Les vraies stars ayant autre chose en tête, on conviait les deuxièmes couteaux, les top models émergents ou les gloires au rebut. On les payait en dollars ou en nature, et ils avaient consigne de passer par là, de se fondre dans la clientèle, comme si leur présence n'était due qu'au hasard et aux qualités de la compagnie. Difficile de se mesurer avec la haute couture et la parfumerie de luxe.

Et Massimo Pajetta recevait chez lui Brad Pitt ! Pour de bon et pour rien. Cette année, à Brighton où la mer grise ne cesse de réordonner les galets, lors du congrès de l'AIACL (Association internationale des animateurs de croisière au large), lui, l'obscur représentant d'une obscure *one-ship company*, en charge d'un paquebot modeste et vieillot, pas même deux restaurants, serait en droit de briguer l'étrave d'or, l'oscar de la profession. Il n'est jamais trop tard pour aller loin.

Il fallait jouer serré. Il joua serré. Quand Ronnie sentit que l'apéritif touchait à sa fin, il glissa dans l'oreille de Pamela qu'un dîner léger pouvait être servi, en toute discrétion, au salon de la suite. Les Hotchkiss occupaient la seule cabine du bord qu'on pût vraiment qualifier de spacieuse, partagée en deux pièces (ils auraient pu opter pour le *Queen Mary* ou assimilé mais, justement, Pamela voulait un vieux bateau, un petit bateau sans grande prétention). Brad accepta volontiers. Norbert était aux anges. Ma parole, « ça » résistait toujours.

Alors, et alors seulement, le Grand Animateur libéra la nouvelle. Oui, Brad Pitt est sur ce navire. Oui, Brad Pitt piétine le même sol que vous, respire le même oxygène, observe le même décor, et mange – presque – la même cuisine. Une onde parcourut le paquebot de la proue à la poupe, un tressaillement, une fièvre jubilatoire où entraient chimère, curiosité, et aussi soulagement : on n'avait pas patienté pour rien, l'arrêt bizarre devant cette île déserte avait un sens. On le devinait, on le reniflait. La croisière mystère tenait ses promesses. Et le message gonflait, évoluait, s'enrichissait, explosait. Nous sommes les *happy few*. La preuve : nous avions rendez-vous avec Brad Pitt, nous avons franchi des océans pour rejoindre Brad Pitt. Qui lui-même nous attendait. Que dis-je ? Qui m'attendait.

À ce stade, Pajetta savait que cela deviendrait dangereux. Il avait exploré, et avec passion, les travaux consacrés aux phénomènes de foule, à ces gens raisonnables une heure plus tôt qui hurlent soudain, déchirent leurs vêtements, versent des larmes de bonheur et, pour un peu, engageraient leur vie sans se retourner ou le donneraient à croire. Il avait analysé comment l'hystérique déplace la valeur du réel qu'il dramatise, majore ou ignore, falsifie son existence en investissant des fantasmes plutôt que la réalité. Nous y étions. Il devait trouver le moyen de livrer Brad Pitt aux masses sans que les masses risquent de s'en emparer, d'établir la communication sans qu'un mot fût échangé, de transformer un événement privé en orgasme collectif sans trahir le caractère privé de l'événement.

Beau cas d'école. Qui méritait, décidément, une étrave d'or.

Renseignements pris, il s'avéra que Chrysostome, le garçon de cabine des Hotchkiss, était agile d'esprit. Il se montra prêt à coopérer mais négocia *illico*, suggérant que, s'il remplissait la mission, il préférerait loger dans la cellule 231 dont la ventilation fonctionnait beaucoup mieux que celle de la 219 où il était cantonné – le commissaire refusait obstinément de satisfaire cette revendication. Pajetta répondit du commissaire, ce qui était audacieux. Mais, grâce au Philippin, il put suivre en temps réel le déroulement du repas et ajuster la vie du navire au rythme de ce dernier. À l'instant idoine, il confia au garçon une bouteille de Dom Pérignon 1976 (mise d'époque) parfaitement rafraîchie, c'est-à-dire pas trop. La bouteille était accompagnée d'un message destiné à Pamela. La bouteille revint vide et le message lu. Chrysostome était en droit d'espérer un prompt déménagement.

À 20 h 45, la salle de restaurant était métamorphosée en *Festsaal* de la Hofburg viennoise – tendue de rouge-blanc-rouge – tandis que la brigade des serveurs disposait alentour des pichets de vin blanc et des plateaux de *Sachertorte*. À 20 h 53, l'orchestre, en perruque, s'installait sur une estrade et s'accordait, esquissant le *Quadrille de la Chauve-Souris*. À 20 h 59, les quatre danseuses de la troupe surgissaient en grand apparat et il devenait évident que le costume de Svetlana empruntait directement à Romy Schneider dans *Sissi impératrice*. À 21 h 02, on décidait d'accentuer la climatisation car le contraste était rude entre la touffeur tropicale et la mode viennoise. À 21 h 13, le public était admis, robe longue pour les dames, smoking pour les messieurs. À 21 h 16, l'orchestre attaquait la *Marche du couronnement*. À 21 h 17, Pamela faisait son entrée au bras de William Bradley Pitt tandis que Svetlana s'emparait de celui de Norbert. Pamela s'était changée et rayonnait en jaune paille. Son cavalier était le seul mâle présent qui ne fût pas vêtu de noir. Il ne paraissait nullement gêné de cette anomalie, au contraire, et l'on ne voyait que lui.

Brad Pitt – la postérité oublierait certainement ce détail – réprimait une sérieuse poussée de fou rire. Pamela et lui, en d'autres circonstances, auraient d'ailleurs laissé libre cours à une hilarité partagée mais, en dépit du carton-pâte, il y avait dans la mise en scène quelque chose qui n'y prêtait pas : l'effort accompli par Norbert qui ne pourrait, ce soir, manifester ses talents de valseur mais n'en avait pas moins réussi un exploit.

La marche s'interrompit. On s'attendait à ce qu'elle soit relayée par *An der blauen Donau* et à ce que les premiers couples amorcent la ronde, mais Pajetta suspendit le mouvement. Il souriait d'un sourire inhabituel. Et il fallait d'ailleurs un brin d'attention pour comprendre pourquoi. Son sourire était inhabituel parce qu'il souriait *normalement*, parce que ce sourire n'était point étiré d'une oreille à l'autre et toutes quenottes exhibées, mais juste ouvert, sans rictus, sans masque.

L'autre source d'étonnement fut le petit discours qu'il prononça.

– Cher Brad…

Avant même que la phrase fût commencée, elle paraissait singulière. Et là encore, on s'étonnait. Qu'avait-il dit, au fait ? Rien. Mais il le disait *sans micro*. Sans son casque légendaire. Plus : il parlait doucement, obligeant l'assistance à tendre l'oreille, comme on parle, effectivement, à des amis et non à un « public », un « auditoire ».

– Cher Brad, vous êtes parmi nous pour retrouver deux des nôtres qui vous sont chers. Et nous, nous sommes heureux de vous croiser, de vous effleurer. C'est le mystère des stars : vous nous êtes familier et vous gardez pourtant votre secret. Gardez-le bien, il n'appartient qu'à vous. Sachez toutefois que nous sommes honorés de votre présence. Nous n'allons pas vous arracher votre chemise pour la transformer en reliques, ni vous assaillir de demandes d'autographes. Nous allons simplement vous remercier d'avoir ouvert notre bal, et vous rendre votre liberté. Ce soir, nous sommes à Vienne. C'est vrai et c'est faux, c'est comme au cinéma. Juste un rêve...

La voix chuta sur la fin, l'allocution se termina en confidence.

– Ma parole, il s'humanise, chuchota Ines.

Brad Pitt joignit les mains à la manière des Indiens et, sans un mot, s'inclina profondément. Puis il prit Pamela par un bras, Norbert par l'autre, et tous trois gagnèrent la sortie. L'orchestre lança la valse, Svetlana et Shrimp commencèrent à tournoyer.

À 21 h 32, l'étrave d'or était gagnée.

Les Hotchkiss regardèrent leur ami s'éloigner à bord de la vedette d'acajou. Elle tapait dur dans une mer qui devenait agaçante. L'île était invisible, fondue au noir. Le vent montait toujours, la lune était masquée mais on repérait de l'écume à la crête des vagues. L'*Imperial Tsarina* ne roulait pas encore mais s'y préparait, tirant sur son ancre comme un cheval inquiet. Norbert et Pamela se tenaient par la taille. Elle tenta de poser la tête sur l'épaule de son mari, comme à l'ordinaire, comme autrefois, mais il était trop replié sur lui-même pour que ce fût possible.

– Je me tasse, excuse-moi. Je crois bien que, ce soir, il ne faut plus rien me demander.

– Tu m'as emmenée au bal, je n'en demandais pas tant.

Il l'attira contre lui avec une vigueur incroyable.

– Ma dernière valse, dit-il sourdement. La boucle est bouclée...

Be-bop émergea des entrailles du paquebot comme le mineur rescapé d'un coup de grisou retrouve l'air libre. Quand il sortit du monte-charge, il était hagard et affamé. Il s'était changé, en bas, mais sa tenue laissait quand même à désirer – la chemise pendait hors du pantalon, et des traces brunes barraient son front comme des peintures rituelles. Il fut très étonné de trouver les coursives désertes, et regarda sa montre. Le théâtre ? Normalement, une minorité significative de passagers dédaignait le spectacle. Il ne comprenait pas non plus pourquoi la sono de Pajetta restait sourde et muette. Les seuls sons perceptibles étaient de très lointains échos d'une musique qui lui parut classique.

Il se dirigea vers le restaurant, mû conjointement par la musique, la faim et le sens du devoir. Il voulait rendre compte à Shrimp. Et il voulait manger, ce qui s'appelle manger. Quelque chose de gras, de lourd. Un plat défendu par les médecins, bien salé, pourvoyeur de cholestérol. Des tripoux auvergnats. Une andouillette. De la tête de veau gribiche. Des rognons en sauce épaisse avec des lardons et un talon de jambon. Rien que d'y penser, il marchait plus vite.

Mais sans illusion : seule l'appellation serait dodue, l'assiette ne suivrait pas. Il s'aperçut en chemin que la musique était fort typée, une musique à trois temps avec beaucoup de cordes.

Il finit par croiser un autre égaré. Korb en habit. L'astrophysicien, lui aussi, semblait s'être trompé de planète. On aurait dit qu'il avançait à reculons.

– Vous êtes bien beau, professeur.

– Hein ?

– Je disais que vous êtes tout beau. Votre smoking…

– Finalement, je vais au bal.

C'était dit avec une moue hargneuse.

– Au bal ? Finalement ?

– Le grand bal viennois, avec tout le tralala.

Mon Dieu ! Pajetta ! En plein bouillon de bactéries, il avait lâché les violons. Le chef courba la tête, regarda sa chemise, en rentra l'extrémité qui pendouillait et conclut qu'il n'était pas présentable un soir de bal – voire un jour quelconque. Korb restait planté devant lui, gauche et indécis.

– Je peux vous demander un service ? demanda Be-bop.

– Pourquoi pas ?

– Le commandant doit être là-bas. Voudriez-vous lui transmettre un message de ma part ?

– Certainement.

– Dites-lui que, pour l'appareillage, c'est sûr, mais que, contre la vérole, c'est peut-être.

– Répétez-moi ça.

Le chef s'exécuta. Korb parut s'éveiller un peu.

– Vous avez eu des soucis de moteur, ces derniers temps ?

Be-bop ouvrit de grands yeux, faillit éclater de rire, puis haussa les épaules.

– Quand je serai grand, professeur, je serai professeur. Allez, bonsoir, et n'oubliez pas mon message.

Il s'éloigna en songeant que ce type était sérieusement à côté de ses pompes. Mais son estomac reprit le dessus. Un peu plus jeune, et sur un autre bateau, il savait très bien ce qu'il aurait fait. Il serait descendu au carré de l'équipage et, à la bonne franquette, il aurait mendié du saucisson à l'ail ou du pâté en boîte. Mais maintenant, il était *le* chef, *the big one*, il était devenu l'ennemi héréditaire, et, pour l'ennemi, pas de pâté. Sans compter Creux. Il se rappela que les Coréens tenaient ouverte une gargote plus ou moins officieuse où ils bricolaient des choses odorantes et huileuses. Moyennant dollars, ça pouvait marcher.

Tandis que Be-bop disparaissait, Korb fut saisi de vertige. C'était quoi, déjà, le message ? Ça parlait de vérole. Le trou. Pas même fichu de retenir une phrase. Vérole. Vérole. Il y avait un balancement. Un truc sûr, un truc peut-être. Vérole et appareillage. Voilà. Appareillage, vérole. Appareillage, peut-être, vérole, sûr. Non, l'inverse. Appareillage sûr, vérole peut-être. Attention, il y avait aussi un pour et un contre. Pour l'appareillage, contre la vérole. Ça paraît logique. Encore que. Contre la vérole, tout le monde comprend, mais pour l'appareillage, ça n'a aucun sens. Sauf si. Sauf si on retourne la phrase. Sûr pour l'appareillage…

Korb était entré dans la salle quasiment sans y prendre garde. Les valseurs échangeaient, au signal, leurs partenaires et ceux qui ne savaient pas valser se consolaient avec le vin blanc. Il repéra Shrimp et s'acquitta de sa mission – le commandant se dirigea immédiatement vers la porte. Sortant d'une longue réclusion, le professeur avait la tête étourdie par la musique, les rires. Une main l'agrippa, impérieuse, l'entraîna vers le carrousel. Son corps se défendit.

– Lâchez-vous. Laissez-vous donc guider, et gagnons du temps. Vous allez me dire que vous ne savez pas danser et moi, je vais vous répondre que ça n'a pas d'importance. 1-2-3, suivez-moi, 1-2-3. Vous voyez...

C'était Ines. Korb se jugeait ridicule, emprunté. Mais comment échapper à une femme qui vous invite avec autant de bonne humeur ?

– Vous avez disparu. On s'inquiétait de vous.

– Je souffre de migraines imprévisibles et douloureuses. Dans ces moments-là, il n'y a que le silence et la position allongée qui me conviennent.

L'excuse la plus nulle, songeait-il tout en parlant, aussi crédible que les gosses qui incriminent leur réveil, le matin, pour justifier un retard à l'école. Lamentable.

Mais Ines s'en fichait.

– Savez-vous que nous avons beaucoup de choses à vous raconter ? C'est bien plus aventureux qu'on n'imagine, une croisière en paquebot.

– Ah oui ?

Il n'écoutait pas, il cherchait Svetlana. Il découvrait, tout à coup, que son impatience était effrayante.

– Le commandant a essayé de vous mettre la main dessus pour vous informer, mais…

Elle était là, tout près, juste derrière une grosse dame que les dentelles grossissaient encore.

– … Excusez-moi, Ines.

Le musicien qui tenait un triangle allait frapper, signal de la permutation des danseurs. Sans explication à sa partenaire quelque peu interloquée, il contourna la grosse dame afin de se retrouver, comme par hasard, devant Svetlana au bon moment.

Il l'enlaça. Elle sentait la violette – un peu trop. Et elle ne souriait pas. Tandis que Korb se détendait, se délivrait, elle paraissait se fermer, raidissait son corps, reculait, tenait son amant à distance, à bout de bras.

– Il ne faut pas, professeur. Il ne faut pas me toucher. Il ne faut même pas danser avec moi. Je vous appellerai, vous avez la clé, je vous appellerai.

Korb s'apprêtait à lui répondre mais elle se dégagea.

– Allez-vous-en, professeur, vite, dansez avec une autre.

Liliana vint à la rescousse. Elle avait vu la scène et n'avait pas besoin qu'on lui en explique la teneur. Elle entraîna Korb pendant que Svetlana, tout sourire, se jetait dans les bras d'un immense Américain barbu.

La valse reprit.

– Faut pas lui en vouloir, professeur, elle n'a pas le choix.

– Je ne lui en veux pas, je suis déçu. Elle me manque.

– Vous êtes en colère, aussi. Vous allez me déboîter l'épaule.

– Excusez-moi.

– Vous êtes jaloux, professeur ?

– Je ne sais pas. Peut-être.

– Mais si, vous êtes jaloux. Pas autant que lui, mais vous l'êtes. Vous ne devriez pas.

– Est-ce qu'il lui fait du mal ?

– Tous les hommes jaloux sont dangereux.

– Vous ne m'avez pas répondu.

– Je vous ai dit qu'il est dangereux. C'est pour ça qu'il ne faut pas, pas en public. Les hommes jaloux, c'est pire quand on les rend jaloux en public.

Liliana lui adressa un regard brusquement intense.

– Faites attention, professeur, faites attention à vous, vous êtes un homme gentil, ça serait rudement dommage…

– Attention à moi ?

Le tintement du triangle les interrompit. Liliana était en service commandé, elle se tourna vers un autre cavalier. Korb, lui, se retira de l'aire de danse, avala un verre de vin blanc presque d'un seul trait et en prit un autre. Il avait beau chercher, il ne trouvait pas Aliocha. Mais le magicien était là, sans aucun doute. Jamais Svetlana n'aurait manifesté une telle appréhension dans le cas contraire. Korb avait l'impression d'être constamment guetté quand bien même il ne voyait pas l'adversaire. Des images de film d'espionnage lui revenaient. Tu marches dans la rue la plus banale qui soit. C'est un jour comme les autres, paisible. Mais chacun des passants, le vieil homme qui promène son chien, le fleuriste qui renouvelle l'eau des vases, est un agent ennemi. Et chaque élément du décor maquille un piège.

À l'autre extrémité de la pièce, aux antipodes, Korb aperçut Angelo qui lui adressait de grands signes. Non. Pas ça. Il courba la tête, porta la main droite à son front comme un être traversé de soudaines douleurs. Puis il pivota sur lui-même et s'éclipsa en rasant les murs, cap sur sa cabine.

– Vous ne vous sentez pas bien, professeur ?

Le docteur Charif l'interrogeait avec la sollicitude d'un vendeur de pêches trop mûres en fin de marché.

– Rien de grave. Névralgie faciale. Il suffit d'attendre que ça passe.

– Vous avez des antalgiques ?

– Oui, j'ai tout ce qu'il faut, merci.

– Essayez deux prises de 500 milligrammes à vingt minutes d'intervalle, c'est plus efficace que si vous les avalez en même temps.

– Merci. Merci docteur.

– Et n'hésitez pas à consulter. Je me débrouillerai toujours pour me libérer.

Korb n'en doutait pas. Il se dit que, cette fois, il allait boire pour de bon. Demain, au moins, sa migraine ne serait pas feinte.

Il avait raison de se sentir seul. C'était un fait avéré. Cette nuit-là, il ne restait que deux passagers à l'écart du mouvement général, sur la rive du fleuve. Martin Korb en mal d'amour. Et Marcel Chourgnoz retiré sur l'Aventin. Satisfaits ou non, enthousiastes ou critiques, les autres, tous les autres s'inscrivaient dans le cours des événements tel qu'il avait été canalisé. Pajetta et ses acolytes, une fois encore, avaient poncé les callosités du réel, camouflé les atermoiements, détourné les regards. Tous n'étaient pas satisfaits – du côté des messieurs, en particulier, la magie de Johann Strauss opérait inégalement. Mais nulle rébellion n'avait pris corps, au contraire. La troisième étape du plan, le scandale, servirait d'abcès de fixation.

Ce fut, à vrai dire, un demi-scandale, juste la bonne dose. Bien qu'aucune information officielle n'eût été diffusée, la salle du cinéma Babouchka était pleine fort avant minuit. Pleine de femmes autant que d'hommes. À l'entrée, quelques manifestations hostiles se déroulèrent comme prévu. Dotty Thunderbay brandissait une pancarte vigoureuse : *Sisters unite ! Stop Our Striptease !* Mais les « sœurs » ne paraissaient guère disposées à entendre l'appel, si l'on en jugeait par les piaulements émoustillés qui montaient des travées. Un peu plus loin, en cercle, quelques Italiens récitaient le chapelet. Ils avaient été mobilisés par Francesco mais ce dernier, qui travaillait à bord, n'osait clamer publiquement sa réprobation.

Massimo, décidément, avait changé son fusil d'épaule. Il se garda bien d'animer le concours, et même d'apparaître – il s'était installé en coulisse, discret au possible, comme si l'événement avait été une initiative des croisiéristes eux-mêmes, indépendamment de la compagnie qui s'en lavait les mains.

Solange sonna la charge avec un brio qui fit honneur à l'institut Violeta Glamour, berceau de son talent. Aussi maîtresse d'elle-même que Victoria Sinclair, la star de *Naked News*, commentant dans le plus simple appareil la politique américaine au Proche-Orient, elle se déshabilla au fil de son discours, puis, totalement nue et parfaitement à l'aise, exposa le règlement, décrivit les récompenses et présenta les concurrentes. La salle criait et applaudissait joyeusement. À l'extérieur, Francesco et ses ouailles – Dotty Thunderbay était partie se coucher – redoublèrent de ferveur.

Les six concurrentes qui défilèrent ensuite étaient de bonnes élèves et de charmantes femmes. Surmontant vaille que vaille les timidités et maladresses des néophytes, elles exécutèrent les figures imposées avec conscience, sinon avec génie. On devinait, à chaque étape, la fraîche leçon du professeur, mais enfin, la bonne volonté était entière et un joli sein, n'est-ce pas ? est un joli sein. Manifestement, l'assistance était très en peine de les départager, l'applaudimètre résonnait à niveau quasi constant. Les spectateurs penchaient sans doute pour l'une ou l'autre mais on les encourageait toutes et le caractère stéréotypé de la mise en scène (un, je rabats les bretelles ; deux, je dégage les bonnets ; trois, je dégrafe dans le dos) rendait difficile un triomphe spécifique.

C'est le numéro suivant qui secoua la routine et parut l'emporter. À la manière dont il débutait, l'assistance pouvait se demander s'il était réellement inscrit au programme. Une femme surgit, en effet, sur la scène, pourchassée par un homme écumant.

– Non, Jimmy ! hurlait-elle. Tu sais très bien que je ne veux pas !

Les passionnés de roulette reconnurent en Jimmy un des joueurs les plus assidus au casino Raspoutine.

– Pour te mettre à poil devant tout le monde, t'es toujours partante, ricana l'infâme en détachant sa jupe d'un coup sec.

– Pour toi, Jimmy, pas pour tout le monde !

– La preuve que non…

Il défaisait son chemisier, elle se tortillait, l'assistance se tenait les côtes. Bravo, enfin une performance originale…

Jimmy, intraitable, alla jusqu'au bout.

– Pas ma culotte, pas ma culotte !

Jimmy arracha la culotte. Sa partenaire s'effondra en sanglots tandis que la salle lui adressait une ovation.

Caché par un rideau noir, Pajetta eut fugitivement l'impression qu'elle pleurait pour de bon. Mais non, il fallait croire que non, c'était de l'humour, une vraie trouvaille…

Solange, tellement sûre d'elle que, nue, elle semblait habillée, surmonta sa contrariété (strip-tease, ils appellent ça du strip-tease !), vola au secours de la victoire, revêtit la femme larmoyante d'un peignoir parme et entreprit de couronner les vainqueurs.

– On ne pleure plus, c'est fini, c'est un triomphe. Vous les avez applaudis très très fort, et nous allons donc leur décerner…

– Attendez ! Attendez donc !

C'était dit d'une voix fluette mais ferme, une voix qui trahissait l'âge. Marinette Chourgnoz, vêtue d'une robe à fleurs, s'avança d'un pas décidé.

– Et moi, j'ai pas le droit ?

Il y eut quelques ricanements épars, vite couverts par une marée de « chtttt ».

Sous les yeux de Solange à présent complètement désarçonnée, Marinette s'approcha de la chaise qui était l'unique accessoire disponible. Et elle se dévêtit comme elle se dévêtait chaque soir, pliant et rangeant ses habits un à un, sur le dossier. Elle ne se pressait pas. Et quand ce fut fini, elle s'adressa au public le plus calmement du monde.

– Voilà. J'ai fait ça parce que mon mari est trop radin pour me payer des soins au centre de beauté Zibeline. Peut-être qu'avec vous j'aurai plus de chance.

Tandis qu'elle disparaissait sous un peignoir, une déferlante de hourras la submergea. Marinette Chourgnoz avait gagné. Elle pensa que c'était Marcel qui serait ridicule, et cette pensée la combla. La séance prit fin dans un brouhaha d'éclats de rire. Au-dehors, Francesco et les siens prièrent avec une énergie encore accrue, car chacun sait que le rire est le propre du diable.

Cette nuit-là, les lampions éteints, les festivités closes, le scandale retombé, la surprise digérée, l'*Imperial Tsarina* redevint un navire.

Certes, on surveillait la machine comme si les dix-huit nœuds chèrement acquis n'étaient qu'une rémission, un cadeau précaire. Mais on taillait la route. On la taillait même dans une mer de plus en plus formée. Le roulis s'installa le premier, le paquebot commença de se balancer en cadence. Puis les vagues, travaillées par le vent, se cambrèrent, entreprirent de se contrarier entre elles, de se croiser sournoisement. Et le tangage naquit, l'étrave pilonna. Le paquebot se lançait en avant, se cabrait, puis retombait lourdement, défonçait l'élément avec une obstination rassurante.

À la passerelle, Shrimp était gagné par une sorte d'exultation silencieuse. Il retrouvait son jeu de jambes, il retrouvait la posture inconsciente de tous les marins qui marchent sans s'apercevoir que cette marche est une danse. Bon sang, on sortait du trou, on quittait le pot-au-noir. Il subsistait, bien sûr, une foule d'incertitudes, de menaces. Mais la mer était libre, à présent, le bateau cessait d'être un bout de ferraille inerte, une péniche hôtelière où l'on attend que ça passe. Tous ces jeux, toutes ces feintes...

Théoriquement, il devrait ralentir. En paquebot de croisière, on n'hésite pas à lever le pied, à arrondir, afin que la houle ne dérange ni le jour ni la nuit des passagers. Mais il ne ralentirait que si la machine l'exigeait. Cette nuit, il avait décidé que la mer serait présente. La croisière mystère allait dévoiler une surprise de plus : sur l'océan, il y a des vagues.

CHAPITRE 9

OÙ XAVIER CLABAUDANT DE SAINT-AMER HISSE LE DRAPEAU NOIR

Shrimp ne ralentit pas, la machine résista, et le lendemain, peu avant le coucher du soleil, l'*Imperial Tsarina* entrait en rade d'Antsiranana, l'orgueil de Madagascar, une des plus belles et plus vastes du monde, mieux connue sous son nom colonial de Diego Suarez. La traversée avait été un brin agitée, une pluie chaude fouettait continuellement le pont, mais le moral du bord paraissait se maintenir en dépit de barbouillis inévitables.

Nombre de signes donnaient à penser que la croisière devenait enfin « normale ». L'envoyé de Soteriades négociait avec Boris Balakirev à Moscou. On remplaça le fuel traité par un carburant vierge de toute contamination. Côté passagers, la journée suivant l'arrivée fut consacrée aux excursions et au shopping rue Colbert, boulevard Bazeilles ou au grand marché de Tanambo – rien n'est plus aisé que de s'y procurer un peu de *khat*, le « talisman vert » dont on mâche les feuilles pour oublier l'angoisse et trouver l'ivresse. Et Salman, le chef cuisinier, proposa, au dîner, de

« tendres migratrices en barde avec leur grappe italienne » (cailles au raisin). Bref, il semblait que la routine eût repris le dessus.

À bien y regarder, les choses n'étaient pourtant pas si ordinaires. Massimo Pajetta, après être longuement rentré en lui-même (et après méditation sur le chant XXIII de l'*Iliade* : « Vite ils gagnent la mer et soufflent sur les flots, leur haleine sifflante élève haut les vagues... »), avait conclu des récentes péripéties qu'il y aurait un avant et un après. Il renonça définitivement aux salutations tonitruantes du matin, à l'énigme du jour, à Dalida sur le coup de 18 h 15 pétantes. De l'épreuve précédente, il avait retenu qu'il est possible et souhaitable de tisser avec les passagers une connivence, et que la chaîne et la trame de cette dernière sont beaucoup plus modulables qu'il ne l'imaginait. Jusqu'alors, il se contentait d'appliquer des recettes simples, pour ne pas dire grossières. L'hypothèse basse. Il aimait à se considérer comme un acteur qui serait en même temps le directeur du théâtre, mais il découvrait aujourd'hui que son répertoire était un peu court et son jeu trop convenu. C'était à la fois désagréable et excitant.

Il résolut ainsi d'institutionnaliser une fois pour toutes les leçons de tai-chi dispensées par maître Kyung. Ce qui ne se révéla guère facile, car, à peine débarqué, le Coréen – qui n'était pas de quart – s'en fut entamer son pécule, accompagné de Kim, Park et Yang dont le pouvoir d'achat s'était soudainement envolé, au Watcha-Watcha, bordel sulfureux de la rue du Maréchal-Hellequin, près du cimetière anglais. Rongé par la jalousie, le reste de l'équipage jugea que pareil privilège n'était point admissible et s'en vint donner l'assaut à la maison close vers trois heures du matin. On se battit comme à Stalingrad, couloir après couloir, on finit par dénicher Kyung en compagnie de deux créatures qui se révélèrent mère et fille, et on le roua de coups jusqu'à ce qu'écroulement s'ensuive. Si bien que le maître, au matin, fit longuement attendre Marinette Chourgnoz (« *BE MINE* ») et les autres élèves. Quand il parut, sa pommette gauche s'ornait d'un sparadrap, ses lèvres étaient enflées et les ailes de son nez avaient gagné trois centimètres d'envergure. Par le truchement d'une hôtesse, il fit savoir que, ce jour, on travaillerait la technique du ralentissement suprême, laquelle réclamait des gestes spécialement économes.

Shrimp, lui aussi, renouait avec l'habitude. Paperasses portuaires et consulaires, recommandations de l'agent, liaisons avec Athènes où Marios Soteriades s'inquiétait de la manière dont BB faisait traîner en longueur les pourparlers de paix. Mais là encore, des soucis insolites venaient perturber les apparences. La rancune à l'encontre du commissaire montait. Au point qu'il choisit de crever l'abcès. Une fois les croisiéristes descendus à terre, il profita d'un briefing pour susciter, après le départ du commissaire adjoint, une explication en tête à tête. Tribis n'était plus sous le coup de l'émotion et il avait retrouvé sa morgue pleine et entière.

– Je n'ai aucun commentaire à ajouter.

– Il vaudrait pourtant mieux que nous nous mettions d'accord.

– Le procès a été instruit en mon absence, j'imagine parfaitement le réquisitoire. Alors dites-moi quelle est la peine prononcée.

– Il ne s'agit pas de procès.

– C'est pire, commandant. Vous avez laissé le chef me frapper. À notre retour, j'en rendrai compte.

– C'est votre droit. C'est aussi votre droit de téléphoner au président de notre compagnie comme ça vous chante. C'est votre droit mais ce n'est pas très loyal dans un contexte exceptionnel. Nous vous avons fait confiance, cela n'a pas été réciproque.

– Croyez ce que vous voudrez si ça vous arrange.

– Rien ne m'arrange dans cette affaire.

– Bonne journée, commandant.

Tribis se dirigea vers la porte mais se ravisa, tout à coup.

– Je n'ai *pas* téléphoné à Marios Soteriades. Vous vous trompez d'adresse.

Il disparut. Il avait insisté sur la négation avec tant d'énergie que le capitaine en fut troublé. Il se rappela que le commissaire avait réellement paru tomber de la lune quand il avait appris la résurrection du Grec.

– T'aurais jamais dû aller au catéchisme quand t'étais petit, lui dit Be-bop auquel il rapportait ses doutes. Tu nous fais encore une poussée de masochisme catho. C'est un tordu, ce mec. Il s'appelle pas Dreyfus, il s'appelle Lembrouille.

– Quand même, quand même, quelque chose n'est pas net.

– On n'a qu'à le torturer. Il y a ici des tout petits piments verts qui ont l'air parfaitement innocents, comme l'autre faux cul. Mais si tu en manges cru un millimètre cube, tes boyaux se transforment en chambre à air périmée. Laisse-moi faire, il va causer...

– Tu as peut-être raison, Be-bop. Mais moi j'ai un doute. Et tant que j'ai un doute...

Deux heures plus tard, le chef revenait triomphant, une feuille de papier à la main.

– Tu connais la blague, Shrimp ?

– Je vais la connaître.

– Sherlock Holmes demande à Watson ce qu'il voit. Et Watson répond qu'il voit les étoiles briller dans un ciel très pur.

– C'est là qu'il faut rire ?

– Attends, attends. Tu sais ce qu'il dit, Sherlock ? Il dit : « Vous êtes un imbécile, Watson, vous n'avez même pas vu qu'on a volé notre tente. »

Shrimp était bon public. Il rit au moment opportun.

– Eh bien, mon cher Watson, voici la preuve de ce que j'avance.

Il posa la feuille de papier. Deux photographies numériques y étaient imprimées. La première représentait un téléphone Iridium, à peine plus gros que n'importe quel combiné portable. La seconde détaillait le numéro de série de la machine.

– Troisième tiroir à gauche, jubila Be-bop.

– Tu as fouillé sa cabine !

– J'aurais pas dû. J'aurais même pas dû pouvoir. Mais nous autres, les oubliés du sous-sol, on est obligés d'être un peu bricoleurs. Alors, tu t'inclines ?

– Je m'incline.

– On lui fait bouffer le piment ?

– Surtout pas. On le laisse travailler peinard. Les comptes, on les réglera plus tard, quand la croisière sera finie.

– Comme c'est parti, ça risque d'être dans longtemps…

Ils furent interrompus par un homme d'équipage.

– Commandant, il y a de la visite pour vous. Un militaire.

– Un militaire malgache ?

Shrimp voyait déjà se profiler une montagne de tracasseries, formulaires, bakchichs et autres joyeusetés du voyage au long cours.

– Non, commandant. Un marin français.

C'était un tout jeune lieutenant. Il avait peut-être vingt-six ou vingt-sept ans, mais la mine proprette, le poil ras et la joue rose des gars de la Royale lui en retiraient trois ou quatre. Il salua réglementairement.

– Pardon de vous déranger, commandant. Je suis l'enseigne de vaisseau Kermarec et je vous apporte un message de mon commandant. Il précise que c'est urgent.

– Merci, lieutenant. Vous êtes le bateau gris mouillé au point 23 ?

– Affirmatif, commandant. Le patrouilleur *La Valseuse*.

– C'est une blague ? questionna Be-bop.

– Non monsieur. *La Valseuse* est un patrouilleur de 480 tonnes du type *La Baladeuse*. Deux canons de 20 et 40 millimètres et 23 nœuds en croisière.

– Je parlais du nom.

Le garçon faillit sourire mais le règlement fut le plus fort.

– Entre nous, on l'appelle *La Couille*, monsieur. Mais c'est un bon bateau. Joliment frégaté.

Shrimp, lui, souriait sans retenue.

– Remerciez votre commandant, nous allons prendre connaissance de son message. Vous êtes toujours bienvenu à bord.

Le lieutenant s'en alla et tous deux, assez intrigués, défirent l'enveloppe. Elle contenait un carton blanc sur lequel était écrit à la machine :

Le capitaine de corvette Xavier Clabaudant de Saint-Amer, commandant le patrouilleur La Valseuse, *serait heureux de recevoir à son bord M. le commandant du paquebot* Imperial Tsarina *afin de lui communiquer une information d'importance. Seize heures serait un moment opportun si M. le commandant du paquebot* Imperial Tsarina *peut se rendre disponible.*

RSVP VHF canal 32.

– Qu'est-ce que c'est que ce cirque ? rigola le chef.

– Juste un peu de protocole. Entre Français. Tu viendras avec moi ?

– Si je te fais pas honte...

– Tu me fais honte, mais j'assume.

Le canot était annoncé pour 15 h 38 et à 15 h 38 il était là. Shrimp et Be-bop, en parfait uniforme blanc, étaient annoncés pour 16 h 00 et à 16 h 00 ils pénétraient dans le carré du commandant de *La Valseuse*. L'enseigne de vaisseau Kermarec avait, en effet, expliqué à ses hôtes, lors du trajet, que Xavier Clabaudant de Saint-Amer était névrotiquement à cheval sur l'horaire et pouvait fort bien vous convoquer à 7 h 23.

C'était un homme assez grand, moustachu, la paupière lourde. Ses yeux las jetaient sur le monde un regard désabusé. Il se tenait voûté et s'exprimait d'une voix fataliste et railleuse. « J'ai vu ce type quelque part... » songeait Shrimp sans réussir à préciser où.

Clabaudant paraissait la proie d'une vive indignation.

– Messieurs, dit-il en désignant les banquettes de la main pour inviter ses visiteurs à s'asseoir, nous ne sommes que des anachronismes.

– Qui ça, nous ? demanda Be-bop tout en prenant place.

– Nous les marins, les gens de mer. Tenez, regardez !

Il brandissait un épais assemblage de papiers reliés. Et, avec l'index, il pointa ce qui semblait être une circulaire.

– Dernière commission de la tenue sous la présidence du major général : « Autorisation du port du pantalon de

spencer avec bande or pour les officiers qui le souhaitent… »
Écoutez-moi ça !

– Excusez, insista le chef, mais je ne sais pas ce que c'est, un pantalon de spencer.

– Notre pantalon d'apparat. La tradition était qu'il fût orné d'une bande dorée. Puis la tradition s'est perdue. Évidemment. Aujourd'hui, on perd ses traditions comme on perd ses clés. Certains d'entre nous ont demandé le rétablissement de la bande or. Eh bien, on nous l'octroie, on nous l'octroie ! (Il se remit à lire.) « Le coût financier de la confection de cet effet restera à la charge de l'intéressé… » Vous avez compris ? Messieurs, la tradition est devenue une option. Comme le dégivrage électrique du rétroviseur sur votre voiture.

Il oscillait entre la vocifération et la confidence.

– Si vous permettez, commandant… glissa Shrimp qui se demandait ce qu'il fichait là.

– … Mais le pire est à venir. Oyez, camarades, oyez ! « Toutefois, cette autorisation est limitée au cadre des soirées privées ou des manifestations organisées dans un contexte Marine. Hors de ce cadre, le pantalon de spencer *sans bande or* reste la tenue réglementaire en vigueur lors des soirées interarmées. » Vous avez compris ?

Shrimp et Be-bop ne dissimulaient plus leur perplexité. Mais Clabaudant s'en moquait totalement.

– Interarmées ! Vous avez compris ? Cette année, la mode sera kaki. On est prié de retirer sa bande or avant de monter dans le char d'assaut. Je parie qu'un gros malin va nous en fabriquer à scratch, autoadhésives et amovibles. Vous avez compris ?

– Commandant, intervint Shrimp, votre message parlait d'une « information d'importance ». Je cite.

– Il y a eu les derniers des Mohicans. Nous sommes les derniers des crabes-tambours. Une belle œuvre, hein ?

– Certainement. Certainement. Mais…

– La seule. Tenez, monsieur…

– De la Mare. En trois mots.

– J'espère bien. De la Mare… J'ai connu un de la Mare à l'école navale, il était apparenté aux du Ramier de Basseterre, vous savez, ceux qui ont eu des problèmes en Calédonie.

– Non, ça n'est pas ma famille, pas du tout. Notre particule, elle était d'occase.

– Tant pis. Je sens que vous êtes un sacré lecteur, de la Mare. Alors citez-moi une autre grande œuvre maritime que *Le Crabe-Tambour*.

Be-bop avait l'air d'un gamin pris en faute à l'oral du brevet.

– Vous avez compris ? Vous ne trouvez pas. Vous ne trouvez pas parce qu'il n'y en a pas. Et il n'y en a pas parce que nous sommes des vestiges, les reliquats honteux d'un empire défait. Oui ?

Le maître d'hôtel frappait et entra.

– L'amiral est à bord, commandant.

– Pas trop tôt.

Un homme se présenta qui portait la tenue complète du touriste en vadrouille. Bermuda fatigué, sandales poussiéreuses et T-shirt jaune arborant la découpe d'une île tropicale et la mention *Sorry no telephone*. La cinquantaine débutante, les yeux malins et le crâne tondu.

– Je vous présente le contre-amiral Lepetit.

– Mais non, Clabaudant. Cette semaine, c'est Lanquetot. Contre-amiral Lanquetot. Ça n'a d'ailleurs aucune importance, tout le monde ici m'appelle Longues-Oreilles.

– L'amiral euh... Lanquetot est porteur du message dont il était question. Je vais d'ailleurs vous laisser avec lui. Nous nous reverrons très vite, je le crains bien.

Sur ces paroles aussi alarmantes qu'incompréhensibles, il salua et s'en fut. L'amiral touriste se cala sur la banquette.

– Il vous a fait le coup du « tout fout le camp » ?

– On peut dire ça comme ça, confirma Shrimp.

– Vous ne pouviez pas y échapper. Clabaudant est un cornichon, je dirais même un cornichon moisi. Il est corvettard mais n'a qu'un commandement de jeunot. Habituellement, chez nous, ce genre de lascar, on lui donne un truc ronflant avec un bon second qui abat le boulot. C'est la vie : où qu'on soit, la proportion de cons est stable, non ? Mais Clabaudant, lui, n'est même pas foutu de servir les petits fours. Y a qu'à la mer qu'il fonctionne. Pas mal, d'ailleurs. Vous savez comment son équipage l'a surnommé ? Le Rab-Tambour, parce qu'il les oblige à visionner le film tous les vendredis. Bon film, mais cinquante-deux fois par an...

Shrimp et Be-bop laissèrent échapper un gloussement de circonstance mais ils discernaient mal la fin de l'histoire. Shrimp décrypta soudain l'impression de déjà vu qu'il avait éprouvée devant son collègue : Clabaudant imitait, consciemment ou non, la dégaine de Jean Rochefort, excellent dans le rôle d'un pacha finissant.

L'amiral se pencha vers eux.

– Trêve de conneries, j'en viens aux choses sérieuses, malheureusement très sérieuses. Vous êtes le commandant Shrimp, c'est cela ?

– Non, je m'appelle Santucho. Manuel Santucho.

– Une erreur sur la fiche, excusez-moi, *nobody's perfect*. Pour ce qui me concerne, peu importe mon patronyme, je suis le responsable d'un service de renseignements fondé sur les écoutes – Longues-Oreilles, ça vient de là, vous l'aurez deviné. Commandant, que savez-vous de la piraterie dans l'océan Indien ?

– Ça nous paraît très préoccupant, répondit Shrimp. Surtout près des côtes de Somalie et dans le détroit de Malacca. Je sais que, récemment, un paquebot a dû se mettre en fuite.

– Exact. Et savez-vous jusqu'à quelle distance du rivage interviennent les pirates somaliens ?

– Pas vraiment. Je sais qu'ils vont de plus en plus loin…

– Jusqu'à 200 nautiques, exactement.

Be-bop siffla d'étonnement.

– Je croyais qu'ils utilisaient des bateaux légers, des coques planantes pour aller très vite. Mais ça n'a pas de réservoirs importants, ces machins-là !

– En fait, ils utilisent, pour ravitailler, des navires relais, souvent des bateaux de pêche complices. Ça n'a plus rien à voir avec la piraterie de papa. Ils sont bien armés, y compris des lance-roquettes antichars soviétiques du type PPG 7. De quoi tuer du monde et percer l'acier. Ils fondent sur vous à l'improviste, éventuellement de nuit, vous n'avez pas le temps de les sentir arriver. Puis il y a deux hypothèses. Ou ils massacrent tout l'équipage, emmènent le bateau en Asie et le fourguent là-bas. Ou ils s'installent à bord et négocient avec l'armateur et l'affréteur. Qui paient. Un million de dollars, ça n'est pas énorme contre un navire et sa cargaison.

– Je pensais que c'était plus artisanal, confessa Shrimp.

– Ça l'était, ça ne l'est plus. Même les agressions contre les plaisanciers sont très organisées, avec demande de rançon par Internet. Nous ne nous en vantons pas pour ne pas leur faire de pub, mais c'est devenu une priorité lourde. Nous assurons en permanence une veille à la mer, plus des avions qui ratissent. Mais c'est grand, l'océan Indien. Vous imaginez l'importance stratégique du secteur : nous sommes sur la plus importante route pétrolière du monde. Au moment où je vous parle, il y a deux tankers stoppés depuis une bonne semaine : la négociation est en cours. Ni nous ni les Américains ne voulons intervenir tant que la vie de l'équipage n'a pas l'air menacée.

– C'est à ce point-là !

– Oui, c'est à ce point-là.

– Et moi, qu'est-ce que je viens faire là-dedans ?

– Il y a un contrat sur votre bateau.

– Bordel de merde ! jura Be-bop.

– Qu'est-ce que vous appelez un contrat ? demanda Shrimp.

– Nous avons des gens qui prennent des risques importants. Jusqu'ici, nous nous contentions d'écouter les communications et d'observer les mouvements. Maintenant, nous commençons à pénétrer certains réseaux. Je ne peux pas vous en dire plus. C'est secret et c'est dangereux. Mais le bruit nous est revenu qu'un paquebot était dans la ligne de mire. Un paquebot dont l'armement est grec. Un paquebot assez petit, avec un nom russe. Il s'agirait de prendre ses occupants en otage.

– Dans quel but ?

– Nous ne le savons pas exactement. Nous ne savons pas non plus qui est le commanditaire. Je suppose qu'il s'agit de soutirer du fric, comme d'habitude. Votre armement n'est pas marqué politiquement ?

– Absolument pas.

– Des fonds israéliens, directement ou indirectement ?

– À ma connaissance, c'est exclu.

– Indiens ou saoudiens ?

– Hors de question.

– Alors on est dans le cas de figure crapuleux. Vous n'avez pas de chance, mon vieux. J'ignore pourquoi ça tombe sur vous, mais le tuyau est bon. Béton. Dites-moi, on a eu un mal de chien à vous repérer. Qu'est-ce que vous fichiez du côté de Rosedo, ça n'est pas la route des paquebots, ça ?

– C'est un voyage un peu particulier. Hors des sentiers battus.

– Un truc spécial ? Le style on va faire un tour derrière les fagots ?

– À peu près, oui.

– Ils aiment ça, vos passagers ?

– C'est une première. On dirait qu'ils apprécient, en effet.

– Tant mieux. Parce que la seule offre que j'ai à vous faire, c'est de continuer.

– Expliquez-vous.

– De deux choses l'une. Ou vous débarquez vos clients. C'est une solution raisonnable mais votre armement va hurler. Ou vous emmenez vos croisiéristes au-delà de la limite des 200 milles.

– Mais qu'est-ce que vous voulez que je leur montre ? À 200 milles, il n'y a rien à voir.

– Je sais. Comme disait Mac-Mahon, que d'eau, que d'eau ! À moins que vous organisiez une excursion aux Kerguelen, aux îles Crozet. Mais pour le coup, ça durera quelques semaines.

– C'est un truc de dingues, ce que vous me racontez là.

– Pas du tout. Les pirates sont tout sauf dingues. Ce sont de bons militaires et de bons financiers. Pour ce qui est de raisonner, ils raisonnent. Moi, sachant ce que je sais, je vous dis ceci : à moins de 200 nautiques des côtes, jusqu'à nouvel ordre, vous vous mettez en réel danger et vous y collez vos passagers. Où devez-vous les débarquer ?

– Mombasa.

– C'était notre hypothèse. Vous ferez escale aux Comores ?

– À Moroni, oui.

– Je préférerais Mayotte, nous y sommes chez nous. Et Port Longoni est bien équipé. Il faut contourner la Grande Île en arrondissant à bonne distance. Je peux vous accompagner jusqu'à la limite de sécurité et rester en liaison avec vous. Plus tard, à l'approche du Kenya, on vous reprendra en charge si besoin est. Le gouvernement français, dans sa grande bonté, est prêt à dépenser le fuel du cornichon pour vous protéger.

– Pourquoi ce cadeau ? Le bateau n'est pas français !

– Avec nos alliés, nous nous sommes réparti le terrain. Je ne travaille pas sur Malacca, je partage sur la mer Rouge et la mer d'Arabie. Et ici, c'est à nous de jouer. Vous devez appareiller demain, c'est bien ça ?

– On ne peut rien vous cacher.

– C'est un métier. Si vous acceptez notre aide, *La Valseuse* va vous accompagner d'ici à Mayotte, puis vous escortera au grand large. Nous vous préviendrons par satellite si le climat s'assainit.

– Il faut que j'en réfère à la compagnie.

– C'est la moindre des choses. Mais je le répète : notre information est très sérieuse. Je vous demande expressément de l'expliquer à votre armateur et je suis prêt à le joindre le cas échéant. Vous avez ma parole de marin. Voici un numéro de téléphone où l'on vous répondra à toute heure.

Shrimp et Be-bop ne rentrèrent pas tout de suite à bord. Ils avaient besoin de digérer l'information car ils étaient convaincus que Longues-Oreilles disait la vérité, peut-être pas toute la vérité, mais rien que la vérité. Ils s'accoudèrent au bar d'une gargote donnant sur la rade. L'*Imperial Tsarina*, blanc contre le ciel sombre, paraissait immense et majestueux. Tous deux s'exprimaient d'une voix pensive.

– Pajetta va devenir fou, prophétisa Shrimp.

– C'était déjà fait, non ?

– Cette fois, il y a de quoi. C'est très gentil d'emmener les passagers au fin fond de l'océan plutôt que de longer la côte, mais ça n'est pas gagné d'avance. J'aurais même tendance à croire que c'est perdu. Moi, j'avais prévu de piquer vers l'Afrique et de remonter sur Zanzibar. Au lieu de ça, cap au noroît et rien à voir.

– Pourtant on est bien, au large. Y a que là qu'on est bien.

– Tu ne connais pas la cerise sur le gâteau.

– Qu'est-ce que tu veux qu'il nous arrive de plus ?

– Du gros temps, Be-bop. Du gros mauvais temps. À trois, quatre jours.

– Tu es sûr ?

– De la dépression, oui. De son intensité, non. Je prendrai l'avis des météorologues de la Marine, leurs modèles sont bons.

– Les passagers commencent à être amarinés.

– Ne rigole pas. Si on reste douze heures à la cape, la seule planche de salut, c'est notre stock de scopolamine.

– Note bien, ça ne fera pas non plus l'affaire des pirates, le gros mauvais temps.

– Exact. C'est le seul avantage de l'inconvénient. Et franchement, je n'en trouve aucun autre. Ça recommence, Be-bop, on est dans la nasse.

– D'où ils sortent, ces pirates ? Et pourquoi nous ?

– Aucune idée. Peut-être que notre manière de naviguer à l'écart de toutes les destinations habituelles nous a fait repérer.

– Je t'avais dit de rentrer à la maison.

– À la maison, je m'ennuie. Tu le sais bien.

Joseph, le garçon de cabine du professeur Korb, était très inquiet. Ce matin, son client s'était levé pour participer au jogging quotidien et il s'était dit que l'abattement de la veille était en voie de dissipation. Joseph, en effet, était trop professionnel pour admettre cette histoire de migraines féroces et imprévisibles. Les migraineux, en pleine crise, ne trouvent pas, comme le professeur, l'énergie d'arborer tout à coup les symptômes d'une indignation rageuse. Non, ce qui semblait impressionnant chez lui, c'était une cyclothymie de plus en plus marquée. Or tous les garçons de cabine, sur cette terre, savent qu'un croisiériste cyclothymique résiste à l'euphorie ambiante et, en fin de voyage, ne consent qu'un pourboire déprimé.

Quand il vit Korb rentrer de son jogging la mine sombre, Joseph décida qu'il fallait agir sans délai. Il contacta Lazare, le collègue en charge d'Angelo Romano, et lui suggéra d'alerter ce dernier. Le professeur avait besoin d'aide, le professeur tournait trop en rond pour tourner rond. Lazare doutait un brin de la disponibilité du théologien – qui ne quittait plus Ines Magri, au point que l'événement s'était banalisé et que tous deux étaient maintenant regardés comme un couple établi. Mais il accepta de tenter une démarche.

Angelo et Ines avaient résolu de débarquer et d'aller découvrir Antsiranana. Ils acceptèrent toutefois de frapper à la porte du scientifique et de l'inviter à les rejoindre. Ce fut un désastre. Korb se contenta d'entrouvrir et cracha sur un ton rogue son refus pur et simple.

Il n'en pouvait plus. Svetlana l'évitait, gardait ses distances, laissant à Liliana le soin de justifier son comportement. Elle n'a pas le choix, il faut comprendre, c'est difficile, c'est même risqué, soyez patient, elle vous fera signe, ce soir peut-être, « il » doit se produire au casino après la soirée brésilienne, soyez prêt, elle vous appellera, elle vous dit que vous lui manquez beaucoup, que ça n'est pas sa faute.

Bien sûr que ça n'était pas sa faute ! Il était au courant, merci. Bien sûr qu'il ne lui en voulait pas, qu'il la savait victime, ô combien ! Mais il voyait les jours, les heures filer. Il se disait que la passion superbe qui flambait entre eux pouvait se perdre à quelques instants près, à quelques secondes. S'ils avaient été séparés par un océan, par un continent, il aurait pris son mal en patience et même recouvré la faculté de calculer. Mais l'obstacle était à la fois infime et dérisoire. Cela n'était pas juste, ni tenable. On n'a pas le droit de perdre pour si peu. Et puis il aurait voulu connaître son point de vue, échanger, savoir comment elle-même analysait la situation, si elle la jugeait définitivement bloquée ou non. Le bateau, les escales n'étaient plus que le décor du drame. Il s'en désintéressait complètement.

À l'heure du thé, il quitta la cabine, emprunta les coursives quasi désertes. Marcel Chourgnoz, qui refusait toujours de débarquer, était bien le seul à les arpenter d'un pas combatif, furieux que sa femme eût invité Rose Travis à bénéficier des douceurs du centre de beauté Zibeline où elle-même avait pris ses quartiers. Personne n'ayant osé lui raconter pour quelle raison Marinette jouissait d'un crédit illimité de soins gratuits (sans doute valait-il mieux qu'il n'en fût pas informé), il l'imaginait grevant sans vergogne le budget familial. Sans compter que, désormais, Madame suivait son bon plaisir, allait de son côté, et présentement visitait la ville en compagnie de sa nouvelle copine. Korb évita Marcel de peu, se dirigea vers le bar de la piscine mais bifurqua derechef car il y discernait quelques éclats de voix. Il battit en retraite, faillit encore se retrouver nez à nez avec l'irascible Chourgnoz, s'engagea précipitamment dans un escalier. Le navire était si anormalement paisible que les échos d'une discussion vive continuaient de le poursuivre, indistincts mais durables.

C'était Pajetta qui poussait des cris. Pamela Hotchkiss l'observait avec curiosité et stupéfaction, d'autant que les nouvelles étaient propres à susciter l'une et l'autre. Ce grand gaillard tellement assuré perdait pied comme un adolescent contrarié dès lors qu'il s'abandonnait à ses émotions. En matière d'émotions, elle-même n'avait de leçons à recevoir de personne, et suivait les courbes d'un effroyable grand huit au gré des variations de son mari qui était retombé, ce jour, dans une léthargie cotonneuse. Elle avait envie de pleurer, de crier, tout autant qu'un autre, mais elle ne trépignait pas.

Massimo, lui, ne se maîtrisait guère, s'autorisait à gueuler
tant que les croisiéristes (Pamela n'entrait plus, à ses yeux, dans cette catégorie) étaient absents.

– J'en ai marre, j'en ai marre ! On avait trouvé une ambiance, on avait réussi à...

– Ça ne sert à rien de geindre, Massimo, dit Shrimp d'une voix conciliante.

– Mais si ça sert ! Évidemment que ça sert ! Faut pas hésiter, ça soulage et c'est gratuit. (Il les regardait avec un air de défi, soudain dégrisé.) D'ici quarante minutes, tout le monde va rappliquer et il faudra sourire. Vaut mieux se purger avant, non ?

– Quand je pense, ironisa Pamela, qu'on présente l'hystérie comme une spécialité féminine !

– Mais elles ont raison, les femmes, plaida le Grand Animateur. Vous avez lu l'*Iliade* ?

– Où on va, là ? questionna Be-bop en levant les yeux au ciel.

– Moi, je lis l'*Iliade* tous les jours...

– Eh ben, va falloir passer à l'*Odyssée*, mon grand, c'est le programme de la semaine...

– Les héros grecs, ils pleurent, ils sanglotent, ils insultent le destin et les dieux, et ça n'en fait pas moins des héros.

– Ça n'est pas le sujet, intervint Shrimp.

Mais Be-bop avait changé de camp.

– Là je comprends ce qu'il a dans la tête. Moi, j'ai pas besoin de sourire dans mon boulot. Mais j'ai besoin de dire merde chaque fois que j'en ai envie.

– Le vrai luxe…

Ils avaient réussi à distraire Pamela.

Le commandant prit son ton de commandement.

– On se calme. Nous allons être obligés, après-demain mercredi, de partir vers la haute mer dans des conditions météorologiques incertaines. Pas en termes de sécurité, en termes de confort. Toute la question est de savoir comment nous pourrions faire en sorte que cette expérience ne soit pas, pour nos hôtes, une épreuve mais un centre d'intérêt.

– Pajetta va bien trouver quelque chose ! dit Pajetta.

– Ça ne marchera pas avec un gadget de plus, Massimo.

– Excusez-moi, commandant, mais je trouve un peu fort que mes initiatives soient ramenées à ça. Jusqu'ici…

– Ne vous vexez pas…

– Je ne me vexe pas, je trouve seulement injuste que…

– OK, j'ai été maladroit. Ce que je voulais dire, c'est que, ce coup-ci, il n'y a pas trop de déguisement possible.

– Tu peux traduire ça dans un dialecte qui descende jusqu'à moi ? demanda Be-bop.

Pamela lui répondit.

– Moi, ce que j'ai compris, c'est que d'habitude, une croisière c'est organisé pour qu'on oublie que la mer est un monde hostile, désagréable ou dangereux. Et que là, si le mauvais temps s'y met, il n'y aura pas moyen de le camoufler. Comme à l'époque des bateaux de ligne qui étaient bien obligés de passer par n'importe quel temps. J'ai tout bon, captain Shrimp ?

– 20 sur 20.

Pajetta était devenu songeur, absorbé. Il s'était débarrassé de ses humeurs comme on jette un mouchoir sale.

– Une anticroisière, en quelque sorte. Vous voulez maintenant une anticroisière...

– Moi, je ne veux rien, corrigea Shrimp. Je passe des compromis. Comme d'habitude.

Massimo était lancé.

– Une anticroisière, qu'est-ce que ça serait, une anticroisière ?

– Une aventure, dit Pamela. C'est bizarre, la mer, la façon dont on en parle. On vous raconte des histoires formidables, des naufrages, des requins sanguinaires, des vagues scélérates et tout le tintouin. Mais les marchands de mer, eux, ils vous refilent des couchers de soleil, du sable blanc et des petits poissons colorés qui ne vous veulent aucun mal. Vous êtes quoi, vous, dans le fond ? Des marins ou des marchands de mer ?

– Des marchands de soupe, ricana Be-bop.

– Pas d'accord, dit Shrimp. Moi, je suis d'abord un marin.

– Je vois la place qui me reste, enchaîna Massimo. Eh bien j'assume. Cracher sur les marchands, c'est cracher dans la soupe. Il n'y a que Voltaire, en France, pour l'avoir dit haut et fort.

– Ce garçon va finir à l'Académie française, rigola le chef.

– N'empêche, madame Hotchkiss, vous avez prononcé le mot important.

– Qu'est-ce que j'ai dit, moi ?

Pamela regardait le Grand Animateur avec un étonnement sincère.

– *Aventure*. Merci. J'ai vendu tellement de choses dans ma vie que je ne vois pas pourquoi je ne vendrais pas un peu d'aventure.

Il fut interrompu par un brouhaha joyeux. Les premiers croisiéristes revenaient à bord. Il dégagea son micro-oreillette.

– L'orchestre, bon sang, où est l'orchestre ? Samba au point G7. Je répète : samba au point G7.

Il bondit, sautillant et souriant. Le groupe se dispersa.

Shrimp regagna la passerelle afin de s'entretenir avec Marios Soteriades. Personnellement. Il avait déjà contacté le siège, mais le président n'était pas là et c'est à lui seul qu'il entendait s'adresser. Un rendez-vous téléphonique avait donc été convenu.

L'armateur l'écouta sans l'interrompre, sans un mot. Et quand le capitaine se tut, il prolongea le silence. Interminablement.

– Vous êtes toujours là, Marios ? finit par demander Shrimp.

– Où voulez-vous que je sois ?

Nouvelle plage de silence. Cette fois, c'est le Grec qui rompit.

– Il vous paraît un type de confiance, cet amiral Longues-Oreilles ?

– Oui. Un peu énigmatique, comme tous les gens qui touchent au renseignement. Il ne finit pas ses phrases, mais je suis persuadé qu'il est réglo et compétent.

– Ah ! Réglo et compétent.

Silence.

– 200 milles, Shrimp, c'est énorme.

– Ça fait peur, oui. Moi, mon réflexe, au large, c'est de me sentir en sécurité. Maître à bord.

Silence.

– Shrimp ?

– Oui, Marios.

– On va faire tout ce qu'il dit, l'amiral Longues-Oreilles. Absolument tout ce qu'il dit. Au doigt et à l'œil. Le grand tour. Jusqu'à Mombasa.

– Je veux un fax de vous, Marios.

– Mais je viens de...

– Je veux un fax. Je veux une trace écrite.

– On n'avait pas l'habitude de travailler comme ça.

– Non. C'est nouveau, ça vient de sortir. Vous ne me demandez pas d'où c'est sorti, Marios ?

– Ça suffit. Vous aurez votre fax. Est-ce que le commissaire est dans la confidence ?

– Pas encore.

– Ne lui en parlez pas. Vous êtes au large, point barre. Vous n'annoncez ni la position, ni la vitesse, ni l'heure d'arrivée. Vous gardez ça pour la Marine française et pour moi. Strictement par satellite.

– Mais enfin...

– Ce sont mes ordres. Et ça sera consigné noir sur blanc dans votre putain de fax !

– Qu'est-ce que je dis aux passagers ?

– Rien. La croisière mystère. Vous leur offrez des fleurs, du pinard à volonté, mais vous ne dites rien.

– Le vin à volonté, il faudra bien l'expliquer au commissaire.

– Il recevra des consignes. Tout ce qu'ils veulent, Shrimp, tout ce que vous voulez. C'est vous qui décidez. On va la sauver, cette foutue croisière.

– C'est vous qui parlez comme ça, Marios ? Il y a cinq jours…

– Il y a cinq jours, c'est du passé.

– Où en est-on, à Moscou ?

– Kissamos a bouclé le dossier. BB nous a tondu les couilles mais ça s'est réglé gentiment, presque trop. Apparemment, il a des ennuis là-bas. Ça doit le détourner un peu de nous mais ce n'est pas son style, je me méfie.

– Vous croyez que les choses vont se calmer ?

– Je ne crois rien, je me contente de prier le Seigneur. Salut, Shrimp, et surtout profil bas, hein ? Profil bas !

Après avoir raccroché, le commandant demeura perplexe, le combiné à la main. Qu'arrivait-il à Marios ? Profil bas, ça ne lui ressemblait guère. De quoi avait-il peur ?

Pour la soirée brésilienne, les quatre danseuses étaient vêtues de treize centimètres carrés d'or, parées d'un kilogramme de strass, juchées sur dix-huit centimètres de talons et coiffées d'un mètre vingt de plumes multicolores. Avant le spectacle proprement dit, elles firent, précédées par l'orchestre et suivies du Roi Momo, le roi des carnavals, irruption dans la salle de restaurant. Soucieuses d'étoffer la troupe féminine, elles avaient recruté les six élèves de Solange, la strip-teaseuse officielle du bord, lesquelles paraissaient, ma foi, très à l'aise, string mauve, collant résille et pendeloques miroitantes au bout des seins. Svetlana, forcément brune, donnait le ton comme si elle était Daniela Mercury en personne.

No, no es amor
Lo que tu sientes
*Se llama obsesion**.

Cueillis en plein dessert, les convives tombèrent aussitôt sous le charme, d'autant que l'interprète, à chaque ondulation des hanches, libérait une sensualité effarante. La présence, en outre, de passagères qui jouaient le jeu avec entrain était un piment inattendu.

– Votre femme n'a pas été tentée de figurer dans la parade ? lança malicieusement un voisin de table à Marcel Chourgnoz.

L'interpellé le regarda comme s'il avait été piqué par un des maudits insectes qui peuplent la région et haussa les épaules. Marinette, elle, plaça l'index sur ses lèvres et une vague de fou rire engloutit la table.

* « Non ce n'est pas de l'amour / Ce que tu ressens / S'appelle obsession. »

Una ilusion en tu pensamiento
Que te hace hacer cosas
*Asi funciona el corazon**...

Le professeur était tout pâle. Joseph avait réussi à le convaincre de sortir de sa tanière l'espace du dîner et Korb avait insisté pour obtenir une petite table en retrait où il mangeait seul. Mais la chanson de Svetlana, sa mine rayonnante, son sourire parfait et sa croupe à l'appui étaient trop ou trop peu. Il comprenait maintenant la véritable nature du supplice de Tantale : ce n'était pas un aigle qui lui dévorait le foie, c'étaient le manque et la jalousie. Elle était si proche et si férocement inaccessible. Il reposa sa serviette et se leva d'un coup sec sans voir que la fille, du coin des yeux, n'avait pas manqué son geste.

Il sortit et tomba dans les bras du Grand Animateur qui s'apprêtait à remettre les clés du navire au Roi Momo, parodiant le geste que fait, chaque année, le maire de Rio pour inaugurer le carnaval.

– Le menu vous déplaît tant que ça, professeur ? Je croyais pourtant que vous bénéficiiez d'un régime spécial.

Ce soir, Korb en avait par-dessus la tête des gens qui sourient. D'autant que l'autre insistait.

– Ça tombe formidablement bien, cette rencontre imprévue. Voyez-vous, professeur, nous allons être amenés à naviguer

* « Une illusion dans ta pensée / Qui te fait faire des choses / C'est ainsi que fonctionne le cœur... »

assez longtemps au large, et peut-être dans des conditions un poil agitées. Alors je me demandais si vous accepteriez d'évoquer en conférence la houle, le vent, le mécanisme des dépressions, les variations climatiques, enfin tout ce qui se rapporte à ce que nous allons probablement vivre…

– Vous vous foutez de moi ?

Il y avait de l'hostilité dans sa voix. Pajetta eut un mouvement de recul.

– Je n'avais nullement l'intention…

– Je suis astrophysicien, pas éleveur de grenouilles. Bonsoir.

Il essaya de contourner Massimo mais ce dernier risqua une marque d'apaisement.

– Je connais et je respecte votre spécialité. C'est moi qui vous ai invité, professeur. Ma suggestion n'était liée qu'à la situation présente. Vous êtes un excellent pédagogue…

Le miel le plus servile coulait de sa bouche. Et Korb eut une illumination.

– Si je vous rends ce service, m'accorderiez-vous un petit plaisir ?

Le visage de Pajetta n'aurait pas exprimé une joie plus éclatante s'il avait appris qu'on lui accordait le prix Nobel.

– Évidemment, évidemment, si c'est en mon pouvoir, professeur, bien évidemment…

Korb s'excusa d'être aussi grincheux, étala ses migraines, et proclama l'admiration qu'il éprouvait pour ce manipulateur, comment s'appelait-il déjà ? Aliocha, c'est ça, Aliocha, surtout dans ses numéros de close-up, c'est tellement impressionnant, une pareille habileté sous le nez des spectateurs, sans autre mise en scène, eh bien, si Aliocha, ce soir, au casino, voulait offrir un festival de close-up, un minigala spécial, une petite heure, ce serait sans doute plus efficace contre la migraine que des tonnes de paracétamol qui vous détraquent l'humeur.

Le Grand Animateur s'épanouit. Il craignait une revendication plus complexe à satisfaire. Son interlocuteur ne pouvait savoir qu'une clause, dans le contrat des artistes, prévoyait qu'ils devaient, sur simple réquisition, accepter un aménagement de leur prestation.

– Il en sera très heureux, c'est un homme de cœur, un passionné. Je vais lui dire que c'est vous qui l'avez réclamé, il en sera très très touché.

– Non non, ne lui parlez pas de moi, rétorqua le professeur un peu trop vivement. Cela lui apparaîtrait comme un caprice personnel. Dites-lui, au contraire, qu'il est réclamé à la demande générale…

– Ah ! professeur, professeur, vous nous connaissez trop bien, nous autres, les cabots !

C'est ainsi que Martin Korb, de haute lutte, permit à l'insaisissable Svetlana de lui accorder un rendez-vous, son mari étant occupé à escamoter des as de trèfle.

Elle était encore brésilienne quand elle le rejoignit aux pieds du dragon. C'est dire que le déshabillage fut aussi bref que la suite fut voluptueuse. Mais Korb ne cherchait pas seulement l'amour, il était en quête d'explications. Quand il commença de l'interroger, elle se déroba.

– Les mots, ça n'ajoute rien, professeur. Pourquoi voulez-vous toujours qu'on discute ? (Elle rit.) Il y a de meilleures façons d'occuper ma langue.

L'usage qu'elle en fit aussitôt lui coupa, en effet, la parole. C'est elle qui revint à la charge.

– Et puis on ne vous a jamais appris que les femmes sont des menteuses ? Tous les hommes racontent ça, non ?

– Svetlana...

– C'est moi, j'en suis sûre. Je vous jure, professeur, je ne mens pas. Oh ! je ne m'étais pas complètement déshabillée... (Elle feignait d'être confuse.) Excusez-moi.

À quoi faisait-elle donc allusion ? Il cherchait et ne trouvait pas. Elle rit à nouveau et commença d'ôter lentement les longues écailles dorées qui recouvraient ses ongles. Soudain, il s'aperçut qu'un doigt était privé d'ongle naturel – l'auriculaire de la main droite. Une strie violette en barrait l'extrémité. Il le saisit.

– Qui vous a fait ça ? Quand ?

Elle dégagea sa main en se tortillant.

– Ne vous faites pas mal, professeur.

– Pourquoi vous laissez-vous maltraiter ?

– Encore les mots. Mais je suis une femme, professeur. Toutes les femmes sont masochistes. Ça aussi, personne ne vous l'a appris ? Est-ce que ça vous amuserait de me faire souffrir, vous ? Et vous vous y prendriez comment ? Attendez. (Elle paraissait réfléchir gravement.) Vous, ça ne serait pas les aiguilles, les trucs comme ça. Mais je vous vois très bien m'attacher, et même serré. Ça vous ferait plaisir de me ligoter et de m'avoir toute à vous, pieds et poings liés ? Il suffit de le dire, il n'y a pas de mal à jouer.

Elle le défiait du regard. Il l'empoigna aux épaules.

– Plus fort, c'est bon, souffla-t-elle avec un gloussement ironique.

– Pourquoi supportez-vous cet homme ? Comment est-il entré dans votre vie ?

Elle leva les yeux au plafond et eut une moue désabusée.

– Il m'a rachetée.

– Je ne comprends pas.

– Il m'a rachetée. J'avais été vendue à un club de Saint-Pétersbourg.

– Vendue !

– Ça n'est pas difficile à comprendre. On vous met en dette jusqu'à ce que vous ne possédiez plus rien que votre peau. Alors vous vendez votre peau, qu'est-ce que vous voulez vendre d'autre ? Lui, il avait de l'argent, l'argent de son patron, Boris Eduardovitch Balakirev. Il a téléphoné, il était fou de moi. Ça l'a fait rire, Boris. Il lui a dit de me racheter, j'étais pas chère, j'étais presque pour rien.

– Mais aujourd'hui, vous pourriez être indépendante. Vous pourriez gagner votre vie par vous-même. Vous avez du succès.

– Aujourd'hui, oui. Ça commence à marcher. Mais bon.

– Quoi, « mais bon » ?

– Je vous l'ai dit. J'ai été rachetée, ça signifie que j'ai été revendue. Vous voudriez me racheter, vous aussi, professeur ?

– C'est une histoire d'argent ?

– Mais non. C'était une histoire d'argent et ça s'est transformé en histoire d'amour. Franchement, je crois bien que c'est pire.

– Et qu'est-ce qui vous empêche de... ?

– Vous connaissez la réponse, professeur.

– C'est lui qui vous empêche de... ?

– À quoi ça sert de poser des questions quand on connaît déjà la réponse ? Allez, venez donc, milord.

Chantonnant Piaf, elle se colla contre lui.

CHAPITRE 10
OÙ NORBERT DÉCLARE SON AMOUR D'ÉTONNANTE MANIÈRE

Le surlendemain, avant l'aube, l'*Imperial Tsarina* quitta Longoni dans le sillage de *La Valseuse*. Shrimp, depuis la passerelle, surveillait la manœuvre, le travail de Jin Ho et de ses hommes aux guindeaux. Il goûtait les appareillages de nuit. Plus complexes, sans doute, plus délicats. Mais, quand les autres dorment, on a l'impression de détenir un secret, de vivre une vie insoupçonnée. Le navire s'ébroua, se défit des lumières éparses. Quand le pilote s'en retourna, l'univers visible se limitait au feu de poupe du patrouilleur.

La veille, Shrimp avait reçu Clabaudant de Saint-Amer à dîner pour le remercier de son escorte. La conversation avait porté sur le thème préféré du visiteur : l'insuffisante culture maritime des Français. Voilà, disait-il, un pays plus doté qu'un autre en côtes et en grèves mais où l'on ignore la différence entre un méridien et un parallèle, entre le flot et le jusant. Il plaidait, il s'emballait. Pourquoi les Anglais nous ont-ils battus à tant de reprises ? Parce que le roi de France, qui ne manquait pourtant pas de professionnels remarquables, nommait amiraux des marquis en dentelles. Be-bop s'était amusé à lui demander si lui-même ne portait pas le titre. Mais Clabaudant, sans aucune malice, avait rétorqué qu'il n'était que vicomte et méprisait les fanfreluches. Son pantalon, toutefois (il s'était mis sur son trente et un car il y avait des dames), était barré d'or.

Longues-Oreilles était également invité – pour des raisons que nul n'avait à connaître, il avait fait le voyage jusqu'à Mayotte. Mais il s'était excusé, ne voulant pas apparaître en public. Les derniers renseignements, avait-il expliqué à Shrimp, confirmaient la menace qui pesait sur l'*Imperial Tsarina*. Les pirates, probablement, envisageaient d'agir depuis l'Afrique mais aucune autre hypothèse ne devait être exclue. Plus que jamais, il importait que le paquebot reste dans les eaux internationales, à bonne distance du continent africain, des Comores et des Seychelles. Quand il serait contraint de se rapprocher du Kenya, un autre patrouilleur, *La Râleuse*, présentement dans les parages de Dar es-Salaam, viendrait à sa rencontre. Shrimp avait décliné l'offre d'héberger des soldats et des armes. Dès lors que la route choisie le tenait hors de danger, il n'entendait pas transformer un bateau de croisière en cuirassé. Au reste, les radars militaires ne décelaient nulle présence anormale. Tout juste un bateau de pêche suivait-il une route assez voisine du paquebot, mais il s'agissait d'un palangrier maltais, le *City of Marsaxlokk*, bien connu pour travailler dans le secteur. Un bateau « ami » puisque son armateur s'appelait Marios Soteriades.

Les prévisions météorologiques restaient incertaines.
Pour cette journée, ce n'était pas si mal, le soleil devait l'emporter malgré un vent soutenu. Ensuite, la dépression se profilait toujours, sans qu'il soit possible de prédire sa trajectoire exacte et son intensité.

Aux passagers, il avait seulement été dit de profiter de l'arrêt à Mayotte pour acheter cadeaux et souvenirs. Ils se prêtaient au jeu volontiers, la partie de colin-maillard se poursuivait sans anicroche. Massimo Pajetta avait, selon son expression favorite, « aménagé le concept » de l'animation, et substitué aux gongs tibétains puis aux rumeurs de jungle une ambiance intégralement iodée : chants de baleines, clapotis de vaguelettes, cris de pétrels, de labbes ou de goélands, sirènes de navires, chants de pêcheurs – mais à mi-voix. Quand le soleil réussit à percer, quand maître Kyung, dont les cicatrices s'estompaient, prit la pose pour accueillir ses disciples, quand les premières chaises longues, autour de la piscine, trouvèrent acquéreurs, il apparut clairement que cette journée de transition, après les courses, les piétinements, les visites suantes des escales précédentes, serait vécue par les croisiéristes comme une sieste, une plage de nonchalance.

On s'éveilla donc paresseusement, jouissant de l'étirement du temps, de la vacuité de l'agenda et du bercement général.

Mais pour quelques-uns, cette matinée sortait de l'ordinaire.

Marinette Chourgnoz ouvrit les yeux plus tard que d'habitude et il lui fallut un bon moment pour réaliser qu'elle ne se

360 trouvait pas aux côtés de son époux ronchon et ronflant, mais bel et bien dans le lit de Rose Travis qui lui avait démontré, avec humour et doigté, qu'il n'est jamais trop tard pour découvrir son corps lesbien.

Découverte amusante, en vérité, troublante aussi, dont elle n'avait nulle intention de rendre compte à Marcel – il connaissait tout juste le mot, comment imaginerait-il la chose ? S'était-il seulement aperçu de sa disparition ? Rien n'était moins sûr : il dormait toujours comme un sonneur. Elle s'était allongée près de lui, avait prononcé un « bonsoir » rituel, et n'avait obtenu aucune réponse. Et la question avait travaillé sa cervelle comme une vrille, comme un foret : qu'est-ce que je fais là ? Elle était si taraudante, la question, que le sommeil se dérobait. Alors elle avait fini par enfiler un peignoir et demander l'hospitalité à son amie anglaise. Qui la lui avait donnée, et au-delà.

Dans la cabine du professeur Korb, Joseph restait interdit. Le lit était à peine défait. On s'était allongé dessus, mais sans ouvrir les draps. Et l'occupant des lieux demeurait introuvable. Nul ne l'avait aperçu au parcours de jogging. Et les hôtesses, les serveurs fournissaient la même réponse négative. Il existe mille manières de se dissimuler sur un paquebot. Mais quelle raison le professeur aurait-il eue d'agir ainsi ? Joseph hésitait. Prévenir le commissaire et le Grand Animateur semblait le bon réflexe. Joseph n'était toutefois pas un débutant. Il savait par expérience que celui qui tire le signal d'alarme finit par être soupçonné d'avoir provoqué l'accident. Il lui paraissait plus raisonnable, dans l'immédiat, d'invoquer saint Antoine.

Korb, en réalité, dormait comme dorment les ivrognes : sur le ventre, les mains à plat, le corps offrant tout entier l'impression qu'il pèse des tonnes, qu'il va passer à travers la couche. La veille au soir, les passagers étaient conviés sur la piste de danse pour une session « disco nostalgie ». C'est peu dire que les préoccupations du professeur en étaient éloignées. Mais ensuite, au cinéma Babouchka, Svetlana, seule avec les musiciens, assurait un récital de blues, « en hommage à Billie Holiday ». Korb, au dernier moment, s'était glissé dans la salle déjà obscure et avait occupé l'ultime fauteuil disponible, tout au fond à gauche. Svetlana chantait en robe sombre, sans le moindre bijou ni accessoire, ses cheveux blonds cuivrés formaient une auréole et la douleur des mots et des notes n'en était que plus vive. Elle ne cherchait ni à imiter ni à illustrer sa grande devancière et se contentait de chanter ses chansons. Entre Lady Day, l'étoile montante du Log Cabin de Harlem, et la petite danseuse de Mourmansk, il n'y avait rien de commun sauf l'essentiel : une colonne d'air frissonnante et propre à éveiller le frisson.

I can't give you anything but love, baby
That's the only thing I've plenty of, baby…

Si elle avait eu plus de métier, avait songé Korb, si elle était moins naïve, elle n'aurait pas osé affronter une diva et un répertoire pareils. Mais elle se mettait en danger avec une sorte d'innocence, elle ne reculait devant rien, et, du coup, échappait au ridicule.

Is it a sin, is it a crime
Loving you dear like I do
If it's a crime, then, I'm guilty...

Il avait senti un mouvement près de lui dans l'ombre. Une main avait déplié le petit strapontin qui était accolé à son fauteuil, une silhouette légère s'y était installée et des gens, devant eux, avaient protesté parce que le ressort grinçait.

I love you, oh, so badly
But I don't stand a
Ghost of chance with you.

Après la troisième chanson, Svetlana avait marqué une pause. La salle applaudissait avec ferveur. Certains s'étaient mis debout et le régisseur avait donné un peu de lumière pour qu'entre le public et l'artiste qui saluait l'échange fût plus aisé. Korb avait alors découvert son voisin, l'occupant du strapontin. Aliocha.

– Ce n'est pas une coïncidence, professeur. Je vous cherchais, je vous cherchais une fois de plus, j'ai tant de mal à vous trouver. Vous continuez à boycotter mes spectacles même quand ils sont réclamés « à la demande générale ».

C'était dit avec un ricanement amer.

– Laissez-moi écouter tranquille.

– Elle ne va pas reprendre tout de suite. Elle est sortie de scène, elle laisse tous ces applaudissements monter, elle ne reviendra que quand ils molliront. Vous ne l'avez jamais vue en coulisse, professeur ?

– Non.

– C'est là qu'il faut la voir. Elle décolle. Elle est transportée. Elle se demande s'il faut y croire. C'est comme l'amour.

La grimace de Korb n'avait pas échappé au magicien.

– Ne la cherchez pas, ce soir. Vous ne la trouverez pas. J'ai beaucoup donné hier, aujourd'hui je ne joue pas.

Un court silence. Puis il avait repris d'une voix plus sourde :

– Si c'est nécessaire, je ne jouerai pas demain non plus. Ni après-demain. Je perdrai mon travail, mon argent. Mais c'est fini, professeur. Fini. Vous avez compris ? Je ne la quitterai plus, plus une seconde. Je vais en coulisse.

Svetlana revenait à l'avant-scène. Le siège du strapontin s'était rabattu avec un claquement sec tandis qu'Aliocha s'éclipsait. Korb était parti à son tour. Rentré dans la cabine, il avait liquidé les petites bouteilles du minibar et s'était étendu sur le lit. Mais, malgré l'alcool, il était incapable de fermer les paupières, ses mains tremblaient, traversées d'électrochocs, sa nuque se raidissait, ses muscles devenaient de bois et sa cervelle tournoyait. Il était demeuré longtemps ainsi, trois ou quatre heures peut-être. Aucun signe ne lui parvenait plus de la vie du bord, aucun écho du couloir.

Il s'était levé, pâteux, barbouillé, et, muni de son passe, avait marché, sans rencontrer quiconque, jusqu'à la remise au dragon. Là, il s'était écroulé sur le lit de coussins et de drapeaux chinois bricolé par Svetlana, il avait cherché et trouvé son parfum, s'était vautré dedans puis avait commencé de gémir par sanglots secs, frappant le sol du poing. Vers l'aube, il avait basculé, victime d'une torpeur qui le terrassait.

Pamela Hotchkiss, elle non plus, n'avait guère dormi. Toute la journée de la veille, son mari était resté prisonnier d'une manière de brume aimable dans laquelle il flottait et se perdait. Il ne paraissait pas souffrir, il souriait plus ou moins, mais il était impossible de deviner à quoi, à quel spectre était dédié ce sourire. Elle l'avait installé sous le vent, à l'ombre, et s'était elle-même ankylosée, comme atteinte par la contagion, prisonnière des heures qui n'en finissaient plus de s'étirer. Shrimp était venu aux nouvelles et, malgré ses bonnes résolutions, elle n'avait pas réussi à retenir ses larmes, en guise de réponse.

Elle s'inquiétait que Norbert fût hors d'état de se nourrir par lui-même. À l'heure du dîner, elle avait appelé Chrysostome et le Philippin, avec beaucoup de tact et de savoir-faire, l'avait aidée à introduire un peu de purée, de jus d'orange, dans cette bouche muette où la langue s'agitait en désordre. Puis ils avaient déshabillé et couché le vieil homme. Elle s'était allongée près de lui, sur le drap, trop lasse pour ôter ses vêtements, et avait cherché, entourant du bras la tête de Norbert, à capter un peu de la chaleur qu'il émettait – son dernier signe adressé aux vivants.

Non loin de cinq heures du matin, elle avait trouvé le sommeil, l'avait débusqué à l'usure. Et présentement, elle prenait sa douche, se lavait d'une nuit qu'elle voulait rejeter comme on évacue la poussière et la sueur. Tandis qu'elle se savonnait, elle crut entendre un bruit. Attention aux hallucinations, se dit-elle. Elle augmenta la puissance du jet, se débarrassa de la mousse, attrapa une sortie-de-bain et quitta la salle d'eau.

– Pam !

Elle sursauta. Norbert lui souriait et, cette fois, il connaissait la destinataire du geste. Il s'était par lui-même assis dans le lit, pâle et fatigué, mais présent, totalement présent.

– Mon *Wall Street Journal*, s'il te plaît.

Pourquoi se priver d'une bonne blague ?

– Et j'aurais besoin d'un baiser. Et d'une déclaration d'amour.

Pamela était violemment secouée.

– Tu es… là, c'est vrai ?

– Oui, *sweetie*, je suis là. J'étais parti si loin, ce coup-ci ?

– Ça m'a paru loin. Et long.

– Excuse-moi.

Était-il sérieux ou non ? Songeait-il réellement à s'excuser d'être malade ? Elle l'observa et, durant l'examen, il ne broncha pas d'un pouce. Il souriait toujours.

– Alors ? Qu'est-ce que tu conclus ? Coupable ou non coupable ?

– Mon amour, c'est indécent. Tu es la victime, comment pourrais-tu te sentir coupable ?

– C'est pourtant vrai, je me sens coupable. Je suis la victime mais toi, tu es ma victime. C'est comme ça, aujourd'hui. Il y a vingt ou trente ans, la maladie, c'était juste un malheur. Maintenant il faut demander pardon d'avoir un cancer ou le sida. Pardon à la Sécu, aux proches, à son patron. Je te demande pardon, Pam.

– Tais-toi.

Il gloussa.

– J'aurai bien le temps de me taire quand je serai mort.

Elle s'assit sur le lit, tout près de lui, et le regarda tendrement.

– Qu'est-ce que tu ne ferais pas pour un bon mot ?

– Si je n'avais pas le sens de la repartie, tu aurais choisi Sergio Malarone. C'était moins une.

– Tu ne vas pas me reprocher toute ta vie de m'être intéressée à ce garçon. Il était beau.

– C'est ça qui est impardonnable. Non seulement il était beau, mais tu as hésité.

– Je n'ai pas hésité longtemps, j'ai choisi…

– Tu vois, tu as hésité. Tu imagines, si je n'avais pas eu l'esprit de repartie ? Tu aurais fait trois gosses à Sergio Malarone au lieu de vivre avec un génie de Wall Street dont le taux de spermatozoïdes est terriblement déficient.

Elle posa la main sur la sienne.

– Choisir, c'est continuer de choisir. Je n'ai jamais arrêté de te choisir. Ce matin, je te choisis. Et pourtant j'ai haï ton fric.

– L'argent, c'est comme les bons mots. Par moments, on pense que trop, c'est trop. Mais si on cesse d'en faire, ça manque vite et on ne rigole plus. Tu sais, Pam ?

– Quoi donc ?

– J'ai envie d'un Dom Pérignon. Un rosé. Comme celui qu'on a bu avec Braddy. Pour fêter ça.

– Maintenant !

– Dans une heure, *sweetie*, je serai peut-être...

– Je t'en prie...

– Pour fêter le bonheur de t'avoir devant moi, et de m'en rendre compte.

Dix minutes plus tard, Chrysostome remplissait les coupes. Pamela avait enfilé une robe fuchsia et ils trinquaient. La main de Norbert tremblait.

– À la vie ! dit-il. À cette seconde.

– À la tienne ! répondit-elle. Pour toujours.

Peu avant le déjeuner, Clabaudant s'en fut de son côté. La distance couverte était suffisante et la détection radar, affinée par avion, continuait de ne révéler aucune présence hormis le palangrier qui croisait à une trentaine de milles. Les passagers n'avaient guère remarqué la silhouette grise qui se délitait dans le lointain.

– Bon quart, commandant.

– Merci, commandant. Vous de même.

– Fin de communication.

– Tout bien reçu.

 Le capitaine de *La Valseuse* avait raccroché sans trémolo inutile. Les éclats de voix, c'était au port, à l'arrêt. Ainsi voguent les marins, qui ont l'épanchement et le superlatif en horreur partagée dès lors qu'ils se trouvent au large. L'*Imperial Tsarina* devait, à présent, se débrouiller seul. Shrimp était au moins rassuré sur un point : depuis que les cuves avaient été traitées à Rosedo et le fuel renouvelé à Antsiranana, la machine remplissait son office sans hoquet ni contrariété. S'il devait prendre une route plus longue et plus solitaire, du moins avait-il le sentiment de ne pas forcer le destin. Be-bop se plaignait encore de telle ou telle misère, démontait, ici et là, une boîte à cafards – la routine, la routine qui est, pour les gens de mer, une compagne bien-aimée.

Exprès, Shrimp fit son apparition au restaurant, Slivovice et un lieutenant veillaient sur la passerelle. Quand, en mer, le commandant s'autorise à déjeuner, quand rien ne paraît le presser, il donne le signal fort d'une situation normale et tranquillement sous contrôle. Ce midi, Shrimp se détendait un peu. L'*Imperial Tsarina* abattait, en une heure, ses dix-neuf nœuds. Peut-être conviendrait-il de ralentir si le tangage s'accentuait mais, pour l'instant, le bulbe ouvrait les vagues avec une belle constance.

Il fut étonné de voir surgir Norbert Hotchkiss au bras de son épouse. Angelo et Ines se présentaient simultanément.

– Ça va mieux ? questionna le commandant à l'intention de l'Américain.

– Sur le fond, je ne crois pas, répondit Norbert. Mais je suis en état de le dire moi-même, c'est toujours ça de pris.

On rit poliment, même si la plaisanterie était amère. Mais une deuxième surprise, non des moindres, vint interrompre la lecture de la carte («la préférée du maître Schubert et son arc-en-ciel de garnitures boisées», soit une truite aux champignons). Korb s'approchait. Il avait une mine de déterré, des valises sous les yeux, les cheveux en bataille. Mais il s'était résolu à sortir de son ermitage, à reprendre un semblant de vie sociale. Touchant le fond, il avait pensé que disparaître n'était finalement pas une solution, qu'il fallait occuper le terrain, repartir à l'offensive, épier l'adversaire, susciter l'occasion de croiser Svetlana ou, à tout le moins, d'obtenir de ses nouvelles par Liliana. Il se reprochait d'avoir manqué le jogging, ce matin, et, pour un peu, considérait pareille absence comme une désertion. Il balaya la salle du regard. Ni le magicien ni la chanteuse n'étaient présents : sans doute le tortionnaire la séquestrait-il.

On l'interrogea sur ses migraines et il produisit, une fois de plus, les explications rituelles. La migraine «essentielle» a ceci d'essentiel qu'elle est là par essence et qu'on en soigne, dans le meilleur des cas, les seuls effets. On le plaignit. Et Norbert prit le relais, soutenant qu'il était atteint de gâtisme essentiel puisque tous les médecins des États-Unis ne parvenaient point à le traiter.

– Ne parle pas comme ça, dit Pamela.

Norbert avait décidé d'occuper la scène. D'une main impérieuse, il fit d'ailleurs signe au vidéaste qui filmait le repas de se diriger vers lui.

– Écoute, Pam, je suis quasiment allongé sur mon lit de mort et en train de prononcer mes derniers mots. Comme dans les tableaux pompiers. Mon fils me tient la main et pleure, une servante s'évanouit, le notaire range ses papiers. Tu ne vas quand même pas me dicter ce que je dois dire dans un moment pareil !

Il rit avec autant d'énergie que ses forces le permettaient, imité par les autres convives. Pamela, elle, demeurait en retrait, ce qui n'était guère dans sa nature. Elle jugeait que son mari forçait la note, et saisissait parfois, au coin de son œil, des éclairs d'inquiétude, peut-être de panique. Il a peur, se disait-elle, il se sait en danger, en sursis, et il tremble. Cette idée lui transperçait le cœur et la tête avec une violence rare. En même temps, elle admirait Norbert pour son courage, sa classe. Même déliquescent, même humilié, il tenait son rang, il refusait d'abdiquer.

L'arrivée de Be-bop la détourna de ses ruminations moroses. Le chef respirait le bien-être et la satisfaction. Il s'assit avec un soupir d'aise, consulta la carte, grimaça, et réclama n'importe quoi qui ne fût pas une truite gelée.

– Ça va vous paraître incroyable, dit-il.

Ines prit la balle au bond.

– Quand quelqu'un parle comme ça, il faut que quelqu'un d'autre réponde « quoi ? »... Je vais donc me dévouer. Quoi ?

– Vous êtes très aimable. Eh bien, aussi incroyable que ça puisse paraître, tout marche. Tout baigne. Je ne sers plus à grand-chose sur ce bateau. Et j'irai même jusqu'à une petite sieste après le repas.

– C'est à ce point-là ? ironisa Shrimp.

– Oui mon commandant. La bécane tourne comme un défilé de mode. En plus gras.

Korb voulut montrer qu'il était de retour.

– Pourquoi est-ce si extraordinaire ? Vous avez vraiment eu des ennuis, ces jours derniers ?

Un éclat de rire général lui répondit. Tous les présents étaient dans la confidence, tous avaient connu les réunions secrètes du ballast 33, le chantage au dépôt de bilan, la mystérieuse pathologie qui noyait les pompes, l'itinéraire plus que fantaisiste du navire. Le rire devint fou rire, d'autant que le professeur, lui, restait drapé dans le sérieux du cancre, bouche ouverte et regard fixe. Il attendait que ça passe et ça ne passait pas. Be-bop pleurait. Shrimp lui-même était secoué de hoquets.

– Qu'est-ce que j'ai dit, à la fin ?

En insistant, Korb venait d'appuyer à nouveau sur le bouton fatal. Le fou rire, qui commençait à se calmer, enfla de nouveau. Le service était achevé, les passagers des autres tables quittaient la salle. Ronnie, intrigué par ce flot d'hilarité, vint aux nouvelles.

– Le professeur... Le professeur... gloussait Be-bop, incapable d'en articuler plus.

Ledit professeur commençait à trouver la plaisanterie longuette. Surtout, il ne voyait absolument pas pourquoi une phrase à ce point banale pouvait déclencher une telle hystérie.

– ... le professeur se demande si on n'aurait pas eu des ennuis les jours derniers, réussit à émettre le chef.

Le résultat fut immédiat. Ronnie explosa.

– … si on n'aurait pas…

Des larmes roulaient sur ses joues rondes. Il s'assit, et, un instant, Korb crut qu'il allait se cogner le front contre la table tant il hurlait de rire.

– Et vous savez quoi ? Vous savez quoi ? gueula Be-bop. Maintenant on a des pirates au cul.

Nouvelle salve. Personne n'y croyait mais le gag était excellent. Shrimp, seul, ne rigolait plus du tout et regardait Be-bop avec un mélange d'incrédulité et de réprobation. La vague finit par mourir et le capitaine se tourna vers Korb.

– Excusez-nous, professeur. Excusez-nous sincèrement. Oui, nous avons affronté pas mal de difficultés et j'ai vainement essayé de vous mettre la main dessus pour que vous nous aidiez à les analyser et à réagir. Mais vous étiez malade – je n'ose pas dire que vous aviez la tête ailleurs. Maintenant que tout ça est derrière nous, on préfère en rire, c'est le contrecoup.

– Je vous raconterai les épisodes précédents, promit Angelo à Korb qui ne lui demandait rien.

Norbert, cependant, chuchotait à l'oreille de Ronnie. Puis, agrippant la table, il se mit debout laborieusement.

– Ça fait du bien de s'amuser en chœur. Mais il faut que je sois sage et docile. Comme le chef, je ne vais pas manquer ma sieste. (Pamela se levait, elle aussi.) Non non, *sweetie*, reste un peu, prends ton café avec nos amis. Ce jeune homme (il désignait Ronnie) s'en va justement de notre côté.

– Mais tu ne veux pas que…

– Ce que je veux, c'est que tu ne sois pas éternellement l'esclave de ton mari.

Norbert s'éloigna, cramponné à l'habit du chef de rang.

Ce fut la dernière phrase que Pamela entendit sortir de sa bouche. Quand elle décida de le rejoindre, un peu plus tard, il ne dormait pas sur le lit. Intriguée, elle ouvrit la porte de la salle d'eau. Norbert gisait dans la douche. Il avait noué autour de son cou la ceinture d'un peignoir, l'avait accrochée à la tuyauterie, puis s'était laissé tomber à même le sol. Sans un cri, elle l'empoigna, desserra le nœud coulant, l'étendit par terre. Il était si léger que cela paraissait presque facile. Elle ne savait pas s'il respirait ou non, si son cœur battait encore. Elle se rua au chevet du lit, sonna pour alerter Chrysostome, puis décrocha le téléphone et réclama le docteur Charif.

Quand le médecin, lourdement chargé et escorté d'une infirmière, fit son entrée trois ou quatre minutes après, Pamela et le Philippin avaient déjà mis Norbert torse nu.

– Putain ! jura Charif. Putain ! Une putain de pendaison incomplète !

Il brancha l'oxymètre, appliqua une cardiopompe sur la poitrine de Norbert cependant que l'infirmière lui glissait un tuyau entre les dents, un tuyau qui s'achevait par une grosse poche noire.

– Ne restez pas là, madame.

– Je reste.

– Ça serait mieux pour tout le...

– Je reste.

Il commença le massage cardiaque.

– *Et* un, *et* deux, *et* trois, *et* quatre, ventile !

L'infirmière appuya sur la poche, envoya une giclée d'air dans la trachée du mourant.

– *Et* un, *et* deux, *et* trois, *et* quatre, ventile ! Qu'est-ce qu'il dit, le scope ?

La machine commençait à dérouler sa courbe.

– Pas grand-chose.

– *Et* un, *et* deux, *et* trois, *et* quatre, ventile ! Il repart ?

– Non.

– *Et* un, *et* deux, *et* trois, *et* quatre, ventile !

Au bout d'une vingtaine de manœuvres, Charif regarda la courbe, prit la sonde des mains de l'infirmière, fourragea dans la trachée de Norbert.

– Géant, l'œdème.

– *Et* un, *et* deux, *et* trois, *et* quatre, ventile !

Il ruisselait. Il ruisselait pour rien mais s'acharnait.

– Fin de l'exercice ! décréta-t-il longtemps après.

Sur le sternum du cadavre, la cardiopompe avait dessiné un cercle rouge et bombé, un suçon gigantesque. Charif se releva, se tourna vers l'infirmière.

– Préviens le commandant. Pour les papiers.

Il débrancha l'oxymètre, roula les fils, comme un musicien démonte la sono après un concert.

Il s'adressa enfin à Pamela Hotchkiss. Il haletait encore.

– Votre mari est mort.

– Je sais.

– Désolé.

– Dans tous les films, les médecins disent « désolé » quand il n'y a plus rien à dire. Merci d'avoir tenté ce que vous pouviez.

– La pendaison incomplète, c'est la pire.

– Le salaud, dit-elle à mi-voix, le salaud, il m'a eue...

Alors seulement, elle laissa un sanglot lui échapper.

Elle ne découvrit la lettre que deux heures plus tard.

Il avait fallu s'occuper du corps, le laver. Une collaboratrice du centre de beauté qui avait, disait-elle, suivi une formation de thanatopraxie était venue offrir ses services (non pour embaumer le défunt mais pour le nettoyer, l'habiller) et avait paru très étonnée que la veuve souhaite demeurer dans la pièce pendant que ces gestes crus étaient accomplis. Pamela en éprouvait le besoin. Il fallait que la mort s'installe, il fallait que le cadavre devienne froid, qu'elle le touche, qu'elle s'assure de sa rigidité croissante, qu'elle se persuade que tout cela était abominablement réel. D'autant qu'il s'était tué lui-même, que cette chose qui n'était plus vraiment lui était paradoxalement son œuvre.

Elles avaient disposé la dépouille sur le divan du salon. Puis Pamela avait remercié la jeune femme et demandé qu'on la laisse seule, complètement seule. Une heure durant, assise, elle avait regardé Norbert. Il ne se formait aucune phrase dans sa tête, elle ne pensait rien. Elle ne lui parlait pas non plus (elle avait vu sa mère, qui était d'origine paysanne, s'adresser à son propre mari tout juste décédé).

Elle ne pleurait pas mais était animée d'un tremblement violent qu'elle ne pouvait contrôler.

On avait frappé à la porte, discrètement, et elle avait été surprise de trouver Ines, un nécessaire à la main.

– Est-ce que vous me permettriez de faire mon métier ?

– Votre métier ?

– Je suis maquilleuse. Je maquille les morts. C'est ça mon métier.

– Entrez.

Ines l'avait serrée dans ses bras, embrassée, et l'avait gardée contre elle. Pamela avait reconnu son parfum – Chanel n° 19.

La visiteuse avait ensuite ouvert son nécessaire, déployé pinceaux, brosses, boîtes, tubes.

– Je ne veux pas qu'il ait l'air vivant, avait dit Pamela. Je ne veux pas qu'on triche, ça ne sert à rien, ce serait horrible.

– Vous avez raison. Il ne s'agit pas de ça. Il s'agit de le rendre aussi beau que possible dans la mort. Le but, c'est de nous aider à venir vers lui tel qu'il est maintenant.

Elle étalait une crème sur le front et les joues de Norbert et massait la peau.

– C'est un produit réhydratant. Si l'on en met trop, le visage brille comme une statue de cire. Si l'on n'en met pas assez, il devient sec et terne.

La cordelette n'avait laissé, sur le cou, qu'une mince trace bleuâtre, mais, dès qu'elle l'apercevait, Pamela croyait qu'elle allait défaillir. Ines, au pinceau, par touches savantes, avait gommé la cicatrice, puis l'avait complètement dissimulée sous un voile de poudre. Elle avait raison. Son travail ne redonnait pas vie à Norbert, ne le transformait pas non plus en personnage endormi. Il adoucissait sa mort, en estompait l'aspect rugueux et vulgaire, mais ne la dissolvait nullement. Le pourtour des yeux et de la bouche s'était raffermi, les ailes du nez semblaient moins pincées.

– Je ne sais pas si c'est opportun de dire une chose pareille, mais il me semble que votre mari vous a donné une incroyable preuve d'amour.

Comme toujours, Ines s'était exprimée doucement, de son timbre élégant.

– C'est sans doute vrai, mais je ne crois pas être en état de la recevoir pour le moment.

À cet instant précis, Pamela aperçut l'enveloppe. Elle était simplement posée sur le secrétaire, sans rien d'ostensible, sans un nom de destinataire. Norbert s'était gardé de la mettre debout, en évidence. Il savait qu'elle trouverait et il avait probablement voulu qu'elle ne trouve pas tout de suite. Le salaud, il avait poussé la préméditation jusqu'au raffinement.

Pam sweetie,

Ne va surtout pas t'imaginer des choses. C'est pour moi que je l'ai fait. Tu connais l'égoïsme et la vanité des mâles. L'idée de devenir de plus en plus déchet et de plus en plus encombrant est vraiment insupportable à un type aussi macho et ramenard que moi.

Je te fais du chagrin mais c'est inévitable. Voilà des mois que je cherche une autre solution et, franchement, j'aurais bien aimé la trouver. Mais cette fois-ci, moi qui trouve toujours, j'ai échoué lamentablement. Bien sûr que je te fais du chagrin mais autant te dire tout de suite que, là-dessus, nous sommes quittes. Parce que me passer de toi, ça me fait plus que du chagrin, ça m'arrache les tripes et le reste.

J'ai été obligé d'improviser. Les moments où je sais ce que je fais deviennent courts et rares. Alors j'ai saisi l'occasion avant qu'elle ne se représente plus.

J'ai un certain nombre de reproches à te faire. D'abord, je ne te pardonnerai jamais d'avoir eu, même passagèrement, la tentation d'épouser Sergio Malarone qui était certainement plus beau que moi, mais pas autant que tu le dis. Ensuite, je ne te pardonnerai jamais d'avoir craché sur mon fric honnêtement gagné dans la jungle (ni de m'avoir privé de mon *Wall Street Journal*). Enfin, je ne te pardonnerai jamais d'être aussi belle et aussi drôle parce que, parfaite à ce point-là, ça doit quand même cacher quelque chose.

S'agissant du fric, tout est en ordre, tu me connais. Tu verras que j'en ai légué un bout à des bonnes causes. On ne sait jamais, je prends mes précautions, je me couvre.

Je ne veux pas être enterré. Je ne veux pas être incinéré. Je veux que, dès le soir de ma mort, on mette ce qui reste de moi sur une planche et qu'on l'expédie à la mer. Cette idée-là m'a toujours plu, elle me rappelle le temps où nous naviguions sur *Ylang-Ylang* et où nous avions l'impression d'avoir l'éternité devant nous. Demande au capitaine Shrimp, qui est à la fois poli et honnête, ce qui est assez peu vraisemblable, de bien vouloir arranger ça. Je ne suis pas contre l'idée que quelqu'un dise une petite prière. Dans le doute, ça fait du bien à ceux qui restent. Angelo Romano serait tout indiqué mais méfie-toi de lui, il est porté sur les veuves.

Tu n'as pas eu de veine, sweetie, tu aurais pu dégotter un type qui t'épargne ce genre de mise en scène. Mais moi, plus veinard que moi-même, je n'ai pas trouvé. Pardonne-moi d'avoir été trop vieux. Je t'embrasse définitivement.

N.

P-S : Dis à Shrimp que Davidenkoff veille sur lui. C'est bordé.

Le post-scriptum était d'une couleur un peu différente. La lettre devait être prête – depuis combien de temps ? – et il avait ajouté cette ligne avant de se pendre. Pamela replia le papier dans l'enveloppe, remit cette dernière sur le secrétaire. Ses yeux clairs étaient devenus flous et regardaient le vide. Soudain, elle se cassa en deux comme si un boxeur invisible lui avait enfoncé son poing dans le ventre avec la dernière férocité. Tout ce que ses poumons contenaient d'air jaillit d'un seul souffle, d'un seul ahanement. Elle resta pliée en deux.

– Ça va, Pamela, est-ce que ça va ? questionnait Ines en ébauchant un mouvement vers elle.

Pamela se redressa lentement, puis, à la verticale, arrondit la bouche et aspira l'air méthodiquement.

– Ça va aller, dit-elle, ça va aller.

Elle inspirait et expirait maintenant par saccades, comme une future accouchée qui s'entraîne à maîtriser ses contractions.

– Ça va aller…

Toujours debout, elle s'adossa au mur, rejeta un peu la tête en arrière, ferma les yeux dont les coins libéraient deux serpents de larmes.

– Mon amour mon amour mon amour mon amour, répétait-elle à l'infini d'une voix monotone et faible.

Be-bop toisait Massimo Pajetta et trahissait un étonnement sincère.

– Qu'est-ce qu'il se passe ? Vous avez le sens de l'humour, maintenant ?

Il faut dire que le Grand Animateur ne s'était pas caché derrière son petit doigt. Il avait carrément élu pour thème de la soirée les pirates et la piraterie. Non point les écumeurs africains et leurs lance-roquettes mais les descendants d'Eustache le Moine, Khayr ad-Din Barberousse, Jack Rackham ou Anne Bonny. On avait distribué aux passagers des foulards, des sabres, des bandeaux, des pipes en terre et même quelques fausses jambes de bois qui donnaient bien le change. Pour les dames, l'équipe d'animation avait puisé dans un stock de robes western, et parbleu, que le train siffle trois fois ou que le pavillon noir soit déployé, le froufrou de dentelle restait indémodable.

L'orchestre était au diapason : la priorité revenait à l'accordéon et au banjo, les musiciens s'étaient eux-mêmes grimés et poussaient des *shanties* d'une voix éraillée par l'alcool. Lequel coulait *ad libitum*. La compagnie Splendid, à la surprise générale, notamment celle du commissaire qui ne s'en était toujours pas remis, offrait gratuitement le vin, la bière et le grog. Et l'ambiance s'en ressentait. L'ivresse aidait les croisiéristes à oublier l'effet de la houle, à minorer le mouvement de tangage qui allait s'accentuant. Après tout, avec un coup dans l'aile, il paraît très raisonnable que le sol se dérobe.

Le navire continuait de progresser à vitesse soutenue. La lune s'était levée, souvent masquée par des nuages ou hachée de grains brutaux. La mort de Norbert Hotchkiss n'avait fait l'objet d'aucune annonce officielle. Mais à l'équipage, chacun savait que l'*Imperial Tsarina* transportait un cadavre et chacun était heureux d'apprendre que ce dernier serait très prochainement évacué du bord. Non seulement les marins sont superstitieux mais ils sont contraints de se penser mortels, précaires et provisoires – deux excellentes raisons de redouter la compagnie des défunts.

Shrimp avait reçu un appel de Pamela après que cette dernière avait découvert la lettre de son mari, et il lui avait rendu visite. Il l'avait prise aux épaules et l'intensité de son étreinte révélait une émotion qui n'était pas de circonstance.

– Vous allez me dire que Norbert a été courageux.

– C'est ce que je pense, oui. Je pense aussi qu'il a exprimé son amour pour vous comme peu d'hommes seraient capables de le faire.

– Eh bien moi, je ne suis pas d'accord, captain Shrimp. Je ne suis pas d'accord. Pas du tout. Je l'aurais voulu moins héroïque mais vivant. Je me serais accommodée de ça, des petits moments où il allait mieux. Je ne suis pas une héroïne, vous savez, je suis une gagne-petit.

– Avec le temps...

– Avec le temps il va me manquer de plus en plus, de plus en plus longtemps.

C'était dit sur le ton de l'évidence. Elle avait franchi une étape, surmonté le choc de la découverte. À présent, elle contestait l'irréversible, elle essayait de résister à Norbert, à son intransigeance, à son panache. Elle reculait devant la nécessité du deuil, comme s'il restait quoi que ce soit à négocier. Intuitivement, elle sentait que si elle se laissait embarquer, le désespoir la submergerait. Il fallait qu'elle s'insurge, qu'elle se reconstruise contre lui. Mais chacune de ses protestations était un aveu d'amour.

– Même mort, l'homme qui suscite une telle passion est enviable.

– C'est ce qu'il m'a écrit.

Shrimp avait regardé Pamela bien en face.

– Dites-vous, si ça peut vous aider, que très peu de gens, hommes ou femmes, ont vécu cela.

– Je sais, captain Shrimp. Je sais ce que je perds et ce que je garde.

Ils s'étaient ensuite occupés de préparer la cérémonie. Il fallait attendre que les lampions de la fête soient éteints, que les pirates de carton-pâte aient fini de danser, que l'orchestre se soit tu. Pamela ne voulut ni sortir, ni manger, ni boire. Là non plus, elle n'était pas d'accord avec son mari, elle jugeait que les choses allaient trop vite, que la mort était une affaire trop importante pour passer en coup de vent. Mais cette fois encore, le salaud, il imposait sa loi, sa « dernière volonté », et elle, il ne lui restait plus qu'à courber l'échine et à exécuter le programme.

Angelo fut sollicité par le commandant. Lui aussi vivait cela, peu ou prou, comme un coup de force. C'était au diacre d'officier, en principe. Mais Norbert avait expressément choisi l'orateur et la parole des morts est toute-puissante.

– Ne soyez donc pas si formel, dit Ines.

– Je ne veux pas faire semblant d'être prêtre, je n'aime pas les simulacres, ce n'est pas un hasard si je ne suis pas prêtre, si je ne le suis plus !

– Vous croyez en Dieu ?

– Oui.

– Vous aviez de la sympathie pour Norbert ?

– Et pour sa femme, oui.

– Alors obéissez à l'amitié et à la charité au lieu de couper les cheveux en quatre. C'est ça la théologie : l'art de compliquer des choses assez simples ?

Il refusa de porter plus loin la joute et se mit en quête de Francesco, le diacre, afin de lui emprunter une étole. L'homme achevait de ranger le salon de coiffure qui restait ouvert fort tard. Il parut indigné.

– C'est un objet du culte. Vous m'avez expliqué sur tous les tons que ça n'était plus votre affaire !

Angelo se retrouvait à Canossa, en chemise et pieds nus dans la neige.

– J'agis à la demande expresse du défunt.

– Il a eu le temps de le préciser ? Je croyais qu'il était mort d'une crise cardiaque…

– Il s'est suicidé, il était très malade.

– Et vous voulez assurer le service d'un suicidé !

– D'un ami. En tout cas, de quelqu'un que j'aimais bien.

– Mais enfin, vous connaissez la position de l'Église…

– Donnez-moi cette étole, Francesco.

– Non.

Angelo décida de faire court.

– Donnez-la-moi ou je vous casse la gueule.

Francesco, estomaqué, lui lança un coup d'œil inquiet et conclut de l'examen que ce type était assez fou pour passer à l'acte. L'Église avait eu mille fois raison d'écarter un pareil énergumène. C'était un cas de force majeure, sa conscience était limpide. Il céda.

Sur le chemin du retour, Angelo s'aperçut que la salle du restaurant avait été transformée en ample cabaret, un cabaret dont les habitués seraient les mutins de l'île du Diable. Pajetta lui-même était méconnaissable, hirsute, l'œil gauche dissimulé par un bandeau et la moitié des dents noircies, comme absentes. Sous les vivats et les cris éméchés, Aliocha, qui avait bouclé sa femme dans une boîte oblongue, s'appliquait maintenant à partager cette dernière au moyen d'une scie monstrueuse et sanguinolente. Il paraissait encore plus pâle qu'à l'ordinaire, si c'était possible, et son équilibre semblait approximatif. Angelo s'en étonna car le magicien, d'habitude, était impeccablement maître de ses gestes et de ses expressions. Mais le public s'amusait et ne prêtait guère attention aux détails. Seul Korb, au premier rang, assis près de Marinette Chourgnoz qui tenait la main de Rose Travis, suivait chacun de ses gestes avec une concentration extrême. Angelo renonça à capter son regard pour l'arracher au spectacle et l'informer des derniers événements.

Le navire fit une embardée et, soudainement, une des deux boîtes, dont les pieds chromés étaient montés sur roulettes, échappa au manipulateur. Il fut obligé de courir après les tronçons d'épouse qui partaient chacun de son côté, tandis que l'assistance, ravie, applaudissait et riait. Quelques personnes, toutefois, filaient vers la sortie la mine verdâtre et le pas flageolant. Angelo songea que la cérémonie, dehors, risquait d'être mouvementée.

Elle le fut. Vers minuit et demi, Shrimp estima que le pont était assez désert pour qu'on soit en droit de le réquisitionner (il n'était pas question, par ce temps vif, d'allumer des barbecues en plein air). Les grains s'étaient raréfiés mais le vent avait forci, les vagues étaient blanches, la lune leur donnait plus de présence et de vitalité. Le commandant ordonna de ralentir à cinq nœuds, de barrer à vingt degrés du vent, et pria le bosco de disposer un cordon d'hommes afin que l'intimité soit préservée. Il choisit pour emplacement les deux tiers arrière bâbord, le côté sous le vent – si l'on s'était installé à la poupe, on se serait retrouvé juste

386 au-dessus de l'hélice. La scène était faiblement éclairée, deux torches claquaient dans les risées.

Un paquebot est une ville complète, on y trouve de tout, y compris des housses mortuaires et autres accessoires funèbres. La dépouille de Norbert Hotchkiss était abritée par un modeste cercueil de sapin clair que quatre matelots – Kyung et ses comparses – installèrent sur deux tréteaux, perpendiculairement à la rambarde. Le capitaine avait exigé la présence de tous les officiers qui n'étaient pas de quart afin de souligner combien le décès d'un passager atteint la collectivité entière. Et ils étaient là, du commissaire à Be-bop, du second à l'officier bidet, en uniforme sombre. Massimo Pajetta et Ronnie se tenaient auprès de Pamela qui, elle, avait revêtu la robe jaune paille qu'elle portait lors du dernier bal. Creux lui-même, si peu galonné qu'il fût, avait rejoint le groupe. Au temps où il travaillait à la grande pêche, des cadavres, il en avait vu beaucoup trop, et il pensait que tout marin doit être disponible quand un homme, ou ce qu'il en subsiste, fait son trou dans l'eau.

Angelo s'avança près du cercueil, tourna le dos à la mer. Son corps, pantalon noir, chemise noire, était happé par la nuit mais l'étole claire accrochait la lune et se débattait dans le vent hargneux.

Il avait choisi, pour commencer, le psaume 271.

Et voici que tu me délaisses
que tes lèvres s'éloignent et que ta main se flétrit.
Voici que le désert me submerge

que le vent m'enfouit sous un sable brûlant.
Mais je continuerai de prononcer ton nom
et mon cœur ne sera jamais sec.

Il était contraint de parler d'une voix forte pour résister aux éléments et se cramponnait à la rambarde tandis que les quatre matelots éprouvaient eux-mêmes quelque peine à garantir la stabilité du cercueil. Pamela, elle, comme les marins endurcis, demeurait en équilibre sans y prendre garde, pliant le genou quand le pont se soulevait, le détendant quand il se dérobait. Elle ne pleurait pas mais son visage était anormalement inexpressif.

– Mes amis, dit Angelo, nous sommes d'abord ici pour saluer Norbert Hotchkiss, son intelligence, son humour décapant, et sa générosité qu'il masquait avec beaucoup d'élégance. Il a choisi de s'éviter à lui-même et d'éviter à ses proches une déchéance qu'il sentait au travail et qu'il savait irréversible. La liberté et l'amour sont les dons fondateurs que Dieu, le dieu dont je me réclame, a offerts à sa créature. Norbert a fait un usage absolu de cette liberté absolue et nous nous inclinons devant le mystère de son choix.

« Nous sommes ici, également, pour entourer Pamela. La souffrance est aussi mystérieuse que la liberté et je ne suis pas sûr qu'on puisse vraiment la partager. Mais on peut essayer, on peut s'approcher de l'autre, avec tendresse et discrétion. Je voudrais remercier Pamela et Norbert de nous avoir permis d'être témoins de leur amour magnifique. Nous continuerons de l'être. Il me vient en mémoire la phrase du grand écrivain crétois Pandelis Prevelakis : "Qu'est-ce qu'un homme immortel, mes enfants ? C'est un homme dont la mémoire reste impérissable sur les lèvres des hommes..." Soyez sûre, Pamela, que votre mari restera impérissable sur les nôtres.

Il marqua une pause, sembla se recueillir, ne craignant pas que le silence devienne tangible, pesant même. On entendait la mer siffler, monter à l'assaut des flancs du paquebot avec un entrain redoutable. Le reflet de la lune sur les eaux dessinait un sillon bouillonnant et hostile. Mais l'air tiède adoucissait la menace.

– Parmi nous, reprit Angelo, certains sont croyants et d'autres non, certains prient et d'autres pas, et je respecte les convictions de chacun. Mais nous serons tous d'accord pour dire que la mort est un scandale, qu'elle est irrecevable. Tel est le sens de la prière que je vous inviterai à prononcer ce soir. La mort n'est pas rien, elle nous plonge dans le deuil et le chagrin, elle nous inflige une séparation abominable. Mais la foi que je professe dit que Dieu même est allé au bout de ce scandale, qu'il s'est révolté et l'a transcendé. Quand j'assiste à l'enterrement d'un ami et que je suis terrassé par la douleur, je suis moi-même fréquemment déconcerté par le message d'espoir qu'apporte l'officiant. Jésus lui aussi a pleuré avec ceux qui pleurent, douté avec ceux qui doutent, et est mort en interpellant son père. Je ne vais pas ici oublier vos larmes mais je ne vais pas taire non plus que devant tant de désolation existe une parole d'espérance. Que ceux d'entre vous qui le peuvent essaient de l'entendre.

Il se tut à nouveau puis amorça un Notre-Père. Pendant la récitation collective, Angelo Romano observa que Shrimp bougeait les lèvres, tout comme Pajetta et le commissaire, que Be-bop et Ines s'abstenaient. Pamela s'abstenait aussi. Bouche et poings fermés, elle se tenait raide comme le malheur, sa robe joyeuse plaquée contre son corps.

Massimo Pajetta avait demandé à l'un des musiciens, Lazar Ciganović, d'apporter son saxo ténor. Tandis que les quatre matelots engageaient le cercueil sur la petite rampe qu'ils avaient confectionnée, il entonna *Amazing Grace.*

I once was lost but now am found
Was blind, but now I see...

La musique était chaude comme la nuit, et l'éclat des torches serpentait sur le cuivre de l'instrument. L'homme jouait très doucement, à la manière d'un chanteur qui chante bouche fermée, tout dans le masque.

Kyung et Kim donnèrent au cercueil une franche poussée cependant que les deux autres maintenaient la planche. La dépouille de Norbert bascula et disparut. Les matelots, qui n'étaient pas des débutants et qui savaient combien le corps était léger, avaient ajouté, à l'intérieur, quelques gueuses et percé des trous discrets pour que l'eau s'engouffre aussitôt. Car nul, sur la mer, ne peut soutenir l'idée qu'un mort ne parte pas au fond et ne point craindre l'éventualité que tous les cadavres remontent un jour à la surface pour nous révéler ce que les profondeurs cachent d'inadmissible.

Pamela, toujours immobile, se secoua, s'ébroua. Ines lui entoura les épaules.

– Vous tenez le coup ?

– Pas vraiment, dit Pamela. J'ai faim. Nom de Dieu, ce que j'ai faim !

CHAPITRE 11
OÙ ALIOCHA SUCCOMBE AU MAL DE MER

La mort de Norbert Hotchkiss échappa totalement à l'immense majorité des croisiéristes qui avaient traversé ce jour comme un plaisant interlude et l'avaient achevé dans les vapeurs de punch.

La journée suivante fut tout autre. Au réveil, les estomacs étaient noués, peut-être en raison des excès d'alcool, sûrement à cause des secousses répétées qui ébranlaient le navire. Dès le matin, les pressentiments de Shrimp se confirmèrent. La dépression annoncée prenait l'allure d'une tempête tropicale – qualifiée sur les bulletins de « modérée » parce que les rafales, en principe, ne devaient pas excéder 55 nœuds de vent, soit 100 km/h. C'est ainsi dans le jargon maritime : *agité* signifie *carrément désagréable* et mer *grosse* est une manière pudique de contourner *démontée*. En l'occurrence, l'épithète servait à se tenir en deçà du cyclone. La crête des vents était prévue pour la nuit.

Le commandant appela par satellite l'amiral Longues-Oreilles qui était maintenant basé à la Réunion. Ce dernier expliqua que la menace des pirates demeurait effective.

– On sait au moins une chose. Nous sommes sûrs, à présent, que c'est d'Afrique que ça se trame, probablement de Somalie mais il ne faut pas exclure qu'ils se soient délocalisés.

– La tempête, de toute façon, les dissuadera d'intervenir.

– Oui, leurs bateaux ne sont pas taillés pour la mer formée. À mon avis, Santucho, vous êtes peinard jusqu'en fin de matinée demain. Au bas mot.

– Peinard, c'est vous qui le dites. Vous avez vu la rincette qui se prépare ?

Longues-Oreilles eut un ricanement complice.

– Une bonne branlée, vaut mieux se la prendre au large, c'est la sécurité.

– Oui, mais j'ai quelques clients qui n'ont pas payé pour se retourner les boyaux.

– Ça, mon cher, c'est votre taf. Moi je m'occupe des vilains flibustiers.

– Dites-moi, amiral…

– Quoi donc ?

– Il y a combien de navires à passagers dans le secteur ?

– Des gros ? Si l'on compte les Comores, les Seychelles, et le pourtour de Mada, vous étiez cinq, à ma connaissance. Les quatre autres se sont garés au chaud. Un à Port-Louis, un à Victoria, un à la pointe des Galets et un à Diego.

– Ils ont raison et j'en ferais bien autant. Avez-vous recueilli des bruits alarmants concernant ces autres paquebots ?

– Non. Vous êtes le seul dans la ligne de mire. Normalement, ce sont plutôt les tankers ou les porte-conteneurs qui seraient visés.

– Et ça ne vous paraît pas bizarre ?

– Oui et non. Vous n'êtes pas un grand paquebot, vous n'allez pas très vite, vous faites donc une bonne cible. D'un autre côté, je me demande pourquoi on vous cherche avec tant d'obstination. En règle générale, ce sont les pirates qui choisissent eux-mêmes leur victime. Mais là, le bruit court de façon persistante qu'ils exécutent une commande. Je ne vous cache pas que ça m'intrigue.

– Moi aussi.

– On trouvera. On trouve toujours.

– Vous êtes optimiste, amiral.

– Optimiste ? Quelle drôle d'idée ! Si j'étais optimiste, je ne ferais pas ce boulot. Nous autres, nous sommes payés pour croire que le monde est dangereux. Mais on trouvera, vous verrez.

– J'espère que je vivrai assez vieux pour le voir.

Longues-Oreilles rigola franchement.

– Soyez moins pessimiste ou prenez du Lexomil. Allez, bon quart, commandant. On se rappelle aux aurores demain. Vous me raconterez la branlée.

– Bien reçu et merci, amiral.

Shrimp raccrocha, troublé. Quel pouvait être le fameux « commanditaire » ? Qui avait imaginé cette histoire de cinglés ? Le dépôt de bilan ne paraissait plus de saison (provisoirement), mais la croisière mystère continuait à mériter l'appellation. Sauf que cette trouvaille avait été conçue pour donner aux navigants plus de souplesse, plus de liberté, et que le résultat était exactement inverse. Les croisiéristes étaient censés se trouver dans le bleu, mais pas les hommes de la passerelle !

Ce qui le troublait encore, c'était l'attitude de Marios Soteriades. L'armateur, ordinairement sûr de lui, restait sur la défensive et trahissait une frayeur presque avouée qui ne lui ressemblait décidément guère. Il intimait l'ordre de respecter à la lettre les prescriptions des militaires français, sommait Shrimp de rester au large en pleine tempête avec sept cent cinquante passagers. Et, plus étrange, il insistait pour que l'exacte position du navire ne fût communiquée à personne, hormis à l'amiral Longues-Oreilles et à ceux qui avaient charge d'assurer directement la navigation. Il avait même, à nouveau, expressément cité le commissaire. À croire que Philippos Tribis – considéré par tout un chacun comme l'homme de paille du Grec – était de mèche avec les pirates invisibles censés guetter le paquebot.

C'était incompréhensible et le commandant ne dissimula pas son sentiment. Que lui cachait donc Marios ?

– Ne cherchez pas la petite bête, Shrimp. Contentez-vous de traverser cette tempête et de ramener tout le monde en bon état à Mombasa. Faites-moi confiance.

– Il y a des mots qui m'abîment le tympan, Marios.

– Ne soyez pas désagréable. On est sur le même bateau.

– Surtout moi.

– Shrimp, ce bateau, c'est ma tribu. Ça n'est pas à vous que je vais l'apprendre, quand même.

Cela ne servait à rien de poursuivre dans cette voie. Le capitaine tenta une autre approche.

– Qu'est-ce qu'il fiche pas loin de nous, ce chalutier maltais qui vous appartient ?

– Ah ! vous savez ça, vous. Ils sont fameux, vos radars. Le *City of Marsaxlokk*, c'est lui ?

– Exactement.

– Il est effectivement la propriété des Pêcheries du levant qui sont une filiale du groupe.

– Et qu'est-ce qu'il fiche ?

– Qu'est-ce que vous voulez qu'il fiche ? Je suppose qu'il pêche, c'est sa zone de travail.

– Il pêche à dix-sept nœuds ? Un palangrier ? C'est une technique nouvelle, la pêche plein pot ?

– Vous commencez à me gonfler, Shrimp, avec votre parano. S'il va vite, c'est qu'il a fini de pêcher et qu'il rentre à la maison.

– La maison, c'est dans l'autre sens.

Marios perdit patience.

– Qu'est-ce que vous en savez, bordel ?

– Je m'en doute, c'est tout. Mais il y a une chose dont je suis sûr, c'est que vous me racontez des bobards.

– Vous vous croyez tout permis, Shrimp !

– Pas tout. Juste le nécessaire.

L'autre explosa.

– C'est moi le patron, tu as compris, Shrimp ? C'est moi qui pose les questions et c'est toi qui réponds. Arrête de m'emmerder et d'enculer les mouches. C'est pas toi qui joues la partie, c'est moi. C'est moi !

Shrimp reposa le combiné et coupa net la communication. Il était calme, comme toujours quand il n'y avait pas à hésiter entre deux ou trois itinéraires. De toute manière, quoi que lui cache l'armateur, le chemin était tracé. Un jour et demi de mauvais temps, et puis cap sur le terminus.

La sonnerie retentit gaillardement. Le commandant décrocha.

– Écoutez, Shrimp, pas la peine de s'emballer...

La voix était ronde et conciliante. Shrimp eut la tentation d'expédier Soteriades au diable, mais l'esprit de responsabilité eut le dessus.

– Je ne m'emballe pas, je conduis un bateau.

– Écoutez...

– Mais je vous écoute, Marios. Je n'arrête pas de vous écouter. Moi, je réponds à vos questions, c'est vous qui ne répondez pas aux miennes.

– Bon, je vais vous dire...

Long silence. Shrimp attendait.

– Vous êtes vraiment certain que vous allez me le dire, votre petit secret ?

– OK, d'accord, d'accord, le palangrier, il n'est pas là par hasard.

– Pas besoin d'être ultra-lucide pour trouver ça.

– Ils bossaient dans le coin, je leur ai demandé de rester à portée.

– Pour quoi faire ?

– Ça va vite, les affaires de piraterie. À partir du moment où vous n'avez plus les militaires auprès de vous, j'aime autant que quelqu'un de la maison reste à portée. Je ne vous en ai pas parlé parce que je ne voulais pas que vous pensiez que je vous espionne.

– Évidemment que vous m'espionnez, j'ai l'habitude. Mais vos pêcheurs, qu'est-ce qu'ils pourraient pour nous, en cas de pépin ?

– Le bateau n'est pas une jeunesse mais c'est un bon équipage qui connaît le terrain. Tous les matelots sont mauriciens ou seychellois et le tonton a de la bouteille. C'est un type de confiance, un Chagossien, un réfugié de Diego Garcia, vous savez, l'île que les Anglais ont squattée pour en faire une base aérienne. Voilà, je vous ai tout dit. Ça va mieux ?

– Presque.

– Comment ça, presque ?

– Parce que vous ne m'avez pas tout dit.

Soteriades lâcha un gloussement.

– Même à ma femme, je ne dis pas tout. Surtout à ma femme, en fait. À bientôt, Shrimp, sans rancune...

La liaison fut interrompue. Le capitaine de l'*Imperial Tsarina* eut une moue pensive. Des anges gardiens... L'armateur ne l'avait pas habitué à pareille sollicitude.

Il s'aperçut que Jin Ho, le bosco, agitait les bras en direction de la passerelle comme s'il appelait au secours. Près de lui, deux silhouettes indistinctes s'agitaient fortement. Il commençait à pleuvoir dru, le vent balayait le pont et, surtout, les éclairs succédaient aux éclairs, illuminant le ventre pourpre des nuages – le tonnerre se faisait attendre et ne grondait que dans le lointain mais cela même était alarmant, signifiait que le pire était à venir. Shrimp avait convoqué une réunion pour vérifier que, dans chaque secteur, toutes les mesures de sécurité avaient été prises. Le bosco, précisément, était une pièce maîtresse de l'échiquier. Plutôt que de lui envoyer un lieutenant, il descendit lui-même.

Jin Ho se trouvait aux prises avec Dotty Thunderbay et son amie hollandaise, l'intraitable Margriet Van Leeuven. Toutes deux lui hurlaient à l'oreille qu'elles exigeaient, sans délai, de parler au capitaine. Jin Ho avait un sens aigu du devoir et un respect inébranlable envers la hiérarchie. Pour rien au monde, sauf raison de service, il n'aurait dérangé son commandant parce que deux harpies en avaient décidé ainsi. Mais il considérait également que deux passagères hystériques doivent être soignées. C'est pourquoi il avait agité les bras : attirer l'attention d'un lieutenant lui paraissait un compromis acceptable.

L'arrivée du capitaine fit bondir son cœur. Il se précipita à sa rencontre et se lança dans des explications touffues d'où il ressortait que oui, il avait signalé un problème, mais non, cela ne méritait pas d'importuner le détenteur de quatre galons, et que lui-même, Jin Ho, contrairement aux apparences, avait essayé de maîtriser la situation, de contenir la virulence de ces femelles, et qu'il s'excusait, qu'il s'excusait infiniment de n'y être pas parvenu – sachant que, généralement, tout le monde en convient, il parvenait à ses fins, du moins quand il avait affaire à des hommes.

Shrimp aimait bien son bosco et en avait fort besoin. Il savait que l'heureuse alliance du commandant et du maître d'équipage conditionne l'heureux fonctionnement du navire. Aussi, pendant que les deux passagères commençaient à voleter autour de lui en piaillant, prit-il la peine de le rassurer. Une fois la chose acquise, et pas avant, il s'inquiéta de leurs revendications.

– Ça n'est pas possible, voyons ! dit Dotty.

– Ça n'est pas possible, confirma, en écho, Margriet.

– Qu'est-ce qui n'est pas possible ? interrogea Shrimp.

– Ce temps est impossible, enfin, commandant ! cracha Dotty.

– Impossible ! vociféra Margriet.

– Mais si, mesdames, mais si.

Plus elles grimpaient dans l'aigu, plus le capitaine s'en allait vers le grave, tranquille et majestueux.

– Comment ça ? hurlèrent-elles en chœur.

– Ce temps n'est pas impossible, mesdames, puisque nous l'avons.

– Vous jouez avec les mots.

– Pas du tout. J'accepte ce que la nature m'offre. Je la respecte et je m'en arrange.

Margriet Van Leeuven sentit le danger. Il allait essayer de la coincer sur son propre terrain, l'écologie.

– Il ne s'agit pas de cela, commandant. Il s'agit de la compagnie Splendid.

– Quand on voit *ça*, on se demande où ils sont allés chercher un nom pareil ! ricana Dotty.

Ça, c'étaient les stries de la pluie que les éclairs allumaient par intermittence. Margriet précisa sa pensée.

– C'est à la compagnie de prendre ses précautions !

– Elle les prend si bien, chère madame, que nous sommes parés à traverser une zone de mauvais temps en toute sécurité. Bonne journée.

Shrimp les planta là et rejoignit l'équipe d'encadrement qui était réunie au carré des officiers. Chacun, à tour de rôle, exposa comment il s'était préparé pour la suite. Be-bop et son second parlèrent des contrôles de la réfrigération et de la pression d'huile, de l'inspection des ballasts ainsi que des mailles sèches, des rondes systématiques qui seraient effectuées tant qu'on ne serait pas en eaux calmes. On étudia ensuite le plan de pont, la délimitation des zones qui seraient exceptionnellement interdites aux passagers. L'officier sécurité rendit compte de l'inspection générale qu'il avait conduite, de la vérification des portes étanches et des réunions tenues avec chaque catégorie de personnel. Il fut même question du menu : la cuisine devait être en mesure de fournir à tout moment une nourriture chaude et roborative. Le docteur Charif, quant à lui, expliqua qu'il avait ouvert, avec ses deux infirmières, une consultation permanente, afin de procurer des patchs de scopolamine aux personnes les plus atteintes par le mal de mer, et des comprimés de diménhydrinate aux sujets moins exposés (il oublia de préciser qu'il en profitait pour suggérer un dépistage des troubles veineux, activité plus rémunératrice).

Massimo Pajetta, enfin, développa le « concept » des vingt-quatre prochaines heures. Il ressemblait à Churchill n'offrant aux Britanniques assiégés par les nazis, en guise de vœux de bonne année, que « du sang et des larmes ».

– Nous n'avons qu'une chose à vendre : des grosses vagues et un vent violent.

– J'achète pas, dit Be-bop. Même en promo.

– Un peu de sérieux, chef...

– Je suis très sérieux. La tempête, voyez-vous, j'ai déjà pas mal dégusté. Eh bien, la vérité, c'est que ça a un goût spécial...

Be-bop paraissait inspiré. Shrimp choisit de laisser courir pour détendre l'atmosphère. Le chef en profita avec gourmandise.

– Vous êtes allés en Islande ?

Deux ou trois présents opinèrent.

– Y a pas photo, ces gars-là, c'est des marins. Je sais pas pourquoi, ils ont cru que j'en étais un aussi. Alors ils m'ont fait goûter le délice des délices. Tu prends un quartier de requin. Tu l'enterres cru pendant six mois. Tu le déterres. Tu le suspends sous un abri de bois ouvert à tous les vents. Tu laisses six mois. Tu viens vérifier de temps en temps si tout va bien, et quand tout va bien, l'odeur te cueille à trois kilomètres. Alors, et alors seulement, tu mets un masque à gaz, tu décroches, tu pèles, et tu coupes en tout petits morceaux. Ça donne des espèces de cubes blanchâtres, style Vache qui rit de la mer. C'est le délice des délices.

– Et au goût ?

– Au goût, ça a le goût de la tempête. Le goût même de la tempête. D'abord, tu t'attends à ce que ça soit tellement dégueulasse, tellement merdique et iodé que t'es presque agréablement surpris. Finalement, c'est quasi comestible, c'est mieux que le pire. T'imaginais des tripes de phoque crues et elles sont à moitié cuites. Tu mâches lentement en te disant que t'as une chance de survie, petite mais réelle. Et puis tu t'habitues, tu commences à te dire que ça n'était pas si terrible que ça. Et là, vlan, tu plonges. D'un coup, y a tout qui remonte : la pourriture, la puanteur, pire qu'un siphon d'occase à la saison des pluies. Alors tu dégueules, tu relèves la tête, tu vois le ciel de traîne et le vent qui repart. T'as juste le temps de penser que la seule bonne nouvelle, sur cette terre, c'est que t'es pas encore mort. Moi, je dis que la tempête, c'est comme le requin d'Islande.

Pajetta guettait la fin de la péroraison pour retrouver le fil de son propre discours.

– Et moi, je dis que la tempête, c'est la seule chose intéressante que nous puissions proposer aujourd'hui à nos passagers. On la subit, on n'a pas le choix, autant qu'ils aient le sentiment de vivre quelque chose d'intense et d'inédit.

– Ça, ils vont cracher leur bile intensément. Et plus qu'ils ne l'ont fait de toute leur vie.

– Laisse, Be-bop, intervint Shrimp. Qu'est-ce que vous avez en tête, Massimo ? En quoi ça diffère des autres jours ?

– Ça n'a rien à voir. Jusqu'ici, nous avons essayé de distraire les croisiéristes. Au sens étymologique : de les entraîner ailleurs, de leur changer les idées.

– Il se croit à la Sorbonne, le mec !

– Be-bop !

– Nous avons fait oublier à nos passagers que le bateau était immobile, ou qu'on mouillait devant une île assez banale sur laquelle il était interdit de débarquer. Mais la tempête, nous ne la ferons pas oublier, elle est plus forte que nous. Alors je propose d'en chercher le bon usage. Nous allons créer des « ateliers ». Le médecin expliquera le mal de mer, l'oreille interne. Le professeur parlera de la formation des dépressions, de la pluie et du vent, du mécanisme de la houle. M. Romano, lui, abordera l'aspect philosophique et théologique.

– C'est bien ce que je disais. Il se croit à la Sorbonne.

– Vous aussi, je compte sur vous, chef.

– Moi ?

Be-bop écarquillait les yeux.

– Mais oui. Pourquoi ne pas inviter nos passagers, par tout petits groupes, à visiter la machine et à découvrir le travail de maintenance dans le gros temps ? C'est chez vous que ça bouge le moins, non ?

– Alors là... Alors là...

Il suffoquait, il s'était empourpré. Mais soudain, il parut se détendre, ses yeux trahirent une lueur maligne, et il réprima un sourire.

– Attendez, attendez… On les ferait venir par ascenseur ?

– Évidemment. On ne va pas inviter des passagers à se taper huit étages d'escalier dans la tempête.

– Et vous me donneriez deux ou trois matelots pour les accueillir ?

– Eh ! grogna Jin Ho, j'ai pas de personnel en rab, moi.

– On se débrouillera.

Jin Ho lâcha un soupir.

– Dans ces conditions, consentit le chef de la voix pateline qui lui était propre quand il ruminait un mauvais coup, je veux bien détacher un homme pour les guider. C'est vrai, quoi ! Si on innove, on innove. Et puis, nous autres, les mécanos, on se plaint toujours de passer à l'as.

Shrimp se demandait ce que cachait la brutale conversion de son camarade et ami. Mais Pajetta n'avait pas le temps de faire dans la nuance. Il s'épanouit.

– Bravo, chef ! Je sais qu'un homme de cœur se cache sous une écorce…

– Elle te plaît pas mon écorce ?

– J'ai pas dit…

Pajetta ne savait comment se tirer de là.

– Qu'est-ce qu'elle a, mon écorce ?

Quelques rires. Il profita de son avantage.

– Elle est rugueuse, mon écorce ? T'aimes pas sa couleur, à mon écorce ?

Hormis le commissaire qui, depuis le début, était raide comme un piquet et ne se manifestait que par courtes informations techniques, l'assistance s'offrit une tournée de rigolade.

– Ça fait du bien, ça fait du bien, gloussa Be-bop quand le spasme fut près de s'achever.

Massimo en profita pour retrouver son fil.

– Commandant, vous n'y couperez pas non plus.

– À quoi donc ?

– La passerelle, ça remue trop pour être visitable. Mais nous pourrions prévoir une rencontre où vous parleriez de la conduite dans le gros temps, du ballastage, de vos souvenirs de tempête.

– Vous voulez que je sois le commandant et qu'en même temps je raconte le commandant ? Vous êtes un garçon exigeant.

– Une petite demi-heure.

– Accordé.

Le Grand Animateur se leva. Le carré des officiers disposait d'un accès interne mais aussi d'un double sas ouvrant sur l'extérieur. Il se dirigea vers le côté sous le vent, tourna le volant qui déverrouillait la porte épaisse et rabattit cette dernière. Ce n'était pas encore la tempête mais les trois coups étaient frappés. L'irruption du bruit, du sifflement des rafales, du chuintement des vagues, des grondements du tonnerre, provoqua l'irruption crue des éléments et du danger. À travers la vitre, tout était amorti, déréalisé. Ce n'est pas la vue de la mer qui est le plus redoutable, c'est sa gueulante. Le blanc s'installait à la surface de l'eau, l'écume, d'heure en heure, étendait sa conquête. La pluie oblique se densifiait sans éteindre les surventes comme dans les pays tempérés. Et les éclairs étaient si rapprochés qu'il semblait que les vagues étaient source de cette fureur, de cette débauche d'énergie.

– Même Shakespeare, dit Massimo Pajetta, n'a jamais eu un théâtre pareil.

Le Grand Animateur avait raison. Jusqu'au soir, ses ateliers connurent un vif succès. Bien sûr, les quarante-cinq nœuds de vent établi, sans compter les rafales qui allaient au-delà, ne laissaient indemnes ni les croisiéristes ni l'équipage. Mais le mal de mer a ceci de démocratique qu'il frappe indistinctement, sans considération de mérite ni de démérite. Aucun matelot ne se doutait, par exemple, que Jin Ho, le maître d'équipage, cohabitait depuis vingt ans avec cette hydre, qu'il dissimulait son courage et continuait de travailler tout en réprimant le jet de bile qui lui montait aux lèvres à tout bout de champ.

Ronnie et ses voltigeurs, eux, profitaient du grand toboggan pour rivaliser d'adresse. Tandis que les convives se cramponnaient à leur table (dont les pieds avaient été vissés, comme était relié au sol par des chaînes le mobilier des cabines), ils glissaient entre les obstacles avec l'aisance et le sourire des stars de *Holiday on Ice*. Salman, le chef cuisinier, avait opté pour une « spécialité texane aux haricots de Lima et à l'origan » (en termes plus communs, un chili con carne), gageant que la texture dense et le caractère rustique du plat seraient propres à lester des estomacs prêts à s'envoler.

Ce fut l'heure de gloire de Marcel Chourgnoz. Jamais, au grand jamais, il n'avait vu la mer en colère, et, *a fortiori*, ne l'avait chevauchée comme aujourd'hui. Mais, tandis que son épouse, consolée par Rose Travis dont l'expérience maritime était solide, regagnait vite la position horizontale, l'ancien horloger de la Corrèze découvrit que l'océan déchaîné, c'était son truc. Rien. Pas la moindre gêne, pas la moindre sueur, pas la moindre suée. D'un coup, il réalisa que Dieu et sa maman l'avaient équipé pour prendre la suite de Vasco de Balboa, Alvarez Cabral, Jacques Cartier et James Cook. Oubliant son allergie aux mets pimentés, il redemanda du chili, il redemanda du vin (qui restait « à volonté », mais les sommeliers avaient consigne d'y aller doucement et de dissuader les utilisateurs de patchs), puis s'accorda triple ration de compote. Ronnie ne manqua point de relever publiquement la performance. On l'applaudit, il salua avec modestie. Un des deux vidéastes du bord – l'autre était hors service – immortalisa la scène (par la suite, le DVD, mille fois projeté aux petits-enfants et arrière-petits-enfants, deviendrait le clou de la vidéothèque familiale).

Marcel rayonnait. Il décida même, puisque la mécanique était une affaire d'hommes, de s'inscrire pour visiter la machine. En bas, Creux touchait le fond. Be-bop, perfide et sachant combien le graisseur détestait s'exprimer en public, l'avait affecté au commentaire des visites guidées. Marcel Chourgnoz fut un peu étonné que ses compagnons et lui (la plupart des dames restaient dans les hauteurs) fussent accueillis de manière distante.

– Bon, dit Creux, la gueule de travers et l'œil fuyant. Puisque vous êtes là, autant y aller. Lâchez pas la main, parce qu'aujourd'hui c'est pourri. On met les casques et on touche à rien, compris ?

Il s'avança jusqu'à la salle des moteurs. Le bruit et les trépidations, ajoutés à une chaleur de forge, rendaient l'endroit hostile et fascinant.

– C'est là que ça se passe ! gueula Creux.

– Qu'est-ce que c'est, le machin à moitié rond ? hurla Marcel.

– Ben, le réducteur.

Marcel haussa les sourcils.

– Un réducteur c'est un réducteur, y a rien à tortiller.

– À quoi ça sert ?

Marcel n'avait plus de voix. Creux, lui, possédait l'entraînement.

– Ça réduit la vitesse puisque ça s'appelle un réducteur.

– La vitesse de quoi ?

Marcel usait sa dernière corde.

– De l'arbre, cette question !

– Et là, qu'est-ce que c'est ?

– Une pompe.

– Et là ?

– Une pompe.

– Et là ?

– Une pompe. Vous fatiguez pas, des pompes, y en a plein.

– Vous avez 8 000 chevaux, c'est ça ?

– Faut le dire vite. Les 8 000 chevaux, c'est en comptant le rasoir du chef.

– C'est quand même une bonne machine, non ?

– Ouais... Une grand-mère qui perd son col du fémur. Quand c'est pas un bout qui fuit, c'est l'autre.

Marcel, dans le monte-charge qui le ramenait vers l'air libre, songea que ce mécanicien n'était pas très amène. Mais, à vrai dire, lui-même ne l'était guère, il devait en convenir. Et c'était sans doute la première fois qu'une telle pensée effleurait son esprit.

Oubliant la sieste qu'il n'avait jamais manquée depuis le jour de sa retraite, il jeta un œil à l'atelier qu'animait le professeur Korb au moment où ce dernier expliquait les formules donnant les caractéristiques de la vague quand elle n'est pas altérée par les accidents du fond. Soit :

$L = 1{,}5\,T^2$

$C = 3\,T$

où L correspond à la longueur en mètres, T à la période en secondes, et C à la célérité en nœuds. La longueur, exposait Korb, est la distance entre deux creux ou deux crêtes, la période est le temps qui s'écoule entre le passage de deux crêtes en un point donné, et la célérité exprime la distance parcourue par une vague en un temps défini. La vague, poursuivit-il, se caractérise encore par sa cambrure, c'est-à-dire le rapport entre la hauteur et la longueur, rapport qui devient critique s'il atteint 1/7. La vague, alors, se casse et déferle.

 Au même moment, l'*Imperial Tsarina* encaissa, sur le flanc tribord, un choc puissant bientôt relayé par une secousse plus sourde qui venait, elle, des ballasts dont le contenu, brinquebalé d'une paroi à l'autre, n'en finissait pas de rebondir en protestant. Le rapport critique avait été atteint et il était rassurant de savoir que cet ébranlement n'obéissait pas à une humeur de Léviathan mais à une loi de l'équilibre parfaitement naturelle. Le professeur remarqua que la plupart de ceux qui l'écoutaient attentivement fixaient sur lui et sur le petit tableau blanc où couinait son stylo-feutre des pupilles anormalement dilatées, comme si les hôtes du paquebot avaient fumé en chœur un joint phénoménal. C'était un effet secondaire de la scopolamine, produit généralement bien toléré, mais qui entraîne sécheresse de la bouche et, dans l'œil, syndrome de Woodstock.

Korb jouait le jeu. Il avait décidé de se montrer, il se montrait, il reprenait sa place dans le dispositif. Mais ce n'était que ruse, que manière d'habiller l'obsession qui le tenait tout entier. Il avait compris que ses disparitions devenaient trop voyantes, intriguaient les autres. Il ne voulait pas que Svetlana, dont le bateau était le lieu de travail et dont l'effrayant mari était capable de tout, eût à pâtir – un peu plus – de ses manifestations émotives. Il avait donc accepté sans barguigner l'invitation de Pajetta, et révisé ses connaissances en matière de masses d'eau et de masses d'air, de convergence horizontale, ascendance, détente et refroidissement.

Et puis il avait vécu un rêve. Il avait partagé une nuit avec Svetlana. Il avait eu le bonheur, non seulement de coucher avec elle, mais de dormir avec elle, et même de se réveiller près d'elle. Grâce à Aliocha, si l'on ose dire. Le magicien souffrait depuis toujours du mal de mer mais n'avait encore jamais essayé la scopolamine. Il savait que, pour avoir quelque chance d'échapper à son destin, il fallait recourir au médicament avant l'installation des symptômes. La veille au soir, il avait donc frappé à la porte du docteur Charif, refusé l'offre d'un contrôle de son cholestérol moyennant trente-huit dollars, et testé le patch miracle. Malheureusement pour lui, il faisait partie des rares intolérants à la substance. Dès la fin de son spectacle – fin qu'il n'avait pas cru atteindre, tant il se sentait mal –, il avait ajouté au malaise général une sorte de confusion mentale : il s'enfonçait dans un brouillard d'où émergeaient des spectres colorés. Il avait eu tout juste le temps de noter que les fameux éléphants roses ne sont pas une légende avant d'arracher le patch et de réclamer le médecin. Lequel lui avait administré un sédatif dont l'action était accrue par les restes de scopolamine qui imbibaient sa cervelle. Il s'était effondré pour une douzaine d'heures.

Dans la réserve au dragon, Svetlana avait prodigué à son amant toutes les douceurs possibles et imaginables, plus quelques autres impossibles et inimaginables, avec la générosité, la fantaisie et l'expertise qu'il lui connaissait. Mais Korb n'était pas seulement avide de jouissance. Cette fois, il obtenait autre chose, le Souverain Bien, le cadeau inaccessible : du temps partagé. L'impression que le matin ne viendrait qu'après un siècle. Ils avaient parlé sans ordre du jour, sans le souci d'aller à l'essentiel, de devoir compacter leurs phrases en messages d'urgence. Ils s'étaient offert le luxe de bavarder, luxe aussi suave que les caresses. Ils parlaient, s'étreignaient, s'endormaient, puis se réveillaient ensemble et recommençaient. Bien sûr, en chemin, des douleurs étaient à l'affût – et surtout des traces de brûlures renouvelées. De cela, elle ne voulait dire le moindre mot, esquivant, virevoltant, déminant, légère, incroyablement légère.

À l'aube, elle devint sérieuse. Elle dit, de la manière la plus franche, que leur histoire s'achèverait à Mombasa, que le bateau, cinq jours plus tard, rechargeait d'autres passagers et renouvelait le périple dans l'autre sens, jusqu'à Durban. Que leur relation n'avait aucun avenir parce qu'elle, Svetlana, ne s'appartenait pas. Que c'était la vie, que c'était comme ça, que cette vie-là, par rapport à d'autres vies qu'elle avait connues, était déjà douillette et pleine d'agréments. Qu'elle chanterait en pensant à lui mais qu'elle ne lui écrirait jamais et qu'il ne fallait pas qu'il lui écrive.

Elle avait enfilé un collant et imité Marilyn.

'Cause my heart belongs to Daddy
C'est lui le propriétaire*...

* En français dans la chanson.

Le propriétaire... Korb pratiquait assez bien l'anglais
pour savoir que *Daddy*, dans ce contexte-là, ne se traduit guère par *papa*, mais par *l'homme qui a barre sur moi*, qu'il soit « protecteur » ou mari. Il n'avait pas résisté, pas essayé de sauver les meubles, il n'avait pas pleurniché non plus. Elle avait raison. S'il avait eu de l'argent et s'il avait possédé l'art de conduire ce type de négociation, il aurait vraiment essayé de l'acheter, de la racheter. Encore qu'Aliocha ne se contentait pas d'être un homme de main assez trouble : il était clairement un psychopathe mû par une passion tenace.

Et maintenant, tout en devisant de pompeuse manière sur la force de Coriolis et les cellules de Hadley, il poursuivait sa rumination schizophrène, il comptait les minutes et les secondes jusqu'à la séparation définitive, jusqu'à l'abandon – car la quitter, c'était l'abandonner, la livrer à la bête immonde, la pousser vers le précipice, la voir, hurlante, disparaître dans la gueule du kraken, le dévoreur de naufragés, le croqueur de navires, aspirée par le bec sans fond de la pieuvre cyclopéenne. Il sursauta. Les gens applaudissaient. Les pupilles dilatées, clignotant à l'unisson, lui adressaient des messages d'admiration et de gratitude. C'était fini, il avait étalé sa science, emballé la rumeur de la mer et ses mouvements incohérents dans un écheveau d'arguments rationnels. Il sourit et salua, et s'aperçut qu'il n'est pas si difficile, au bout du compte, de déguiser son âme.

Angelo Romano regardait également le monde à travers des yeux anormalement déformés. Ines et lui avaient opté pour la drogue préventive et s'en trouvaient fort aises.

Tandis que Korb disséquait la houle, il expliquait pourquoi, en saine théologie, rien n'est moins défendable que de prier pour la pluie, ou contre elle. Dieu, disait-il, n'est point un marionnettiste, il ne joue pas avec l'ordre contingent de notre univers tel qu'il s'ordonne, il ne déclenche pas les tremblements de terre ou les typhons et n'interdit pas aux vagues scélérates de gonfler. Angelo, tout croyant qu'il fût, déclarait rejoindre Einstein quand celui-ci écrivait : « Je ne puis imaginer un Dieu qui récompense et punit l'objet de sa création. Je ne puis me figurer un Dieu qui réglerait sa volonté sur l'expérience de la mienne. »

C'en était trop pour Francesco, le diacre. Il hurla son indignation, rappela que Jésus avait calmé la tempête qui terrifiait ses compagnons et invita les « véritables » catholiques à un chapelet du soir où l'on quémanderait l'indulgence et la protection célestes contre les vents déchaînés. À quoi Angelo répondit du tac au tac que se réunir pour prier est toujours opportun mais que la prière n'est pas une monnaie avec laquelle on achète l'irruption du divin. Que le texte biblique ne se lit pas au premier degré mais qu'il faut en approcher le sens. Que ceux qui s'autoproclament « véritables » sont les pharisiens de service. Et il rappela la conversation de Jésus avec une Samaritaine fort étonnée que ce dernier lui parle car le peuple juif et le peuple samaritain n'avaient nullement les mêmes rites ni les mêmes lieux de culte, et à laquelle il répondit : « L'heure vient où l'on n'adorera pas sur telle colline ou sur telle autre, mais en esprit et en vérité… »

Il s'enflammait, avec une fougue à laquelle Ines ne pouvait décidément s'empêcher d'être sensible. « Rappelle-toi que tu étais juste venue faire l'amour... » se répétait-elle mécaniquement pendant qu'elle écoutait la joute. « Juste venue faire l'amour... » Avec quelqu'un de plaisant, de charmant et de volatil, quelqu'un de hasard, quelqu'un pour quelque temps. Ce sera fini après-demain, je vais rentrer à Milan, je vais maquiller des morts et aussi des vivants qui font semblant d'être morts dans les films. Je vais retrouver les projections en avant-première, *Cosi* à la Scala. Ce sera le temps des soldes, je vais écumer les magasins de chaussures, surtout Azzurra qui a toujours des choses subtiles, avec des talons fins et des petites lanières. J'irai goûter du vin d'Orvieto chez Berlinguer. Je vais dormir seule. Seule ? Elle fit la moue et s'en étonna. Après la mort de Marcello, c'était l'unique chose qu'elle avait franchement appréciée, la maîtrise de son espace et de son temps.

Plus tard, en attendant le dîner, ils s'installèrent au bar. Scopolamine ou pas, Ines avait envie d'un americano et elle dégusta le liquide amer. Angelo l'observait sans un mot. Les mouvements du navire étaient encore plus prononcés, on le sentait s'enfoncer dans la vague et dans la nuit, on le sentait se débattre – parfois, il donnait l'impression de refuser l'océan, de se cabrer en lui résistant. Les malades ne quittaient plus leurs cabines. Les autres, au contraire, avaient du mal à masquer une excitation où entrait probablement une pointe de peur.

– Qu'allez-vous faire après le débarquement ? demanda Ines.

– De quel point de vue ? Professionnel ?

– Oui.

– J'ai rendez-vous avec le recteur de Heidelberg pour lui exposer un projet de séminaire. Il faut bien que je gagne ma vie. Et je dois passer chez mon éditeur, j'ai deux traductions à relire.

Elle, ordinairement si attentive, n'écoutait pas, n'écoutait plus. Sa main portait le verre à ses lèvres, ses lèvres et sa langue cherchaient l'americano, sa gorge frémissait ensuite, mais elle gardait les yeux baissés, presque fermés, comme les pieuses pénitentes du frère Francesco. Angelo ne releva pas que pareille attitude, mal comprise, frisait la désinvolture. Il continua, tranquillement.

– Pour le reste, pour ce qui n'est pas professionnel, c'est assez simple : je vais devoir apprendre à manquer de vous. Ça doit pouvoir se faire. J'apprends déjà à prononcer des phrases que je n'avais pas l'habitude de prononcer. « Manquer de vous », par exemple.

Il se tut. Il pensait qu'elle allait lui retourner une plaisanterie douce-amère. Mais elle ne réagissait pas. Soudain, elle fit signe à un serveur de renouveler la consommation. Et, quand le verre fut plein, elle reprit le même manège. Angelo attendait toujours. Il aimait la façon qu'elle avait de maquiller ses paupières, de les rendre argentées, scintillantes presque, quand elle fermait les yeux. Il n'avait nul besoin de fournir un effort pour être patient, il goûtait l'apparente lenteur d'Ines, il se disait que seules les femmes libres sont attirantes et que seules les femmes réfléchies sont libres.

Elle ouvrit les yeux. Son regard était flou et doux (sans doute refusait-elle de porter des lunettes), un peu perdu. Il atteignit Angelo comme une onde chaude.

– Épousez-moi, dit-elle.

Elle se mordit la lèvre comme si les mots lui avaient échappé, s'étaient enfuis d'une cage. Mais elle réitéra le propos.

– Épousez-moi, c'est la seule solution. Je vous assure.

La voix restait calme et feutrée, un brin songeuse. Elle ne sollicitait rien. Elle énonçait la conclusion d'une analyse.

Angelo, par la suite, repenserait fréquemment à ce moment-là. Logiquement, il aurait dû être traversé par une lame, par quelque chose d'aigu, éventuellement de glacial. Mais, à sa totale stupéfaction, ce qu'il éprouvait était d'un autre ordre. Dans toutes les comédies de la terre, l'incorrigible libertin (cynique mais gracieux) finit par se faire passer la corde au cou et y consent à reculons, avec une certaine bonhomie, mais envisageant par avance les petites portes de sortie, les écarts, les infidélités, le double langage déjà en gestation. Il était aux antipodes de ce scénario. Il n'était pas inquiet du tout. Délivré. C'est cela, délivré. Il portait cette hypothèse et ne s'était pas autorisé à la penser. Ines, comme à l'ordinaire, avait deux longueurs d'avance. Et elle le déchargeait du poids dont il n'avait pas même conscience.

– La seule solution, confirma-t-il.

Ils ne bougeaient plus. C'est lui qui rompit le silence.

– Demain. Ça vous irait ?

– Parfait. Tant que nous sommes dans les eaux internationales...

– ... Shrimp peut officier, oui. Pour l'aspect religieux des choses...

Elle eut un sourire malicieux.

– On pourrait demander à Francesco.

Il bondit.

– Jamais !

Elle posa la main sur la sienne.

– Je n'étais pas sérieuse. Ce monsieur n'a aucun humour, ne perdez pas le vôtre. D'ailleurs, vous restez le plus élevé en grade.

– Sans doute, mais déchu.

– Je suggère que nous nous en remettions à votre Dieu. Quand vous en parlez, je l'aime bien, je lui ferais volontiers confiance.

– À la grâce de Dieu, alors.

– À la grâce de Dieu...

Elle marqua un temps d'arrêt, sursauta comme frappée d'une idée biscornue, et reprit d'une voix presque imperceptible :

– À la grâce de Dieu, mon amour.

Et la tempête fut là. Elle s'abattit à l'instant où tombait la nuit. Ce qui n'était, jusqu'alors, qu'un désordre, un gros remous, prit la tournure d'une lutte. Shrimp avait donné consigne de ralentir fortement, de garder juste assez de vitesse pour que le bateau reste manœuvrant, et d'épauler à la lame, offrant la moindre prise tout en accompagnant son mouvement. Surveillant les isobares, il avait déterminé avec une quasi-certitude la tranche horaire qui serait celle du grand chambardement, et il avait demandé aux cuisiniers d'avancer un peu l'heure du service en sorte que les passagers aient fini de s'alimenter quand le tohu-bohu serait à son comble.

Ce fut un dîner d'anthologie. Ronnie, qui en avait vu d'autres et inscrit deux cyclones à son actif, observa strictement sa ligne de conduite : les jours de grand vent, on ne déroge pas au protocole. Pour un peu, on en rajouterait même une pincée. Les convives agrippés aux mains courantes étaient pris en charge avec une célérité sans faille, installés prestement, et, mieux que jamais, le chef de rang, d'une main et d'une seule, déroulait une serviette immaculée sur les genoux des dames. Une seconde après, la carte était présentée, escortée d'une flûte de champagne (enfin, de presque-champagne). L'orchestre (solidement amarré mais, de chaque musicien, seul le buste était visible car une barrière de fleurs masquait le reste) attaquait la *Petite Musique de nuit*. Et Shrimp se fendit d'un bref discours, sans mentionner une seconde la tempête, cette dernière étant donnée pour quantité négligeable, afin de souhaiter bon appétit à ses hôtes.

Le message était optimiste et limpide. Cette nature est, au sens propre, effroyable. Ce paquebot roule et tangue épouvantablement. Eh bien, nous autres, les humains, les marins, nous obstinons à vivre. Tempête tropicale ou pas, nous allons nous dire bonsoir, boire un verre, manger la terrine de rouget préparée par Salman et son équipe, choisir entre le pain complet et le pain blanc, hésiter entre un chardonnay fruité et un rouge léger. Nous allons échanger des propos, rire si notre estomac nous le permet, dire à notre compagne que ses boucles d'oreilles sont épatantes. Bref, nous allons nous déranger le moins possible en l'honneur de cette calamité. Humilité dans la conduite du navire, morgue envers l'inconfort subi. Pajetta, comme d'habitude, allait d'une table à l'autre, questionnait, blaguait, riait dans toutes les langues disponibles, et délivrait un unique mot d'ordre : *amici*, amis, *friends*, *Freunde*, *amigos*, *vrienden*, *philoi*, la croisière continue.

Shrimp était tracassé par Pamela Hotchkiss. Elle n'était pas apparue de la journée, claquemurée dans sa suite. Grâce à Chrysostome, le garçon de cabine, on savait qu'elle avait mangé un peu de saumon fumé, bu du vin californien, et demandé qu'on la laisse en paix. À Ines, elle avait adressé quelques lignes qui allaient dans le même sens : il lui était nécessaire, disait-elle, de s'isoler pour prendre la mesure de l'événement, pour s'acheminer vers le deuil. Elle ajoutait que le gros temps, d'ordinaire, l'affectait peu, et qu'il ne fallait donc pas s'inquiéter à son propos.

Reste que le commandant, à qui les motifs d'inquiétude ne manquaient pourtant guère, ne pouvait s'empêcher de la garder présente à l'esprit. Il aurait voulu lui faire du bien, être doux avec elle, avoir le temps de lui consacrer du temps. Il lui portait une estime solide, lui vouait une sorte de tendresse informulée, et son absence paraissait pesante, comme s'il avait commis une faute involontaire. Il se préparait, maintenant, à occuper la passerelle aussi longtemps que la dépression ne serait pas évacuée. Dans ces cas-là, il lui arrivait même de somnoler sur place par tranches de vingt minutes, calé dans le fauteuil du pacha. Quand il rejoignit Slivovice, la chambre de veille n'était plus qu'un bloc de nuit ponctué par quelques plages rouges au-dessus des cartes et des téléphones. Les instruments eux-mêmes, manettes et cadrans, en étaient nimbés pour ne pas altérer la vision nocturne. Seul l'écran du traceur demeurait multicolore et rompait l'uniformité ambiante, comme une pièce rapportée d'un goût douteux.

Slivovice informa le capitaine que Kissamos, le directeur technique de la compagnie, avait appelé pour prendre des nouvelles, et que Marios Soteriades en personne avait exigé de connaître l'exacte position du bateau, sa vitesse et sa trajectoire. L'*Imperial Tsarina* se comportait assez bien. La période des vagues s'était allongée, le tangage était moins haché quand bien même la pente à escalader était plus abrupte. Mais le navire, court de l'avant, avait tendance à enfourner, à se planter dans la vague, à s'immobiliser le nez dans l'eau, avant de soulager à la manière d'un plongeur qui repart vers la surface. Cette étape-là était impressionnante et brutale. Shrimp décida de ballaster vers l'arrière, de soulager un peu le peak si les pompes de Be-bop voulaient bien obéir.

Il était en conversation téléphonique avec le chef quand Pamela fit son apparition. Shrimp raccrocha. Il la discernait mal, elle semblait calme.

– Il n'y avait pas de cerbère, cette fois-ci. J'en ai profité.

– Je suis content de vous voir. Je m'en faisais pour vous.

– Moi aussi, je m'en faisais pour moi. C'est pour ça que je suis demeurée entre quatre murs, c'était plus facile. J'attendais le noir pour sortir. Captain Shrimp ?

– Oui.

– Cela vous ennuierait si je restais ici ? Je me collerai dans un coin.

– Pas de problème. Mais tenez-vous bien. Si vous partez, on risque de vous ramasser en miettes.

Tout en parlant, ils étreignaient à pleines poignées la main courante qui bordait les pupitres. Et ils ne cessaient de plier les jambes, de ployer les reins, accompagnant chaque tamponnement, anticipant chaque dégringolade. De temps en temps, le lieutenant donnait un coup de projecteur vers l'avant, balayait le pont mousseux pour en jauger l'état. La mer, alors, apparaissait pour ce qu'elle est : méchante, haineuse, protéiforme. Elle avait le mufle de ces poissons des grandes profondeurs qui épouvantent les pêcheurs quand ils dévoilent, arrachés à l'eau noire, leurs yeux globuleux et aveugles, leurs écailles préhistoriques, leurs dents étrangement juxtaposées, leur tête hypertrophiée, et livrent tous les signes de la protestation dans l'agonie, fouettant de la queue, déployant des nageoires cartilagineuses et mâchant l'air désespérément.

Les vitres étaient épaisses, la clameur du dehors qui, maintenant, ne connaissait plus de pause restait quelque peu tenue à distance, non pas abolie mais différée. Pour l'heure, il restait possible de parler.

– Je ne comprends pas ce qu'il m'arrive, avoua Pamela.

Shrimp se méprit. Il crut qu'elle évoquait la soudaineté de son malheur.

– Votre mari a anticipé, vous n'imaginiez pas...

– C'est pire que ça. Je m'attendais, aujourd'hui, à lâcher mes larmes, à laisser la peine me prendre. Mais, vous savez, captain Shrimp, ce qui domine, c'est le soulagement. Je n'en reviens pas. Norbert s'est tué et je suis soulagée ! Ça ne tient pas debout !

– Bien sûr que ça tient debout. Vous étiez minée par la terreur de le voir se dégrader. Combien de temps lui donnaient les médecins ?

– C'était assez flou. Quelques mois, grand maximum, avant de perdre complètement la boule. Après, c'était encore plus flou...

– Vous êtes soulagée de ne pas avoir eu cette image-là de l'homme que vous aimez.

– Mais j'ai honte ! J'ai honte d'être soulagée.

– Pensez plutôt que ce soulagement, c'est le cadeau qu'il vous fait.

– Norbert adorait faire des cadeaux, mais il avait du mal à en recevoir.

– Il était d'origine modeste, n'est-ce pas ?

– Plus que modeste. Il était généreux, mais il avait horriblement peur que ça se sache, il avait peur qu'on le croie faible.

– Acceptez son cadeau.

– J'ai du mal, je ne me comprends pas moi-même. Figurez-vous que j'ai dormi. J'ai très bien dormi. Comme un loir ! Un demi-somnifère et hop ! je suis partie. Et je me suis tapé un excellent petit déjeuner, avec un œuf mollet, des toasts. Vous vous rendez compte ? Hier, je trouve mon mari mourant avec une corde autour du cou, et aujourd'hui, j'ai assez d'appétit pour commander un œuf mollet.

– Ça veut dire que vous êtes vivante et c'est une bonne nouvelle. N'ayez donc pas peur de ne pas souffrir assez, vous aurez votre dose, vous en avez déjà eu une sacrée ration.

– Qu'est-ce que c'est que ça ?

Elle s'était tue, soudainement, et Shrimp comprit qu'elle tendait l'oreille. L'aiguille de l'anémomètre, juste sous leurs yeux, partait vers la droite et affichait entre cinquante-cinq et soixante nœuds. Un son persistant s'élevait, comparable peut-être à celui des scies musicales dont les clowns usaient naguère, ou bien des verres de cristal agacés par le doigt d'un manipulateur. Un son chaud, une voix de mezzo-soprano tenant obstinément la note. Nul ne pouvait dire de quelle gorge cela sortait, d'où jaillissait la colonne d'air. La pièce était noyée dans cette musique monotone et troublante.

Slivovice, à l'écart, penché sur la table à cartes avec le lieutenant, se tourna vers eux.

– La passerelle chante, dit-il.

Le commandant expliqua à sa visiteuse que, lorsque la tempête culmine, lorsque la violence du vent est constamment excessive, la cage de verre se met à résonner comme un instrument ébranlé par la nature. On y était à plein. La menace et la beauté se confondaient. Pamela ferma les yeux, laissa les ténèbres la gagner tout entière, laissa la complainte du vent l'emporter. On avait l'impression que ça n'en finirait plus, qu'il y en avait pour des jours et des semaines.

– Est-ce que nous sommes en danger ?

– Non. En principe, non. Mais le bateau travaille beaucoup.

La tempête prit sa respiration, le souffle faiblit un peu, l'aiguille de l'anémomètre recula de dix nœuds et le chant s'interrompit, laissant place à une sorte de rugissement continu. La pluie cognait et les éclairs crépitaient. Le tonnerre se déchaînait sans doute mais on ne le percevait guère : il se diluait dans la vocifération générale et dans l'explosion des paquets de mer qui, par saccades, montaient jusque-là. Shrimp appela le commissaire et lui demanda si le personnel de cabine signalait des problèmes, des blessés. La réponse fut négative. Les passagers, pour la plupart, s'étaient blottis chez eux, roulés en boule tel un hérisson dans l'adversité, et attendaient que ça passe. Le seul incident notable était dû à Marcel Chourgnoz qui, devenu pilier de bar, offrait aux rares noctambules tournée sur tournée. Il avait fallu le raccompagner quasiment de force et, dans les couloirs, soutenu par deux hommes, il chantait encore :

Voulant mettre dans ma bourse
L'étoile du berger
Enfant du pays des sources
J'ai beaucoup voyagé...

Shrimp rapporta l'incident à Pamela. Elle laissa échapper un rire qui avorta précocement.

– Vous n'allez pas me faire rire, en plus !

– J'aurais bien aimé vous offrir une croisière plus distrayante.

– De ce point de vue-là, je n'ai pas à me plaindre, c'est pour vous que c'était compliqué.

– Ça l'est encore, je le crains.

– Qu'est-ce que vous allez faire, captain Shrimp ? Vous allez rendre votre tablier à ce Grec qui s'est moqué de vous ?

– Je vais peut-être vous étonner, mais, si la compagnie continue, je pense que je continuerai aussi. Évidemment, on ne va pas le lui annoncer comme ça, au Grec, on va poser des conditions, Ronnie se débrouillera pour obtenir tout ce qu'on lui refusait côté syndical. Mais moi, je ne crois pas que les autres compagnies soient réellement plus vertueuses.

– Résigné, alors ?

– Pas du tout. Mais quand on est marin, quand on va de port en port, on est bien placé pour ne plus s'étonner que le monde soit en désordre, pour se demander ce qui dépend de nous et ce qui ne dépend pas de nous. Moi, ce que je me dis, c'est que, dans six jours, il y a sept cents personnes qui arriveront sur le quai, qui auront chaud, qui se seront avalé douze heures de vol, et qui auront envie de rêver sur l'eau. Alors, si Marios ne me colle pas dehors, ce qui n'est pas exclu parce qu'il aura du mal à me pardonner d'avoir eu raison, je vais les emmener sur l'eau. Et je vais l'obliger, Marios, à m'accorder l'arrêt technique qu'il me refuse depuis un an.

– Vous n'en avez pas marre, des violons, du ciel bleu, des soirées Moulin-Rouge ?

– Quand j'ai commencé dans le métier, j'étais lieutenant sur un cargo pourri qui trimballait des résidus huileux le long des côtes d'Amérique latine. On embarquait pour cent dix jours, les risques d'incendie étaient permanents. Du coup, le french cancan, moi je vois ça comme un progrès. Et puis il y a des trucs qui changent. Regardez Pajetta...

– Il change, lui ?

– Aujourd'hui, il nous a dit : je ne vais pas raconter des craques aux gens, on a une tempête devant nous, pas moyen de biaiser, on va passer au réel, on va parler de la tempête. C'est ça que j'appelle un progrès.

Shrimp observa ses cadrans, vit que le vent gagnait au nord et demanda à l'homme de barre de reprendre du cap.

Il revint auprès de Pamela et tous deux restèrent longuement en silence, poursuivant leur gymnastique machinale.

– Vous avez des gosses ? finit par demander l'Américaine.

– Oui, j'ai deux fillettes. Des jumelles. J'ai des gosses mais je ne suis pas certain qu'elles ont un père.

– Vous en avez, c'est beaucoup. Moi pas. Elles finiront par vous rencontrer.

– Je l'espère. La seule chose dont je sois sûr, c'est que je l'espère.

– Dans la lettre qu'il m'a laissée, Norbert parlait de vous. Il écrivait que vous êtes un type honnête. Ça l'étonnait toujours, les types honnêtes.

– Moi aussi ça finit par m'étonner…

– Il y avait un message pour vous. Avant de… Enfin avant, il avait demandé à son associé de ne pas lâcher votre Russe, de continuer à l'occuper.

– Il a pris le temps de penser à ça !

– Oui. C'était un homme qui n'aimait pas laisser traîner des choses dans les coins.

– Je lui garde toute ma gratitude. Et en même temps, ça m'agace qu'un type comme lui soit plus efficace avec un simple ordinateur que tout un équipage en colère.

– Moi aussi ça m'agace.

– Vous allez repartir sur New York ?

– Non. Miami. Notre notaire et notre avocat sont là-bas. Norbert détestait Miami mais il voulait que nous y ayons une maison. Il disait que c'est le point de ralliement de tous les grands crocodiles, et qu'il ne pouvait pas rater ça, question de standing.

– Attendez ! intervint Shrimp.

Il colla son oreille contre le haut-parleur de la VHF qui lui semblait crachouiller quelque chose. Mais le vent et les trombes d'eau couvraient l'émission.

– Eh ! gueula le commandant à l'intention de ses subordonnés.

Slivovice et le lieutenant se rapprochèrent. Shrimp poussa le son au maximum.

– *Mayday Mayday Mayday*, égrenait une voix lasse et lointaine.

– Bon sang !

Tous se courbèrent en rond autour du récepteur.

– *Mayday Mayday Mayday...*

– Appelle le chef, dit Shrimp à Slivovice. Tout de suite !

– *This is the ship...*

Une giclée monstrueuse contre la vitre engloutit le nom du navire. Shrimp décrocha le combiné.

– *This is the ship* Imperial Tsarina. *This is the ship* Imperial Tsarina. *Do you read me ? Do you read me** *?*

Une bordée de crachotements lui répondit. Puis la voix lasse revint.

– *This is the ship* City of Marsaxlokk, *do you read me,* Imperial Tsarina *? Do you read me ? We are sinking. We are sinking***.

* « Me recevez-vous ? » (La tradition maritime veut que, même en phonie, on demande si l'autre vous a correctement *lu* – héritage du morse et des transmissions télégraphiques.)

** « Nous sommes en train de couler. »

Shrimp jura. Be-bop émergea, une question au bord des lèvres. Le commandant lui fit signe de se taire.

– *What is your position,* City of Marsaxlokk *?*

Des crachotements, à nouveau.

– Le palangrier ? questionna Be-bop.

Shrimp opina.

– Pour une fois que Soteriades nous envoie un ange gardien, il part à la baille !

La voix revenait.

– ... *Seven degrees, thirty-six minutes, thirty-five seconds, east forty-two degrees, twenty-six minutes, fifty-five seconds...*

Le lieutenant portait déjà la position sur la carte. Shrimp et Be-bop filèrent le rejoindre pendant que Slivovice essayait d'interroger le naufragé. Ils avaient tous oublié Pamela qui suivait le déroulement des opérations sans mot dire.

– 43 milles d'ici, dit le lieutenant, et vent de travers.

– Bordel de Grec ! pesta Be-bop.

– Attends, attends, reprit Shrimp, il remonte, le vent. On sera plutôt au près bon plein. Combien tu peux me donner ?

– Moi, je te donne tout ce que j'ai. Tant que ça tient. Mais, de toute façon, tu ne vas pas cavaler bien vite.

– Sept ou huit nœuds, quelque chose comme ça. Sinon j'explose tout et les passagers avec.

– Ça nous y met à l'aube. Il coule ou il va couler ?

– Il va couler. Un envahissement de machine.

C'était Slivovice. Shrimp poussa l'interrogatoire.

– Leurs moyens de pompage ?

– Ils pompent, mais ils n'étalent pas. Ils s'enfoncent.

– Combien de temps ?

– Quand je leur pose la question, ils répondent par une question. Ils nous demandent combien de temps on prendra pour arriver. Je leur ai dit qu'on n'est pas un train. Ils assurent qu'ils se débrouilleront.

– Ils doivent paniquer et on les comprend, trancha le commandant. Allez, chauffe, Be-bop, on va faire du sport.

Pour changer, Korb cherchait Aliocha. Mais cette fois, il ne tournerait pas autour du pot. Cette fois, la dernière et la première, l'explication aurait lieu. Svetlana était introuvable, inaccessible. Liliana, réquisitionnée pour prêter main-forte aux hôtesses, lui avait expliqué pourquoi : le personnel qui n'était pas de service avait consigne stricte de rester dans ses quartiers. Seul le magicien s'était échappé. Il était horriblement malade et, surtout, ne supportait plus de demeurer à l'intérieur. Malgré la tempête, il était sorti, et il se trouvait donc quelque part dans le vent et la tourmente.

La piste était facile à suivre. L'accès aux ponts était partout condamné. Seule une ouverture – pour des raisons de sécurité, dans l'hypothèse où quelque intervention l'aurait exigé – avait été laissée libre, au plus haut niveau, à l'abri des ailerons qui prolongeaient latéralement la passerelle. Là, justement, où les deux rivaux avaient coutume de se croiser. Là, près de la bibliothèque où Korb avait offert à Svetlana une première margarita. Nul autre passager ne s'y serait aventuré. Lorsque Korb franchit la porte, le vent l'assaillit comme une main géante, un rideau d'écume l'enveloppa. Hormis les éclairs, la nuit était opaque, l'eau douce et l'eau salée se mêlaient en désordre, et, dans le noir, dans la houle, le cri de la tempête était encore plus perçant.

Aliocha était au rendez-vous. Il tournait le dos au physicien, genoux pliés, effondré le long de la rambarde, le visage débordant vers l'extérieur et la main gauche cramponnée vaille que vaille à un barreau. Korb s'avança dans sa direction, invisible, inaudible, et observa que l'homme était secoué de spasmes qui parcouraient son corps entier et projetaient sa tête en avant. Il avait dû vomir tout ce qu'il avait à vomir, et maintenant, il vomissait encore, il retournait son estomac vide, il se vomissait lui-même. Korb s'approcha pour l'empoigner, le prendre par les épaules, le ramener à l'intérieur et l'obliger à parler.

Il n'était plus qu'à un mètre, peut-être moins, quand Aliocha tourna la tête vers lui. Son visage était défiguré, grotesque. Son regard, fou. Il essaya de se redresser mais un nouveau spasme, plus violent, le rejeta vers la mer, l'obligea à se casser, à ployer la nuque. Korb fut parcouru d'un frisson électrique qui hérissa tous ses poils. Tandis que l'autre s'agitait pitoyablement, il fit un pas, l'empoigna par les chevilles, le souleva avec une force dont il n'avait jamais eu la moindre notion ni la moindre expérience. Ce fut rapide et silencieux. Le magicien frêle tenta vainement de se raccrocher au barreau, s'éleva dans l'air, et, cueilli par une rafale, parut s'éloigner du bord avant de plonger, de se dissoudre.

Ruisselant, oscillant, Korb demeura un instant sur place. C'était fait. C'était facile et définitif, incroyablement simple. Il ne l'avait pas décidé mais tout son être l'avait voulu. Il haletait dans la pluie mordante et chaude.

Il n'était pas en état de retrouver la lumière, la banalité des couloirs, le moelleux des moquettes et le soupir de l'ascenseur. De lui-même, son corps cherchait une niche sous le vent, un abri provisoire. Il s'affala au pied d'une des deux cheminées. Des escarbilles noires voltigeaient autour de lui, s'échappaient d'une fumée qui semblait s'épaissir. Peu importait. Il se blottit contre la tôle couverte de pustules et de meurtrissures que la peinture s'efforçait de gommer. De la main, il la caressait comme on caresse une peau tiède. Il entendait battre, dans les hauteurs, un clapet d'acier dont le va-et-vient ponctuait les éruptions de la machine. Le paquebot est vivant et le monstre est mort.

Le monstre est mort, le monstre est mort. À la fin des films qu'il regardait parfois sur le câble quand il retardait le moment d'aller se coucher, la phrase était rituelle. Un flic bleu et rassurant, un gros flic large d'épaules, aux yeux fatigués d'avoir tout vu, relevait la mère et l'enfant et disait n'ayez plus peur, c'est fini, il ne vous fera plus de mal, il ne reviendra jamais, oubliez tout ça. Le monstre est mort. Et dans les films, le cauchemar se déchirait d'un coup, la vie délicieusement ordinaire commençait de faire entendre sa petite musique harmonieuse et normale, le sang s'effaçait comme la crasse sous un coup d'éponge publicitaire. Le monstre est mort, c'est fini, tout est fini, oublions, la saleté s'en va, musique.

Le monstre est mort, Svetlana est libre. J'ai libéré Svetlana, oublions. Svetlana est libre, je suis son libérateur. Oublions. Il revit, un instant, le pantin qui flottait au-dessus de lui et qui s'éloignait comme un astronaute perdu se fond dans l'infini. Dans l'infini, c'est fini. Oublions.

Et puis le film s'immobilisa, la musique se figea dans un grincement lamentable. Et l'information de la soirée l'atteignit au plexus, foudroyante. Le professeur Korb, grand prix de l'Académie des sciences, médaille Slodjian pour ses recherches sur les rayons gamma, le professeur Korb est un assassin. Tandis qu'il effectuait une croisière dans l'océan Indien à bord d'un paquebot où il donnait des conférences, le professeur Korb, grand prix de l'Académie des sciences, médaille Slodjian pour ses recherches sur les rayons gamma, a tué le mari de sa maîtresse. On en sait maintenant un peu plus sur l'affaire du professeur Korb, grand prix de l'Académie des sciences, médaille Slodjian pour ses recherches sur les rayons gamma. Il a tué le mari de sa maîtresse en le jetant par-dessus bord au cours d'une tempête. Ultime précision : la victime, qui lui tournait le dos, n'était pas en état de se défendre.

Korb tremblait. La panique, à présent, s'emparait de lui, pénétrait veines et artères, se glissait dans sa moelle et ses os. Je suis un assassin. J'ai tué un monstre sans défense. Svetlana est libre. Svetlana est libre, elle. Je ne serai jamais libre, jamais plus, jamais libre de ne pas être un assassin.

Il décida que ce n'était pas possible, qu'il fallait en finir avec cette histoire monstrueuse.

CHAPITRE 12
OÙ LE PÈRE ANGELO REPREND DU SERVICE

Le *City of Marsaxlokk* s'enfonçait par l'arrière. Son tableau disparaissait sous l'eau ; l'étrave, en contrepartie, saillait, oblique, vers le ciel. Chaque vague nouvelle noyait le chalutier jusqu'à la passerelle. Et l'on distinguait très bien les onze hommes réfugiés sur la plage avant, en combinaison de survie rouge et jaune. L'épave pouvait encore tenir une heure ou bien couler en l'espace de vingt secondes. Il suffisait que, dans la salle des machines, la dernière cloison étanche vienne à céder pour que ce soit fini. Il suffisait que, sur un coup de roulis, quelques tonnes d'eau supplémentaires déclenchent l'irréversible. Le vent avait certes molli, le jour naissant promettait l'accalmie mais l'océan avait été trop ébranlé pour s'assagir avant la mi-journée. Impossible de s'approcher tout près : l'*Imperial Tsarina* risquait d'aborder le chalutier en détresse.

Shrimp manœuvra pour venir sous le vent. Par VHF, il restait en liaison avec Arnold Malaisé, le capitaine du palangrier. Tous deux étaient convenus qu'une distance d'un demi-mille, entre les bâtiments, serait une option raisonnable. Comme l'avait annoncé Marios Soteriades, qui suivait le sauvetage très attentivement, Malaisé semblait être un marin éprouvé.

Le pont supérieur, qui n'était plus interdit mais qui restait mouvant, se remplissait de spectateurs comme un stade les soirs de finale. Par le truchement des garçons de cabine, des hôtesses et des serveurs de la cafétéria, Massimo Pajetta avait fait passer le mot : vous allez être témoins d'un événement rare, vous allez être témoins d'un naufrage et d'un sauvetage. Et ils arrivaient tous, la mine chiffonnée après cette nuit atroce, mais tenaillés par la curiosité, armés de jumelles, de Caméscope, d'appareils photographiques. Le Grand Animateur avait compris que l'opération, si elle était menée à bien, serait la rançon de l'épreuve. La nuit avait été noire, mais on remontait vers la lumière et la croisière mystère, après les douceurs des îles dorées, offrait à présent une autre épice : l'extrême et l'exploit. Quand ils seraient las d'évoquer la tiédeur des lagons et la soirée viennoise avec Brad Pitt, les hôtes de l'*Imperial Tsarina* raconteraient *leur* tempête tropicale et *leur* sauvetage comme on raconte *sa* guerre.

Une bouffée de vapeur s'échappa de la cheminée du palangrier qui prit encore quelques degrés de gîte. Shrimp et Slivovice avaient autour d'eux Be-bop et Creux, Jin Ho et Kyung Soon.

– Faut pas traîner, dit Be-bop. Le pet, là, c'est le pet de la fin.

– *Go !* lança Shrimp.

Laissant Slivovice aux manettes, ils descendirent vers les chaloupes. La houle demeurait forte, la mise à la mer serait périlleuse. Shrimp, VHF en main, entendait surveiller l'embarquement avant de remonter à la passerelle. Jin Ho et Creux prirent place dans le canot. Kyung avait en charge la manipulation des bossoirs. Il fallait, en principe, que la chaloupe descende progressivement, sans heurt, puis qu'elle soit promptement libérée au contact de l'eau, sous peine de se fracasser contre les flancs du paquebot. Suspendu dans le vide, Creux lança le moteur qui toussota, démarra, fuma bleu et s'étouffa.

– Enrichis pas le mélange, connard ! gueula Be-bop.

Creux modéra le starter, relança le démarreur. Cette fois, aucune réponse.

– T'es qu'un assassin, hurla Be-bop en sautant dans la chaloupe. Les mecs, là-bas, ils ont pas le temps d'attendre après ton délire.

Il était à bord.

– Eh ! T'as pas de gilet ! lança Shrimp.

– J'en mettrai un en route.

Il ouvrit le capot, trifouilla du côté de la pompe d'alimentation.

– Vas-y, ordonna-t-il à Creux.

Le moteur partit, mais un rien hésitant. Be-bop avait saisi la VHF de Jin Ho.

– Je reste avec eux, cria-t-il dans l'appareil.

– Ton gilet, bordel, ton gilet ! vociférait Shrimp.

La chaloupe descendait. Par moments, il semblait que la tôle du paquebot allait se coucher sur elle, et, une minute plus tard, qu'elle l'aimantait pour la pulvériser. Les trois occupants se cramponnaient de leur mieux, ils progressaient par secousses brutales. Dès qu'ils atteignirent l'eau, Jin Ho prit la barre et poussa les gaz. Ils se dégagèrent un peu, s'écartèrent d'une cinquantaine de mètres. Et le moteur stoppa. Creux tenta de le relancer, obtint quelques hoquets, sans plus.

– Insiste pas, gueula Be-bop. C'est pas le moulin, ce coup-ci. Je suis sûr qu'il y a un putain de bout dans l'hélice, sans doute le filin du bouchon de nable.

Jin Ho avait immédiatement compris et s'était emparé d'une gaffe. Le canot s'était mis en travers de la houle et roulait bord sur bord, au risque de s'emplir.

– Tenez-moi, dit Be-bop.

Creux et Jin Ho l'empoignèrent par les jambes tandis qu'il se penchait, à l'arrière, pour essayer de décrocher le filin malvenu. La chaloupe se rapprochait du paquebot. Là-haut, des cris d'effroi commençaient à retentir.

– Putain de merde, faut y aller !

Be-bop arracha ses bottes et plongea, ne laissant pas aux autres le temps de formuler un avis ou de proposer quoi que ce soit. Il disparut. Longuement.

– Il va mourir, le chef.

Jin Ho constatait la chose avec tristesse et fatalisme. Et se sentait coupable de n'avoir aucune alternative à offrir. Creux, simultanément, avait extrait du coffre une petite échelle de corde et l'assurait avec force nœuds habiles.

– Là ! cria Jin Ho. Là !

Ils étaient à cinq ou six mètres de la paroi d'acier. Creux ne comprenait pas ce que le bosco voulait dire. Il s'aperçut enfin que son doigt ne désignait pas un point sur la mer mais le capot ouvert du moteur. Ça tournait, quelqu'un tournait l'arbre en tournant l'hélice, ce quelqu'un était fatalement Be-bop et Be-bop était donc vivant.

Ils se ruèrent vers le tableau. La tête du chef émergea, violacée.

– C'est fait !

Il était à bout de souffle.

– L'échelle ! hurla Creux. Attrape l'échelle.

Be-bop n'entendait plus, il parvenait à flotter encore, mais tout ce qui excédait cet effort lui devenait inaccessible.

Creux tourna un cordage sur le gros taquet central et se jeta par-dessus bord. Nageant pour contourner la chaloupe, il tenait le cordage entre les dents puis, parvenu à Be-bop, le glissa sous ses aisselles et noua la boucle autour de lui. Jin Ho commençait déjà de haler.

À la force des bras, Creux, empoignant l'échelle, revint aux côtés du bosco et tous deux hissèrent Be-bop sur le platbord. Le chef finit par basculer dans la chaloupe.

– Attention ! brailla Jin Ho.

Le canot cognait contre le paquebot. Creux démarra le moteur sans rencontrer de résistance, s'éloigna. Jin Ho, lui, écopait. Il y avait bien cinquante litres d'eau dans les fonds.

 Cent mètres plus loin, Creux laissa la barre au bosco, cap sur le chalutier dont on n'apercevait, mangée par les vagues, que l'extrême proue. Le graisseur gifla le chef allongé, méthodiquement, un côté puis l'autre.

– Ça va, protesta Be-bop d'une voix blanche, ça va. Tu commences à y prendre plaisir, enfoiré.

Ballottée de partout, la chaloupe progressait aussi vite que le permettait la mer.

– Vous avez vu ? questionna Jin Ho.

L'étrave du palangrier gagnait encore en hauteur.

– Ils ne pourront pas descendre dans le canot, poursuivit le bosco. Il va falloir qu'ils se jettent à la mer, et on devra les récupérer. Préparons des bouts.

Creux fourrageait dans le coffre et en extrayait deux autres échelles. Le chef, lui, retrouvait son souffle. Il écouta le bruit du moteur et n'en parut guère satisfait.

– Attends que je lui donne un peu plus de jus, à cette casserole.

Il se pencha sur le capot et ne se redressa que trois minutes plus tard. Il avait retrouvé figure presque humaine et apostropha Creux.

– Pourquoi tu m'as tiré de là, toi ?

– T'étais dans l'eau. J'ai jamais laissé crever un mec qu'est dans l'eau. On n'a pas le droit.

– Ça c'est vrai.

– Mais t'inquiète, à terre, je te crève la gueule.

– Tu me tutoies, maintenant ?

– Excusez, chef.

Sur le pont de l'*Imperial Tsarina*, on n'avait pas trop compris les vicissitudes de la chaloupe et de ses occupants. Mais à présent, tout paraissait limpide : le canot filait vers le *City of Marsaxlokk* ou ce qu'il en restait. À la jumelle, on vit distinctement les marins-pêcheurs descendre leurs sacs au bout d'une corde, puis se jeter à l'eau l'un après l'autre. La chaloupe dansait en tous sens, la remontée à bord semblait acrobatique. Mais les sauveteurs et leurs passagers se détachèrent enfin de l'épave qui continuait de bouchonner sur les flots et prirent la direction du paquebot. Shrimp avait préparé un solide comité d'accueil, gageant que les naufragés seraient exténués.

Ils n'étaient pas en trop mauvais état. Fatigués, sans aucun doute. Apeurés, pour quelques-uns. Mais aussi capables de sourire. Les croisiéristes leur firent un triomphe, au point que l'un d'entre eux, un Noir taillé comme un pilier de basket, leva les deux mains au-dessus de sa tête en signe de victoire tout en tournant sur lui-même. Quant aux trois sauveteurs, ils furent reçus en héros. Les musiciens jouaient un thème de swing. Malgré les embruns, les nuages et les combinaisons de survie ruisselantes, le ton était à la garden-party plutôt qu'au retour d'opération. Les pêcheurs furent emmenés vers le poste d'équipage où les attendaient médecin, repas chaud et matelas de repos. Mais Shrimp retint près de lui son collègue, Arnold Malaisé, car Marios Soteriades voulait le joindre toutes affaires cessantes au téléphone. Avant de rendre compte à l'armateur, Malaisé réclama du rhum. Il levait son verre quand on s'aperçut que le palangrier se dressait à la verticale. Il resta deux ou trois minutes dans cette position, planté sur l'océan jusqu'à la cheminée, puis un nuage de fumée l'entoura et il sombra, tout droit.

Malaisé regardait la scène sans émotion apparente. Mais il posa soudainement son verre, s'empara de la bouteille plus qu'à demi pleine, et, tandis que le bateau disparaissait, en siffla le contenu d'un trait. Quand il rendit au serveur la bouteille vide, la surface de la mer l'était aussi, hormis quelques bouées roses qui s'étaient éparpillées à l'emplacement du naufrage.

– Ça sert à rien de pleurer, dit Malaisé. Où il est, le téléphone ?

Un matelot l'escorta vers la passerelle. Be-bop s'était débarrassé de sa combinaison et revenait en tenue présentable. Shrimp l'attendait de pied ferme.

– Tu viens chercher ta médaille ?

– Hein ?

– Refais-moi ça une seule fois et je te colle un rapport. Je ne blague pas, Be-bop. C'est ton commandant qui te parle. Je te colle un rapport, avec ma signature dessus.

Sa colère n'était pas feinte. Mais il en fallait plus pour démonter le chef.

– Tu ne ferais pas ça, Shrimp ! dit-il d'une voix suppliante.

– Je te le jure.

– J'ai une femme, Shrimp, une femme merveilleuse, la même depuis vingt et un ans, une femme qui ne sait rien faire de ses dix doigts et qui allaite encore…

– Arrête ton cirque et écoute-moi. Je n'ai qu'un chef mécanicien, sur ce bateau. Je ne peux pas m'en passer. Et toi, tu vas jouer aux Pieds Nickelés, tu manques te noyer, tu n'enfiles même pas un gilet !

– J'avais une combi, quand même.

Cette fois, Be-bop était sur la défensive.

– Pour te balader sur le pont, pas pour autre chose.

– Avant d'engueuler la terre entière, tu devrais dormir un peu et freiner sur le café.

– Change pas de sujet.

Il s'interrompit. Angelo Romano, gêné d'avoir surpris l'altercation, se dandinait sur place.

– Je ne voudrais pas…

– Je t'en prie.

– J'ai un service à vous demander, commandant.

– Je croyais qu'on se tutoyait, Angelo.

– Excuse-moi, Shrimp. Voilà…

– Je sais pas ce que vous voulez dire, observa Be-bop, mais ça vient de loin.

– Est-ce que ça t'ennuierait de nous marier ?

Be-bop ouvrit de grands yeux.

– Mais vous êtes curé, non ? C'est vous qui mariez les autres.

– Je ne suis pas, j'étais.

Shrimp remit la conversation sur ses rails.

– Et la fiancée se nomme… ?

– Elle-même.

Le commandant s'épanouit.

– Félicitations, Angelo.

L'intéressé s'adressa à Be-bop.

– Accepteriez-vous d'être mon témoin, chef ?

– Moi !

– Mais oui, vous.

Be-bop était rouge de confusion.

– Et pourquoi moi ?

– Parce que vous faites rire ma future femme, et que j'adore la voir rire.

Pajetta faillit tout compromettre. Il était si désireux de rejeter dans les ténèbres extérieures les malaises dus à la tempête que la perspective d'un mariage le mit en transe. Il était prêt à convoquer tous les violons, à déployer un maximum de faste et de solennité. Ines comprit que, si elle souhaitait se marier ce jour, et se marier discrètement, il importait de stopper pareil élan à la source. La cérémonie, expliqua-t-elle, serait brève et dépouillée. Pour témoin, elle choisit Ronnie (en d'autres circonstances, Pamela eût été requise). Il fut convenu qu'on attendrait la fin de son service pour officier. Et que cela se déroulerait à la passerelle, dans l'intimité.

À quinze heures, Shrimp avait un peu dormi et retrouvé meilleure mine. La mer était désormais fréquentable, le soleil brillait à nouveau, le vent s'était mué en brise, les violences de la nuit paraissaient un mauvais rêve. Ines portait une jupe ample et un haut soyeux, Angelo une de ses élégantes chemises de lin. Ronnie était fort grave et Be-bop prenait son rôle très au sérieux.

– Mes amis, dit Shrimp, lors de mon propre mariage, le maire nous a fait, à ma femme et à moi, un magnifique discours sur le sens du mot « toujours ». C'était épouvantable et menaçant, nous avons failli nous enfuir. Je vous éviterai donc ce genre de sermon, il ne m'appartient pas de dire ce qu'est l'amour, d'où il naît, comment et pourquoi il dure. Ma fonction, ici, est de prendre acte de votre décision de lier vos existences. Devant Ronnie qui nous sert des plats inoubliables, devant Be-bop – je veux dire devant Robert de la Mare qui, lui, nous sert des blagues qui ne le sont pas moins –, je vais donc vous demander d'exprimer et de confirmer votre choix.

Ce qui fut fait, dans les minutes suivantes, d'une voix douce et résolue. Les bagues à deux sous avaient été acquises en promotion chez Natacha's. Le champagne, lui, était exceptionnellement authentique – Ronnie, changeant de personnage à vue, le sortit on ne sait d'où, frais et millésimé.

Redescendant de la passerelle, Ines était tout étourdie par la simplicité de la chose, par son évidence. Elle avait depuis longtemps passé l'âge des coups de tête. Et ce qu'elle appréciait dans le fait de vieillir, par ailleurs fort désagréable, c'est qu'il vous apprend à savoir ce que vous désirez pour de bon. Ce n'était pas l'accélération du temps qui l'étourdissait, le tourbillon d'une décision impromptue, mais sa propre résolution, l'assurance et la sérénité dont elle faisait preuve.

– Est-ce que cela vous ennuierait de m'accorder un peu de solitude ? demanda-t-elle à Angelo. Je crois que j'ai la tête qui tourne. Ça n'était rien, au départ, cette croisière. Rien du tout. Juste un truc qui est tombé sur moi par hasard. Cela m'amusait, j'avais plus ou moins perdu l'habitude de m'amuser.

– J'espère que vous la garderez. N'ayez pas le vertige, ce n'est pas si grave.

– Le mariage, non. Franchement non, ce n'est pas si grave. Mais...

– Mais ?

– Mais ce que j'éprouve au fond de moi, ce qui m'a décidée, ça me secoue, vous savez... À tout à l'heure.

Elle effleura son bras. C'était sa manière de prendre congé. Elle lui tourna le dos et s'éloigna. Il admirait son port de tête, cet art qu'elle avait de se mouvoir sans déhanchement. On oubliait, en l'observant, que la marche est une chute compensée. Ma femme. *Ma* femme ? Quelle étrange façon de parler...

– Angelo ! Père Angelo !

Il sursauta. Korb. Korb qui lui donnait du « père » au moment le plus inopportun. Korb dans un état épouvantable, le visage creusé, agité de tics, les yeux rouges et exorbités. Korb tremblant de tous ses membres et tremblant de la voix. Korb dont nul n'avait relevé l'absence, ce midi. Du fait de la tempête, nombre de croisiéristes étaient restés dans leurs cabines pour récupérer, et les habitudes étaient provisoirement rompues.

– Mon Dieu ! Qu'est-ce qu'il vous arrive ? Vous avez une tête de déterré !

– Ne dites pas ça ! C'est de mauvais goût.

La voix du professeur dérapait. Il semblait en proie à une terreur intense. Il se pendit au bras d'Angelo.

– Donnez-moi une heure. Rien qu'une heure. Je vous en supplie, père Angelo, donnez-moi une heure.

L'interpellé ne savait plus quelle contenance prendre. L'homme était si pitoyable, si épuisé et larmoyant qu'il décida de l'entendre.

– Venez. Nous serons plus tranquilles à la bibliothèque.

Korb sursauta comme si Angelo Romano lui plongeait un couteau dans le cœur.

– Surtout pas. Pas la bibliothèque ! Pas là-bas. Je ne retournerai jamais là-bas.

Son comportement était de plus en plus bizarre.

– Que suggérez-vous ?

– Ma cabine. Ça vous ennuierait de venir jusqu'à ma cabine ?

– Mais non.

Dans les couloirs, ils furent abondamment salués, et avec le sourire. Hormis les créationnistes américains qui, depuis le début, n'avaient pas dissimulé une hostilité de principe, l'ensemble des passagers regardait les conférenciers avec sympathie. Même le lien peu orthodoxe qui s'était noué entre Ines et Angelo n'avait pas rompu le charme – la croisière, par définition, porte à l'optimisme et à l'indulgence. Mais Korb, lui, n'essayait plus d'esquisser la moindre grimace de courtoisie. Il progressait d'un pas si mécanique, son corps restait parcouru d'un tel grelottement qu'Angelo ne put s'empêcher de le soutenir sous l'aisselle, comme il l'aurait fait avec un vieillard ou un grand blessé.

Joseph, le garçon de cabine qui avait en charge le professeur, semblait monter la garde devant la porte.

– Dégage ! gueula Korb, s'animant tout à coup. Dégage, l'espion !

Le Philippin ne demanda pas son reste. Au passage, tandis que Korb fourrageait dans la serrure, il se débrouilla pour chuchoter à l'oreille d'Angelo.

– Il va très mal, *padre*. Je prie pour lui. Que la Sainte Vierge lui vienne en aide.

Le professeur ouvrit la porte comme s'il l'enfonçait et se dirigea immédiatement vers le minibar.

– Je le savais ! fulmina-t-il.

– Quoi donc ?

– Ce petit cul-bénit de mes deux a reçu consigne de me priver de whisky. Mais ils ne m'auront pas comme ça, c'est moi qui vous le dis !

D'un placard, il sortit le sac destiné au linge sale, fouilla dedans, et brandit une bouteille de Talisker. Puis il aligna deux verres qu'il remplit copieusement, s'effondra dans un des fauteuils et but d'un trait la moitié de sa ration.

– Je ne crois pas qu'à cette heure… commença prudemment Angelo tout en s'asseyant, lui aussi.

Mais Korb s'en moquait complètement. Il lui fallait sa dose, peu lui importait le comportement de son vis-à-vis. Angelo reposa le verre.

– Qu'est-ce qui ne va pas, professeur ?

Korb le fixa sans répondre. Quand il parla, c'était apparemment de tout autre chose.

– Quelle est exactement votre situation par rapport à l'Église catholique ?

– Je ne vois pas...

– Répondez !

– Excusez-moi, mais je crois que c'est mon affaire, pas la vôtre.

Il crut que le scientifique allait fondre en larmes.

– Répondez ! Répondez-moi.

– Si vous tenez tant à le savoir, je suis frappé par ce qu'on nomme une suspense générale.

– Vous n'êtes plus prêtre ?

– En pratique, non, mais formellement, je le reste. Après la publication de mon *Éloge des libertins*...

– Vous n'êtes plus autorisé à administrer les sacrements ?

– C'est plus compliqué. En droit canon, la suspense générale retire au clerc tout pouvoir inhérent à son office tandis que la suspense *a divinis*, elle, lui retire son pouvoir d'ordre, c'est-à-dire l'administration des sacrements.

– Ah !

Korb parut se perdre dans une intense rumination.

– Dans la mesure où vous n'êtes pas suspendu *a divinis*, vous pourriez donc...

– Je pense que mon mariage, même civil, est de nature à transformer la suspense générale en suspense *a divinis*.

– Votre mariage !

– Le commandant nous a mariés tout à l'heure, Ines et moi.

– Tout à l'heure... Mon Dieu ! C'est catastrophique.

– Je ne vois pas les choses sous cet angle.

– Je voulais dire : catastrophique pour moi.

Angelo commençait à glisser de la curiosité et de la compassion vers un agacement certain. Il avait hâte de retrouver Ines qui devait avoir maîtrisé son émotion. Il se leva. Korb, *illico*, jaillit de son fauteuil comme une fusée.

– Non, j'ai été maladroit, je vous demande pardon, ne partez pas comme ça, laissez-moi vous expliquer...

Avec un soupir, le nouveau marié se rassit.

– Il n'y aurait pas des cas, insista le professeur, où le prêtre, même s'il est suspendu, est autorisé à administrer un sacrement ?

– Écoutez, répondit Angelo sans plus dissimuler sa lassitude, je ne suis pas expert en droit canon. J'ai entendu dire, en effet, que si un prêtre suspendu croise, par exemple, une personne qui va mourir, il ne saurait lui refuser...

À sa totale stupéfaction, Korb s'illumina.

– Voilà ! Voilà ! C'est ça ! On y est ! Je vais mourir. Vous ne pouvez pas refuser... Je vous assure que je vais mourir. En tout cas ça se pourrait bien.

À ce stade, Angelo était persuadé que le professeur relevait de la médecine. Il ravala son exaspération, redevint patient et pédagogue.

– Je ne pourrais pas vous refuser quoi ?

Korb empoigna son verre et siffla le reste de whisky. Puis il reprit la parole, noyée dans un essaim de vapeurs écossaises.

– Mon père, dit-il avec une certaine componction, je voudrais me confesser.

– Hein ?

Le cri lui avait échappé, l'exclamation s'était arrachée de sa poitrine.

– Le jour de mon mariage !

– Croyez que j'en suis sincèrement désolé, dit Korb sur un ton plein de contrition. Mais nous sommes dans l'urgence.

– Reprenez un petit whisky, ça va se tasser, je vais vous tenir compagnie.

– Non mon père. Il faut que je me confesse le plus loyalement possible. Je dois savoir ce que je dis, je me suis déjà trop laissé aller...

– Écoutez, mon vieux, vous êtes en train de péter un boulon, ça n'arrive pas qu'aux autres, cette conversation restera entre nous, je vous le jure. Nous débarquons demain. Prenez un sédatif et tout ça va se remettre en place. D'accord ?

Korb l'écoutait sans broncher. Il paraissait plus tranquille.

– Mon père, poursuivit-il d'une voix qui avait retrouvé quelque équilibre, ce n'est pas un médecin que je cherche, c'est un prêtre. Et ce n'est pas un médicament que veut mon âme, c'est le sacrement de pénitence. Si vous m'entendez, vous comprendrez que tout cela est très sérieux. Voulez-vous m'entendre ?

Angelo tenta le tout pour le tout.

– Déconne pas, Martin. Tu n'es pas chrétien, ton patronyme est juif.

– Ma famille est juive, c'est exact. Mais mes parents ont voulu que je sois élevé dans la religion catholique. Ils m'ont inscrit à Saint-Jean de Passy et, chez les scouts, je m'appelais Blaireau-Chatouilleux. J'ai fait ma première communion, ma confirmation, ma communion solennelle.

Tout en parlant, Korb s'était mis à genoux devant le théologien. Comme ce dernier restait inerte, il enchaîna.

– Vous devriez dire au nom du Père, du Fils et du Saint-Esprit.

– Vous savez, Korb, la manière d'administrer le sacrement de pénitence a beaucoup évolué…

L'autre n'écoutait pas.

– Pardonnez-moi, mon père, car j'ai beaucoup péché, dit-il d'une voix sourde.

Angelo fut saisi de panique. Il posa la main sur la tête du professeur agenouillé. C'était, de sa part, un geste d'impuissance, de découragement. Mais le pénitent se méprit, crut que la cérémonie commençait, et lâcha un long sanglot.

– Pardonnez-moi, mon père… recommença-t-il.

Les larmes noyèrent la suite.

Le confesseur les laissa couler, attendant que l'autre ait retrouvé le contrôle de lui-même. Ce fut long et cela s'acheva en gargouillis et reniflements suivis d'un silence terrible.

– Maintenant, dit Korb, il faut me demander depuis combien de temps je ne me suis pas confessé.

Angelo céda. Dieu comprendrait – et sans doute Lui seul.

– Depuis combien de temps ne vous êtes-vous pas confessé ?

– Depuis trente et un ans, mon père. J'ai fait le compte.

– Depuis votre communion solennelle, c'est ça ?

– C'est ça. Je m'excuse.

– Ne vous excusez pas, c'est une affaire entre Dieu et vous, dites-moi pourquoi vous vous décidez aujourd'hui à reprendre cette pratique.

– Parce que je suis un assassin. Je veux avouer que je suis un assassin. Je suis devenu un assassin. Il faut que je dise que je suis devenu un assassin.

La voix montait, la phrase se transformait en une plainte psalmodiée. Pas possible, songea Angelo, ça n'est pas un boulon qu'il a pété, c'est un câble. Il se laissa glisser de la chaise et s'assit sur la moquette auprès de Korb. Il l'empoigna par les épaules.

– Regardez-moi. Regardez-moi donc, Martin.

L'autre finit par lever les yeux. Son regard était torve, battu.

– Vous n'avez tué personne.

– Si.

– C'est un fantasme. Vous savez très bien que ces pathologies sont fréquentes.

– J'aimerais être malade, mon père. Mais j'ai tué un homme. Réellement. S'il vous plaît ?

– Oui ?

– Ça vous ennuierait de vous remettre sur la chaise ? Quand vous êtes au même niveau que moi, je n'ai pas l'impression de me confesser.

Angelo réfléchissait très vite. D'abord l'accompagner, essayer de le guider jusqu'au port. Si sa cervelle inventait cette histoire et s'il en souffrait à ce point, il était inutile de le contredire. Il reprit place sur la chaise.

– Je vous écoute.

– J'ai tué un homme. Un homme méchant, un sadique, un homme capable de faire beaucoup de mal. Mais je n'aurais pas dû, je n'avais pas le droit.

– Aviez-vous l'intention de le tuer, cet homme ?

– Non, non. Pas du tout, enfin je ne crois pas. Je voulais parler avec lui.

– Vous aviez une arme sur vous ?

– Bien sûr que non. Je n'ai jamais été armé de ma vie. Comment pouvez-vous imaginer une chose pareille ? Vous me connaissez, quand même.

– Et il s'est laissé tuer ? Par un homme désarmé ?

– Oui. On peut dire ça. Il s'est laissé tuer.

– Il a protesté, il s'est démené ?

– Pas du tout. Il en était incapable.

– Vous ne vous êtes pas battus ?

– Non. Absolument pas.

– Mais vous m'avez dit que cet homme était méchant, violent ?

– Oui. Brutal. Féroce. Un tortionnaire.

Ne pas le lâcher d'un pouce, essayer de l'amener en eaux plus sereines.

– Accepteriez-vous de me dire son patronyme ?

– Je ne connais pas son vrai nom, son nom de famille. Je l'appelle le monstre. Vous aussi, vous le connaissez, mais vous ignorez que c'est lui, le monstre.

Inutile de mener un contre-interrogatoire général. En traquant les détails, peut-être…

– Comment l'avez-vous tué, ce monstre ?

– Je l'ai soulevé et il s'est envolé.

– Il s'est envolé ?

– Voilà, mon père.

– Vous l'avez vu s'envoler, de vos propres yeux ?

– Oui. Il est resté en l'air un instant. Puis il s'est éloigné.

– Il a disparu ?

– C'est ça, il a disparu. Je n'aurais pas dû, je me repens, je ne tuerai jamais plus, je ne suis pas un assassin, dans le fond.

La voix d'Angelo, à présent, était devenue douce et pensive.

– Je n'en doute pas, mon fils. Encore une question, si vous le permettez…

– Je vous en prie.

– Cet homme que vous dites avoir tué, l'homme qui s'est envolé, vous avez vu son cadavre, vous l'avez touché ?

– Une fois mort ?

– Oui, après sa mort.

– Mais c'est impossible, voyons. Ça ne tient pas debout.

– Justement. Essayez de m'expliquer.

– Je ne peux pas avoir touché son cadavre puisqu'il s'est envolé.

– Il s'est envolé et vous l'avez perdu de vue ?

– Oui, mon père. Exactement. Vous avez tout compris.

Angelo expira lentement. À l'université, quand il étudiait la philosophie, il avait dû passer un certificat de psychiatrie et s'était, alors, intéressé à la psychanalyse. Confusément, il lui semblait que Korb n'avait pas une structure psychotique affirmée, que cet épisode délirant, provisoire, pouvait résulter d'une psychonévrose de défense. Il resta dans les teintes feutrées.

– Bien, Martin. Puisque vous avez libéré votre conscience, nous allons réciter ensemble notre acte de contrition. « Mon Dieu, j'ai un très grand regret de vous avoir offensé parce que vous êtes infiniment bon, infiniment aimable, et que le péché vous déplaît... »

Korb répéta docilement jusqu'au bout.

– Bien, Martin, répéta Angelo. À présent, vous pouvez aller en paix, vous avez vidé votre cœur et purifié votre âme.

– Eh ! protesta Korb en relevant la tête, ça ne va pas. Ça ne va pas du tout !

– Qu'est-ce qui ne va pas, Martin ?

– Mon absolution. Vous ne m'avez pas donné l'absolution !

Angelo plissa douloureusement les yeux.

– Mais ce qui importe, aujourd'hui, mon fils, c'est d'abord l'expression de votre malaise, de cette culpabilité que vous ressentez violemment.

– Vous refusez de me donner l'absolution ?

La voix était suppliante mais Angelo, sans en être sûr, crut détecter une pointe de menace.

– Ne cédons pas à la pensée magique, mon fils. Le rite est indispensable, mais il n'est que la béquille de la foi. Elle seule transporte les montagnes...

– Vous refusez !

La protestation s'était muée en cri rauque, en nœud d'angoisse. Dieu comprendra, pensa, de nouveau, Angelo, positionnant sa main à hauteur du nez de l'astrophysicien.

– Attendez !

– Quoi encore ?

– Ça vous ennuierait de me donner l'absolution en latin ?

Névrosé, peut-être, mais tête à claques, sûrement.

– Martin, l'Église recommande l'emploi de la langue ordinaire.

– Je sais que le pape a assoupli la règle.

– Et alors ? Qu'est-ce que ça peut vous faire ?

– Je voudrais recevoir l'absolution comme je l'ai reçue il y a trente et un ans, quand je n'étais pas un assassin.

Angelo était à bout.

– *Ego te absolvo a peccatis tuis...*

Sitôt la formule prononcée, le professeur Korb se releva puis se laissa tomber dans un fauteuil.

– Je me sens mieux, bredouilla-t-il, je me sens mieux. Merci, vous ne pouvez pas savoir.

Ses paupières se fermaient, il paraissait exténué. Angelo réclama le médecin, lequel interrogea brièvement le professeur et, non content d'administrer une piqûre de somnifère, le plaça sous perfusion – Joseph étant chargé de veiller sur lui. Le diagnostic était simple à poser : syndrome dépressif conjoncturel, très certainement lié à la tempête, à la désorientation et à la dénutrition qu'engendre le mal de mer.

Quand Angelo retrouva le bridge deck, il eut l'impression de sortir d'un cauchemar. Ébloui par le soleil qui commençait de descendre sur l'horizon, il le fut aussi par la gaieté, la futilité ambiantes. La piscine était comble, les femmes aux seins nus et leurs compagnons au ventre arqué se prélassaient en papotant, le bar faisait recette, trois musiciens offraient un échantillon de salsa, des hôtesses en tablier rose proposaient toutes sortes de glaces et de sorbets, les serveurs noirs à nœud papillon blanc déposaient verres et pailles auprès des corps étendus, et la mer scintillait, hésitait entre le vert et le bleu sous des grappes de cumulus argentés. Le paquebot roulait avec bonhomie, charriant son bouquet de rires. Par contraste, le tourment du professeur Korb, c'était vraiment l'enfer.

Ines, en maillot de bain une pièce, se dégagea de l'ombre d'un parasol et vint vers son mari. Elle avait aux pieds des sandales dorées.

– Je voulais un petit temps pour me remettre, mais pas divorcer, pas tout de suite.

C'était dit de manière plaisante. S'approchant tout près d'Angelo, elle changea de ton, inquiète.

– Vous êtes pâle, vous avez les traits tirés. D'où sortez-vous donc ?

– Une confession difficile, une urgence. Un homme qui n'allait pas bien du tout et qui m'a effrayé tant il avait besoin de parler.

– Mais vous n'êtes plus…

Angelo eut un petit rire sec.

– Non, soyez sans crainte, je ne suis plus…

– Qu'est-ce qui le tracassait tant, cet homme ?

– Ça, c'est le secret professionnel.

Elle l'observa tout à coup d'un œil perplexe. Son époux se moquait-il ou était-il sérieux ?

La nuit tombait. Mombasa n'était plus qu'à 220 milles : la frontière délimitant le rayon d'action des pirates s'approchait. Par satellite, Shrimp appela le numéro que lui avait donné l'amiral Longues-Oreilles. La réponse fut immédiate.

– Patrouilleur *La Râleuse*. Le commandant.

– Bonjour commandant, ici le paquebot *Imperial Tsarina*.

– Ah ! On n'attendait plus que vous, Shrimp. Voilà trois heures que je tire des bords le petit doigt sur la couture du pantalon. C'est vous que j'ai dans mon nordet, à perpète, sur le radar principal ?

– C'est certainement moi. Mais, excusez, je ne sais pas à qui…

– Clabaudant.

– Pardon ?

– Lieutenant de vaisseau Clabaudant de Saint-Amer, commandant *La Râleuse*. Pour vous servir, Shrimp. Vous permettez que je vous appelle par votre petit nom ? Le mien, c'est Œil-de-Lynx. Ils me surnomment comme ça parce que je suis fan de *M.A.S.H.* J'ai échappé de peu à Lèvres-en-Feu…

– Mais alors, le Clabaudant de *La Valseuse*…

– Ne me dites pas que vous alliez me confondre avec mon grand frère, celui qui a un balai dans le cul !

– Votre frère aîné ?

– Affirmatif. On est tous marins, dans la famille, tous les cinq. Mais à part ça, rien de commun. Le grand frère, c'est bon fils, bon père, bon époux et bonne nuit. Pas un gramme d'humour. Au fait, il vous embrasse. Enfin, il vous salue respectueusement. Comment se portent vos naufragés ? On a suivi ça, mieux qu'à la télé.

– Ça va, pas de bobos. Mais ils ont tout perdu.

– Et les cales étaient pleines, paraît-il. L'assureur va être ravi…

– En tout cas, il n'y a ni mort ni blessé.

– C'est le principal. Comme disait Staline, l'homme est le capital le plus précieux.

Il s'interrompit soudainement et, quand il reprit la parole, le ton badin s'était évanoui.

– Shrimp ?

– Oui, Œil-de-Lynx.

– On a des échos bizarres sur le radar longue portée. Je vous rappelle.

La communication fut brutalement coupée. Shrimp dut patienter un bon quart d'heure avant que le commandant de *La Râleuse* ne se manifeste.

– Ce ne sont peut-être que des échos de vagues. Mais il y a quand même un petit truc qui bouge trop pour être honnête... Les avions n'ont pas pu sortir et je n'ai pas d'hélico. Désolé, Shrimp, j'ai une mauvaise nouvelle pour vous.

– Je crains le pire mais j'ai l'habitude.

– Pas de loupiotes jusqu'à ce que nous soyons au contact.

– Je suis un paquebot, Œil-de-Lynx, pas une frégate furtive.

– On sait. Mais on sait aussi que les gros méchants n'ont pas désarmé. Il fait beau, ce soir, et la mer est douce. Alors les gros méchants vous cherchent comme des fous. Écoutez, on ne vous demande pas de simuler un black et de plonger vos passagers dans l'encre de Chine. On vous demande de faire des économies d'énergie tant que vous ne serez pas directement sous ma protection. Le protocole de Kyoto. Strict minimum sur le pont, pas de grand pavois lumineux, pas de projos, pas de feux de route, le style la nuit tous les chats sont gris. C'est possible ?

– Non. Mais on va le faire.

– Vous roulez à combien ?

– Dix-neuf nœuds.

– Dans moins de quatre heures vous êtes sur moi et je vous libère, promis.

– Je n'ai pas le choix. Mon lieutenant va se coordonner avec le vôtre.

– Tout bien reçu.

Ce coup-là, Massimo Pajetta ne l'avait pas vu venir. À l'annonce du couvre-feu, il blêmit.

– Dites-moi que c'est une blague, commandant.

– C'est une blague.

– Je ne vous crois pas.

– Vous avez raison. Ils sont assez pittoresques, nos anges gardiens. Mais ils ne blaguent pas, ils connaissent leur sujet.

– J'aurai vraiment tout essayé...

– Ne jurez de rien, la vie est longue.

Et c'est ainsi que le dîner du dernier soir, dîner qui requiert un peu plus de protocole qu'à l'ordinaire, fut un dîner aux chandelles. Un dîner *royal*, selon les termes mêmes du Grand Animateur. On ne disposa que d'une petite heure pour rassembler cierges et candélabres, pour doter serveurs et musiciens de perruques grand siècle. On demanda aux passagers de quitter le pont, qui fut plongé dans l'obscurité, et de se rassembler aux salons. Là, les hôtesses, habillées en marquises, vinrent les chercher, équipées de lanternes, et les guidèrent jusqu'à la salle du restaurant où la pénombre, la musique de Lully, les rideaux tirés et les flammes dansantes créaient une ambiance intime et privilégiée. *Blitzkrieg* à Versailles. Le « champagne » Marquise de Pompadour, cette fois, coula sans ridicule.

Pajetta, en costume Louis XIV, rubans colorés aux manches, jabot avantageux, bas blancs et boucles poudrées, accueillait ses hôtes comme pour une nuit des grandes eaux.

Aux quatre coins de la pièce, Kyung, Kim, Park et Yang, les professeurs de tai-chi-chuan, habillés en valets de Molière et armés chacun d'un gros extincteur, avaient mission d'intervenir à la première étincelle et se tortillaient dans leur costume de drap sombre. Jin Ho, le bosco, multipliait les rondes tel un chef d'îlot lors de la bataille d'Angleterre, ordonnait aux garçons de cabine d'occulter les hublots et d'éteindre les ampoules.

Sans savoir à quel point elle serait opportune, Massimo avait concocté une botte secrète. Juste avant le fromage, tandis que les sommeliers prétendument italiens s'efforçaient de vendre leurs meilleurs crus rouges, on fit entrer les onze rescapés du *City of Marsaxlokk*. Ils paraissaient gauches et intimidés, mais l'armateur avait insisté pour qu'ils viennent publiquement remercier les sauveteurs. Arnold Malaisé dévida son compliment les yeux baissés dans un anglais rugueux, invoqua l'intangible solidarité des gens de mer et signala, au passage, que le palangrier et le paquebot étaient enfants d'une même famille, la famille Soteriades. On applaudit Marios Soteriades. On applaudit Arnold Malaisé. Shrimp remercia pour ces remerciements, et tout le monde applaudit tout le monde, à croire que, du naufrage à la fête, la transition était fort naturelle.

C'est alors que le Grand Animateur libéra son génie définitif. Les hôtesses marquises entreprirent de distribuer à chaque croisiériste un certificat nominal attestant, premièrement, qu'il ou elle avait victorieusement traversé une tempête tropicale, deuxièmement, qu'il ou elle avait recueilli à son bord les malheureux occupants d'un chalutier en détresse, coulé peu après. En lettres d'or entrelacées, le document arborait les vers de Lucrèce :

Suave mari magno turbantibus œquora ventis
*E terra magnum alterius spectare laborem**.

L'attestation était datée du jour et – ce point fut souligné – signée par le commandant (la reprographie moderne autorisant la « personnalisation » du papier qu'elle débite). Quant au parchemin lui-même, et à sa citation latine, c'était encore une trouvaille de Massimo, un stock récupéré lors du dépôt de bilan d'une imprimerie spécialisée dans la littérature antique. Il s'était dit que la sentence pouvait fonctionner en toutes circonstances maritimes et qu'il suffisait d'y accrocher l'événement. Il avait vu juste, et, pour s'en convaincre, il suffisait d'observer la jubilation de Marcel Chourgnoz ruminant déjà la taille et l'emplacement du cadre en bois doré qui magnifierait son esprit d'aventure. Marcel le Corrézien n'était d'ailleurs pas au bout de ses joies : il fut proclamé « matelot d'honneur » et reçut des

* « Il est doux, quand, sur la vaste mer, les vents soulèvent les flots, de regarder, de la terre ferme, les terribles périls qu'endurent les autres. » Lucrèce, *De natura rerum,* II, 1.

mains de Shrimp, outre la cravate du club des croisières Splendid, le « prix Neptune » – coupe ornée d'un trident récompensant, à l'issue de chaque périple, le passager le plus amariné. Les musiciens délaissèrent Lully pour *Santiano* et, dans l'euphorie, Marcel promit qu'il reviendrait, ce qui lui valut un baiser sonore de Rose Travis et de Marinette.

On avait applaudi les naufragés. On avait applaudi l'armateur. On avait applaudi Marcel. On applaudit Salman, on applaudit Ronnie, on applaudit les sommeliers, on applaudit les marquises, le chef électricien, et l'on fit une *standing ovation* au docteur Charif – sans oublier les infirmières qui sont si charmantes et dévouées. On applaudit enfin Dotty Thunderbay et Margriet Van Leeuven qui reçurent conjointement la médaille « Mer et Sel » décernée aux croisiéristes dont la critique a été tonique et constructive. Puis le gâteau fut apporté, une pièce montée à roulettes, du modèle qui abrite, dans les meilleures comédies américaines, les flingueurs de la mafia à l'heure où le parrain baisse la garde. On applaudit la pièce montée d'où émergea Svetlana – qu'on applaudit très fort – costumée en tsarine de toutes les Russies et couronnée de strass.

Les absents avaient tort, les hourras gommaient leur défection. Nul ne releva qu'Aliocha manquait à l'appel. Sa femme l'avait excusé, le déclarant souffrant, et lui-même, avant la nuit fatale, avait annoncé à Pajetta qu'il ne se produirait plus jusqu'à l'arrivée. Nul ne compatit aux malaises du professeur Korb dont Angelo se fit l'avocat. Nul ne mentionna le décès de Norbert Hotchkiss – Pamela était restée dans sa suite. On n'allait pas gâcher le spectacle en plein final. Toutes les croisières sont heureuses par nature et celle-ci l'était, en outre, par surprise. Toutes les croisières finissent bien et celle-ci ne contreviendrait pas à la règle.

Massimo Pajetta organisait toujours son défilé de clôture la veille du débarquement, pour une raison très simple. Quand on touche au port, le matin, c'est trop tard, tout va très vite, l'existence ordinaire et prosaïque avec ses cors aux pieds et sa météorologie contrariante, ses trains en retard, ses grèves des aiguilleurs du ciel, ses taxis introuvables, la petite vie sonnante et trébuchante reprend instantanément le dessus. L'arrivée, c'est affaire de valises, de factures, de transferts, c'est le retour cruel à la mesquinerie des heures. Et les clients s'envolent, d'un coup, comme les pigeons sur la place San Marco pour peu qu'un touriste éternue bruyamment. Ne pas compter sur ces moments-là pour y glisser un adieu, ni même un billet : le pourboire, lui aussi, se planifie en amont, se cueille au soir, jamais à l'aube. La brassée de vivats, la fidélisation de la clientèle et les enveloppes glissées dans la poche ou laissées dans la chambre, cela se gagne ou se perd suivant l'enthousiasme de la fête ultime, quand les couples de passagers jouissent des dernières saveurs du voyage, de la dernière goutte de vacances, du dernier souffle du vent tiède, du dernier violon et du dernier bal.

– C'est bon, dit Clabaudant, vous pouvez rallumer vos guirlandes, la cavalerie est arrivée à temps, l'ennemi a disparu. On leur a fait tellement de cinéma sur la VHF qu'ils ont cru que nous étions trois porte-avions et une douzaine de corvettes sur zone.

Les hôtesses, munies de leurs lanternes, acheminèrent les dîneurs vers le pont où seuls quelques lampions piquaient la nuit. L'orchestre s'était tu. Tous étaient intrigués par le silence, par la pénombre. On n'entendait plus que des rires, des « Oh ! », des « Ah ! », des « Que se passe-t-il ? », dans un halo de murmures. Un coup de canon, ricochant contre les nuages, fit sursauter le public, lui arracha des exclamations. Puis on entendit le roulement de tambours profonds, le frémissement de cymbales. Et une fusée d'argent monta tout droit, se divisa en langues de diamant qui retombèrent dans un crépitement. Le grand pavois s'illumina et le paquebot entier fut cerné de fusées multicolores qui s'entrecroisaient savamment.

– Si les pirates sont dans le coin, observa Shrimp, au moins, ils ne seront pas venus pour rien.

– Dans une autre vie, je prendrai votre job, rigola Clabaudant au téléphone. Nos pétards sont beaucoup moins amusants que les vôtres.

Pajetta avait rejoint le commandant. Tous deux s'installèrent sur l'aileron de la passerelle. L'air était tendre, le vent imperceptible, le feu d'artifice pouvait se déchaîner à volonté. Les haut-parleurs du bord donnaient Mahler à plein tube, le public criait sa joie après chaque explosion.

– Il faut que je vous dise merci.

Shrimp regardait Pajetta avec chaleur.

– Ne me remerciez pas, commandant. Je fais mon travail.

– Je ne vous remercie pas de ça, mais d'avoir essayé de le faire différemment. Nous avons tous improvisé, mais vous, vous avez peut-être eu la partie la plus difficile.

– Ni plus ni moins que vous, ou le chef, ou le bosco. Vous savez, mon problème, c'est que tout ça, je le fais pour moi. Pour qu'on m'applaudisse. Ou bien qu'on me dise merci, comme vous.

Ils se turent. À la poupe, trois moulinets formaient une cascade de paillettes dorées.

Shrimp se détendit. Clabaudant allait tenir les pirates invisibles à distance et, demain, les passes de Mombasa seraient franchies. *Step by step*. La seule façon d'avancer.

– C'était moi. Il faut que vous le sachiez.

Massimo Pajetta s'exprimait d'une voix si basse que Shrimp crut ne pas l'entendre, couverte par les déflagrations d'artifice.

– Vous disiez quelque chose ?

Le Grand Animateur haussa un peu le ton. Il parlait du coin de la bouche, regardait droit devant lui, sans tourner la tête vers le commandant.

– Je disais que c'était moi.

– Je ne vous suis pas.

– Soteriades, c'était moi. N'accusez pas le commissaire, c'est moi qui ai renseigné Marios.

Shrimp encaissa difficilement, comme si un adversaire oublieux des règles l'avait frappé durant la pause – et c'était le cas.

– Vous êtes en train d'avouer, Massimo, que vous avez joué double jeu ?

– Oui. Vous allez me demander pourquoi.

– Je vais d'abord vous demander pourquoi vous l'avouez.

– Autant qu'il y ait quelqu'un, une personne, sur cette terre, qui me prenne pour ce que je suis.

– Et qu'est-ce que vous êtes ? Un lâche ? Un traître ? Vous avez appelé Marios parce que vous aviez la trouille ?

– Si on veut... C'est ce que tout le monde dira, Soteriades le premier. Et c'est plus compliqué que ça. Je ne suis pas un lâche, pas vraiment. Mais je ne suis pas non plus un héros de l'*Iliade*. Les héros de l'*Iliade*, ils peuvent avoir des moments de courage ou de veulerie, mais une chose est sûre : ils savent dans quel camp ils se trouvent, avec qui ils doivent vivre et avec qui ils doivent mourir. Hélène met la pagaille, justement, parce qu'elle a violé la frontière. Moi, même si je voulais, je n'arriverais pas à trouver mon camp.

– Tout ça me paraît bien littéraire...

– C'est pourtant assez simple, assez brutal. J'ai passé cinquante ans, je travaille pour une petite compagnie, j'aurai du mal à grimper dans la profession et plus encore à me recycler ailleurs. Alors j'ai peur que ça s'arrête, j'ai peur que ça s'arrête, c'est plus fort que moi, il faut toujours que je garde deux fers au feu.

– Vous conservez un téléphone Iridium dans votre table de nuit, pour le cas où ?

– Exactement. Vous me méprisez ? Je ne vous en voudrai pas.

– Je n'ai pas d'estime pour cette manière de faire. Mais je ne vous connais pas assez pour vous mépriser.

– J'ai un copain d'enfance qui vient, comme moi d'ailleurs, d'un milieu extrêmement pauvre. Aujourd'hui, ça va très fort pour lui, il ne fréquente que les cinq étoiles. Mais il me raconte que, même au Negresco ou au Ritz, il ne peut pas s'empêcher de repérer la sortie de secours. Au cas où, comme vous dites.

– Qu'est-ce que vous lui avez raconté, à Marios ?

– Où nous étions. Que nous nous en sortions plutôt bien, à part les bactéries. Que nous avions trouvé un moyen de détourner l'attention de Boris Balakirev. Et que nous étions d'accord entre nous. Vous voulez mon avis ?

– Vous avez décidé de me le donner, non ?

– Je crois que ça nous a été utile. Je ne l'ai pas fait pour ça mais je le pense.

Shrimp réfléchit un instant en silence.

– Vous lui avez fourni des détails sur les opérations de M. Hotchkiss ?

– Non. Les détails, de toute façon, je les ignore.

Une coupole de flammèches rouges envahit le ciel. Le commandant se taisait à nouveau. Pajetta se tourna vers la porte de la passerelle.

– Je vous laisse.

Shrimp le retint.

- Je ne vous dénoncerai pas, je ne dirai pas aux autres que c'était vous, la taupe.

- Je ne vous demande pas de me protéger. Agissez comme vous l'entendez.

- C'est comme ça que je l'entends. Et je ne cherche pas à vous protéger, Massimo. Je protège mon équipage, ma compagnie, mon bateau. Si je lance votre procès, nous allons partir pour un sacré déballage dont rien de bon ne sortira. Pour personne. Alors je ne le lancerai pas. Mais je présenterai mes excuses au commissaire.

- C'est une erreur.

- Et pourquoi ?

- Parce que cet homme-là n'est jamais net. S'il n'est pas coupable d'un truc, il est coupable de l'autre.

- Vous êtes sacrément gonflé, Pajetta !

- Non, commandant. Si j'étais gonflé, je n'aurais pas rancardé Marios. C'est parce que je suis dégonflé que je l'ai fait. Le commissaire, lui, c'est autre chose. C'est un tueur. Faut pas confondre. Faut pas confondre les tueurs et les petits voleurs.

- En tout cas, je lui présenterai mes excuses parce que je l'ai soupçonné d'un geste qu'il n'a pas commis.

La musique avait changé. Le feu d'artifice touchait à sa fin et les *Carmina Burana* de Carl Orff avaient remplacé Mahler.

- En échange de mon silence, j'exige de vous une chose, Massimo. Et ça n'est pas négociable.

- Quoi donc ?

Le Grand Animateur paraissait très inquiet.

– Plus jamais les *Carmina Burana* sur le bateau que je commande. Vous saviez que le compositeur, Carl Orff, avait proposé à Hitler d'en faire l'hymne national du Reich ?

– Je l'ignorais.

– Eh bien vous le savez. Et vous saurez aussi qu'en mémoire de mon père, républicain espagnol qui s'est battu contre les fascistes et les nazis, je ne veux plus jamais entendre les *Carmina Burana* quand je suis en mer.

– Promis. C'est trop facile.

– Je vous pardonne d'avoir la trouille, Massimo. Ça prouve que vous êtes un homme. Et un marin. Ce que j'ai plus de mal à vous pardonner, c'est d'être intelligent.

– Là, j'ai peur de ne pas être assez intelligent pour vous suivre.

– Mais si. Bien sûr que si. Je comprends pourquoi vous êtes venu vous confesser. Vous aviez compris qu'un type dans mon style ne donnera jamais un autre type qui vient de lui-même dire la vérité, même si cette vérité n'est pas très appétissante. L'histoire serait sortie un jour ou l'autre. Alors que là, elle est pour toujours au congélateur.

– J'avoue que oui, j'ai tenu ce raisonnement.

– Salaud ! Je ne dois pas être le premier à vous conseiller de vous lancer en politique.

– Non, vous n'êtes pas le premier. Mais je fais de la politique. Et vous aussi.

– Première nouvelle.

– Nous disons aux gens que tout va bien, que tout est sous contrôle, qu'il fera beau demain et meilleur après-demain.

Quelquefois c'est vrai. Mais quand ça n'est pas vrai, nous le disons quand même, non ?

– Vous voyez, vous êtes intelligent, c'est impardonnable.

– Bonsoir, commandant. Pardonnez-moi quand même, si vous le pouvez.

– Bonsoir Massimo. La nuit va être parfaite, les passagers vont danser, les pirates sont sous contrôle et il fera beau demain.

– Et en plus, c'est vrai.

Le Grand Animateur eut un petit sourire désabusé qui ne lui ressemblait pas.

ÉPILOGUE (POUR NE PAS DIRE TREIZE) OÙ LA VÉRITÉ SORT DE LA PISCINE

Le paquebot glissait doucement dans les passes de Kilindini Harbour, vers le quai n° 2 réservé aux navires à passagers. La gare ferroviaire était proche, l'avenue Lumumba également : tout était prévu pour qu'en un rien de temps les croisiéristes soient arrachés au bateau par un aspirateur géant. Le pilote, un homme grognon aux pommettes scarifiées, donnait les consignes par bribes. Mais il connaissait son affaire, communiquait fort bien avec le petit remorqueur qui, à la poupe, compensait la torsion du courant. Devant, deux autres remorqueurs patientaient, et l'on apercevait déjà, sur la rive, les lamaneurs, les grutiers, les agents portuaires, bref, le ballet qui enserre les navires comme lilliputiens autour de Gulliver. La chaleur matinale était drue, chargée d'humidité, et promettait pire.

Les haut-parleurs du bord ne cessaient de déverser recommandations, points de ralliement, messages personnels. Les hôtesses et les garçons de cabine étaient sur les dents. À la réception, les retardataires achevaient de régler leurs extras, dont la liste s'étirait impitoyablement. L'espace de 491 dollars, ils voyaient défiler gins, Martini et orangeades, cigares et paires de tongs, sorties-de-bain et véritable-panama-qui-se-roule-sans-s'abîmer-disponible-ce-jour-et-ce-jour-seulement. Leurs petits plaisirs étaient crachés par la machine avec l'absolue suffisance des disques durs, dans l'ordre, avec l'heure et le lieu de consommation, et ils étaient obligés d'en prendre la mesure comme, dit-on, le mourant révise en accéléré chaque épisode de son existence.

C'était une loi du genre : parmi les clients de la dernière heure se trouvait un mauvais payeur. Le nommé Jimmy. Sa compagne était en larmes, il avait claqué, cette nuit même, au casino Raspoutine, les dollars qui lui restaient.

– Toi, tu vas me dépanner, dit-il à la femme.

C'était un constat, pas une question.

– Bien sûr, répondit-elle. Bien sûr mon Jimmy. Je vais vendre ma voiture. La verte, celle qu'on avait achetée, tu te rappelles, après Monte-Carlo…

– Elle vaut rien, ta caisse. T'as combien ?

– Dans les deux mille.

– C'est tout ?

– Je crois.

– Tu crois ! T'es même pas sûre !

– Si je suis sûre. Je les ai, les deux mille.

– Pas possible, t'es qu'une planche pourrie. T'es comme ta caisse.

– T'énerve pas, mon Jimmy. T'énerve pas, on va s'arranger…

Le commissaire, appelé en renfort, attendait sereinement. Tant qu'ils ont une femme, les flambeurs paient toujours.

À ce stade, les passagers avaient changé de statut et en prenaient conscience. Hier au soir, ils étaient rois, ils dînaient même à Versailles. Et maintenant, sur le point de débarquer, ils n'étaient plus qu'un flux, un troupeau que des cornacs divisaient en sous-groupes. Ils n'intéressaient plus personne sur le bateau, on était entré dans la phase d'expulsion et, virtuellement, ils étaient dehors. C'était fini. Ils avaient distribué les pourboires, rendu les clés magnétiques, commandé le DVD qui leur serait expédié après montage. Et ils revenaient à la case départ, si l'on ose dire. Les fiches mauves au casino Raspoutine sur le pont Bolchoï. Les fiches jaunes au restaurant Samovar sur le pont Bélouga. Les fiches vertes au théâtre Balalaïka sur le pont Astrakhan. Les fiches bleues au bar Tarass Boulba sur le pont Spoutnik. Enfin, les fiches roses au cinéma Babouchka sur le pont Oural. Sauf que, cette fois-ci, ils n'étaient plus *guest stars*, ils étaient candidats à l'émigration. On leur intimait l'ordre de ne point quitter la zone d'affectation, de rester groupés, de préparer les papiers requis. Nul doute, s'il en avait eu le pouvoir, que le docteur Charif leur aurait imposé, au tarif réglementaire, une visite médicale obligatoire avant sortie. L'orchestre avait disparu, et la sono de Massimo Pajetta ne conservait qu'une fonction utilitaire. La croisière mystère s'achevait, comme toutes les croisières, au bord du quai et au seuil de l'autobus.

 Bien sûr, à la seconde idoine, le Grand Animateur serait là et agiterait son mouchoir tandis que les hôtesses, elles, agiteraient la main. Bien sûr, lors du petit déjeuner d'adieu, Ronnie et ses voltigeurs avaient clamé leur déchirement. Bien sûr, le frère Francesco bénirait ses ouailles à l'instant où ils s'écarteraient du troupeau. Bien sûr, Lazare, Joseph, Chrysostome, et tous les garçons de cabine, s'aligneraient avec tous les signes de la déférence. Bien sûr, les musiciens feraient une ultime apparition sur l'air de *Ce n'est qu'un au revoir*. Mais le rideau serait déjà baissé, et le geste n'aurait valeur que de fin de contrat. Valise en main, on est déplacé. Car, dans la valise, il n'y a pas seulement ce qui part, il y a ce qui revient, les instruments de l'autre vie. La valise est un pont, un sas, un objet ambigu, comme les vêtements qu'on enfile pour se rendre à l'aéroport, et qui anticipent la destination, trop chauds en un point et trop légers dans l'autre.

Même Shrimp, attentif à ses hôtes, était maintenant passé de l'autre côté. Il avait, par radio, pris congé de Clabaudant (et, comme naguère son frère aîné, l'avait convié à dîner) : les pirates ne s'étaient finalement pas montrés, la dissuasion avait parfaitement fonctionné et la compagnie Splendid était en dette sérieuse avec la Marine française. Mais le commandant de l'*Imperial Tsarina*, si soulagé fût-il, ne pouvait surmonter la frustration de n'avoir pas obtenu le fin mot de l'histoire.

Elle était pourtant terminée, l'histoire. Le navire blanc venait de se ranger à quai, les pousseurs portuaires assurant son déplacement latéral. Jin Ho et les siens achevaient de raidir les aussières. Be-bop avait donné ordre de stopper tout, puis avait quitté la passerelle pour rejoindre le PC machine. Avant la manœuvre, Shrimp avait salué Angelo et Ines, leur avait dit son plaisir de les avoir connus, son bonheur de les savoir unis par hasard ou par coïncidence, et leur avait adressé des vœux sincères. L'émotion n'était pas feinte mais il avait appris à se préserver, à se détacher. Il se savait de passage et savait aussi combien les passagers méritent l'appellation. Maintenant, il avait devant lui beaucoup de tâches routinières à accomplir, sans compter le rapport de mer qu'il fallait rédiger sur le sauvetage des collègues du *City of Marsaxlokk*. Le chalutier appartenait au même armateur que l'*Imperial Tsarina*, et, contrairement aux apparences, ce cousinage était source de difficultés : chaque ligne, chaque formulation seraient soupesées par les experts d'Athènes et leurs avocats londoniens.

– C'est trop tard ou trop tôt pour vous déranger une dernière fois, captain Shrimp ?

Pamela était à présent bien connue du service d'ordre. Les plantons ne lui interdisaient plus l'accès de la passerelle. Un caprice du commandant, pensaient-ils sans doute.

Elle était belle malgré ses traits tirés. Et n'était pas habillée comme une femme sur le départ, en tenue passe-partout. La jupe, le corsage, les bras nus restaient adaptés aux conditions équatoriales. Elle voyage en première classe, songea Shrimp, elle peut se changer autant qu'elle le souhaite, pas besoin de compromis.

– Je ne prends pas le bus, j'ai un peu de temps. On viendra me chercher en voiture particulière.

Et, à l'aéroport, elle n'aura pas besoin de faire la queue.

Le commandant ne répondit rien.

– Je vois que je vous dérange, l'arrivée, c'est beaucoup de tracas. Surtout après une croisière pareille.

– À côté de la vôtre...

Elle s'avança, main tendue. Il ne la saisit pas. Il jeta un regard circulaire, comme un gamin qui prépare un mauvais coup, vit que Slivovice était en pourparlers avec l'agent portuaire. Il la prit dans ses bras et l'embrassa sur les deux joues, fraternellement. Un baiser convenable mais il avait deviné son corps et c'était doux.

– Bonne route. Je ne vous souhaite pas bon courage. Ça, vous n'en manquez pas.

Elle était étonnée par la spontanéité du geste, presque déconcertée. Et lui aussi.

– J'ai bien peur que vous n'en ayez pas fini avec moi, captain Shrimp. Mon avocat va vous écrire, vous demander des papiers...

– On répondra, ne vous inquiétez pas.

– Vous aviez raison. Le chagrin, ça tombe à retardement. Je n'arrête pas de pleurer.

– J'espère que ça vous soulagera.

– Bien sûr que ça me soulagera. Jusqu'à ce que je sois vidée de tout. Je voulais vous dire une chose...

– Oui ?

– N'en veuillez pas à Norbert d'être venu vous endeuiller. Je l'avais emmené en croisière pour qu'il se sente mieux. Il s'est senti mieux, il s'est senti assez fort.

– Ne vous faites pas mal.

– J'essaie d'exprimer quelque chose comme de la gratitude.

– Merci. Merci beaucoup, Pamela.

– Une autre croisière mystère ?

– C'est ça. On repart, si tout va bien. Je n'en suis pas sûr.

– Quand débarquez-vous ?

– Ça ne presse pas.

Elle tourna la tête. Il distingua mieux les cernes autour de ses yeux et, au coin de la bouche épanouie, une ride amère. Elle le regarda encore un instant puis pivota sur elle-même.

– Devinez qui nous arrive, commandant…

Shrimp sursauta. Slivovice lui parlait.

– L'agent vient de m'annoncer que Soteriades a pris l'avion pour Mombasa. Il se posera dans la nuit et veut dîner avec vous demain soir.

Korb avait l'habitude des aéroports où l'on étouffe, où l'on s'entasse. Il avait trop voyagé pour s'indigner que la climatisation ne fonctionne guère. La plupart du temps hors des pays riches ou des pays émergents dotés de pétrole, il n'existe pas de climatisation du tout. Ou alors un ersatz, un artefact : les gaines et les tuyauteries sont présentes, mais aucune machine n'y pulse le moindre air frais, l'argent a été détourné et a financé le standing de quelques villas corrompues. Assis sur ses valises – tous les sièges métalliques débordaient, les gens s'épandaient par terre, à même le carrelage –, il contemplait, indifférent, les pales des ventilateurs apathiques. Dehors, la pluie tombait comme elle tombe à l'équateur : en vrac.

Des enfants jouaient autour de lui, piaillant et courant. L'avion spécial pour Londres était en retard, le vol régulier pour Paris ne l'était pas moins. Seul le Boeing de Rome avait atterri sous des trombes d'eau, et les passagers au départ s'étiraient en une interminable file avant de subir les contrôles de sécurité. Korb aperçut Angelo et Ines qui progressaient patiemment, centimètre après centimètre. Il me prend pour un cinglé, pensait-il, il a cru que je délirais, et peut-être n'a-t-il pas eu tort. Angelo lui adressa un petit signe avant de passer sous les fourches d'un portique qui, de toute manière, sonnait à chaque fois qu'un passager le franchissait, ce qui justifiait une fouille laborieuse et inutile. Puis il disparut. Ça y est. Mon confesseur a disparu. La seule personne à laquelle j'ai livré mon secret est hors de portée et ne parlera pas.

La culpabilité ne s'était pas dissoute mais la panique s'était enfuie. L'affaire n'aurait pas de suites, il en était convaincu. Aliocha s'était volatilisé sans témoin, avait noyé dans la mer, comme de lui-même, sa jalousie morbide et ses pulsions effrayantes. Korb en arrivait à juger que *quelque chose* l'avait traversé, une force dont il n'avait été que l'instrument, hors de son libre arbitre. Ni responsable ni cou-

pable. Est-on responsable quand on n'a rien manigancé,
rien prémédité ? Est-on coupable quand on n'a pas eu l'occasion d'hésiter entre plusieurs options, l'occasion de choisir ?

La tempête, c'est comme l'amour. Difficile à mémoriser. Après le cyclone ne restent plus que des troncs abattus, des toits endommagés. Mais la tempête elle-même, qui l'archive hormis l'aiguille de l'anémomètre ? qui saurait conserver l'image du vent ? De l'autre nuit, de la nuit hurlante, ne subsistait qu'un négatif trop flou, un cliché tremblotant. Cela avait-il eu lieu ? Ne faut-il pas être plusieurs pour attester qu'un événement s'est effectivement produit ? Ce qu'en sciences on nomme la vérité, n'est-ce point la résultante de multiples recoupements ? Korb, qui lisait Sartre passionnément à l'époque où il découvrait la philosophie, s'installait avec soulagement dans ce que l'auteur des *Mains sales* baptisait la mauvaise foi.

Le sommeil artificiel l'avait apaisé. Il s'était éveillé pâteux mais calme. Puis Joseph l'avait pris en main, l'avait accablé de mille tâches liées au débarquement, bagages à boucler, facture à acquitter, pourboire à verser (Korb avait été généreux, par calcul plus que par empathie). Et cette avalanche de décisions pratiques, d'obligations incontournables l'avait secoué, l'avait ramené sur terre. Massimo Pajetta en personne était venu s'inquiéter de sa santé, le remercier pour la qualité et la variété de ses interventions. Et, au dernier moment, à l'instant de quitter le bord, Liliana lui avait remis une petite enveloppe. Le message ne comportait qu'une phrase, sans signature : « Je vous verrai à l'aéroport. »

C'était loin, l'aéroport. Cinquante-cinq kilomètres de route encombrée dans un autobus luxueux, c'est-à-dire refroidi jusqu'à la limite du gel, suivant un autre autobus qui, lui-même, en suivait un autre, le convoi se tortillant pour éviter les camions trop chargés, les nids-de-poule gorgés de boue, les familles entières juchées sur une seule Mobylette et protégées du torrent céleste sous des sacs-poubelle. Par principe, les organisateurs prenaient une marge de sécurité, comptaient deux bonnes heures pour la route, puis deux bonnes heures avant l'embarquement putatif. Si bien que, du paquebot au sourire de l'hôtesse de l'air, il fallait compter sept heures, l'avion étant retardé « en raison d'une arrivée tardive »... Seules quelques « personnalités » profitaient d'une *limousine*, c'est-à-dire d'un véhicule Mercedes en état de marche approximative, et bénéficiaient d'une information précieuse et confidentielle : les « vraies » heures d'arrivée et de départ.

Mais le professeur, pour sa part, relevait du régime ordinaire et tuait les heures tout en observant, loin de lui, à côté de la buvette, Dotty Thunderbay batailler pour conquérir de haute lutte une bouteille d'eau présumée minérale.

« Arrivée en provenance de Paris-Charles-de-Gaulle... »

Pas trop tôt. D'un coup, les porteurs, les loueurs de voitures, les hôtesses des organismes de tourisme, les douaniers et les mendiants sortaient de leur torpeur. Korb, lui, fut saisi par l'inquiétude. Allaient-ils se manquer, se manquer jusqu'à la fin ? Il ne patientait plus, il rongeait son frein, les yeux rivés à la porte d'entrée coulissante qui grinçait à chaque ouverture, donc en permanence.

– Vous cherchez quelqu'un, professeur ?

La voix était fraîche, unique. Sa voix. Il ne savait par où elle s'était introduite dans l'aérogare mais elle était bel et bien là, jupe fleurie et T-shirt vert sombre, juchée sur des talons pentus. La pluie l'avait cinglée, des gouttes s'accrochaient encore aux pommettes et quelques mèches restaient collées à son front. Avec une pointe d'immédiat déplaisir, il s'aperçut qu'elle était escortée de Liliana. Et, dans le même temps, il devina combien c'était habile de sa part, combien cela banalisait la rencontre aux yeux d'autrui. Leur premier rendez-vous public. Et le dernier. Liliana, du reste, acceptait le rôle de la comparse dans les comédies italiennes et se tenait légèrement en retrait, assez pour que leur conversation demeure privée, pas assez pour qu'un observateur les imagine en tête à tête.

– Quelle question ! Je vous cherche, je n'arrête pas de vous chercher.

– Je ne pouvais pas vous laisser partir sans qu'on se dise adieu.

– Adieu, alors.

Il prononçait le mot avec amertume. Percevait-elle que c'était aussi avec désespoir ?

– Adieu, dit-elle à son tour.

– Je ne vous ai même pas expliqué comment…

– Ne m'expliquez rien, ne me racontez rien. Je ne veux pas. Je ne veux pas savoir.

– Mais il faut quand même...

– Il ne faut rien du tout. Hier, j'ai prévenu que mon mari était malade. Aujourd'hui, je préviendrai que je ne le trouve pas. C'est la vérité, non ? Je ne le trouve pas, je ne sais pas où il est passé. Je ne mens pas puisque je ne le sais pas.

– Mais...

– Ne vous faites pas de bile, professeur. Des marins qui désertent, ça arrive à chaque escale. Et des maris qui s'en vont, ça arrive tous les jours. Il a choisi Mombasa pour débarquer, c'est son affaire...

Il réfléchit à ce qu'elle venait de dire. Imparable.

– Puisqu'il est parti, il ne vous torturera plus.

– Pas de grands mots, professeur. Il était jaloux. Tous les hommes sont jaloux, lui, c'était juste spécial.

– Je ne veux plus vous imaginer avec ces brûlures...

– Des brûlures ?

Elle jouait l'étonnée.

– Mais oui. Trois. Au bas du dos. Des brûlures de cigarette !

Svetlana écarquillait les yeux.

– De cigarette ?

Elle parut se plonger dans ses pensées. Et, soudain, elle éclata de rire, de son rire joyeux.

– Liliana ! Liliana !

La danseuse se rapprocha.

– Liliana, le professeur a peur que quelqu'un m'ait brûlé le bas du dos avec une cigarette.

«*Last call.* Les passagers pour Paris qui n'ont pas subı les contrôles de sûreté sont priés de s'y présenter immédiatement», braillèrent les haut-parleurs.

– Il faut que j'y aille, dit Korb.

Liliana riait elle aussi.

– Mais c'est moi ! C'est pour son *tatoo.* Une faucille et un marteau, vous vous rendez compte, une faucille et un marteau sur les fesses, elle était folle. J'ai tout essayé. La cryogénie, l'acide salicylique...

«Dernier appel pour Paris...»

Korb empoigna ses valises. Un gros homme noir, large d'épaules, qui paraissait soucieux d'accomplir sa mission, s'approcha de Svetlana.

– Il est temps qu'on y aille, miss. La route est mauvaise, jusqu'à la maison...

Le professeur s'approcha plus près de Svetlana.

– Quelle maison ? questionna-t-il d'une voix brouillée.

– Il se mélange les pinceaux, le chauffeur, il voulait dire le bateau. Pour eux, c'est pareil.

Brièvement, mais avec une intensité qu'il n'oublierait pas, elle se plaqua contre lui, l'embrassa furtivement sur la bouche, effleura sa langue de la sienne.

– Sauve-toi, mon professeur. Allez, sauve-toi.

Il la regardait encore, il ne parvenait pas à se détacher d'elle. Liliana s'approchait.

– Je te rejoindrai à Paris, je te rejoindrai. Le jour de Noël. Ils ont ton numéro de téléphone, sur le bateau. Je t'appellerai.

– C'est vrai ?

– Sois-moi fidèle. Sauve-toi vite. Vite !

Traînant ses deux valises, il fonça vers le portique de sécurité. Sa dernière pensée, avant de le franchir, fut pour la composition de l'acide salicylique. $C_7H_6O_3$. Voilà, c'était bien ça. $C_7H_6O_3$.

Svetlana et Liliana entendirent le flic de service apostropher le professeur.

– Vous avez de la veine. Après vous, c'est terminé.

Il déploya une chaîne qui barrait maintenant l'accès.

– Pourquoi tu lui as dit ça ? questionna Liliana.

– Il est trop mignon, lui. Et puis c'est quand même le seul qui est allé jusqu'au bout.

Le gros homme noir leur fit signe de le rejoindre.

Le lendemain soir, Shrimp et Be-bop répondirent à l'invitation de Marios Soteriades. Convocation eût été le mot juste, il n'était pas loisible de la décliner, mais le Grec y avait mis les formes et leur avait même envoyé une voiture. Le capitaine et le chef mécanicien se demandaient, d'ailleurs, pourquoi Marios ne logeait pas à bord de l'*Imperial Tsarina*. Les rares fois où il les avait rejoints, il occupait la cabine de l'armateur, laquelle, comme son nom l'indique, reste à disposition du patron et n'est jamais des moins confortables. Ils se demandaient aussi pourquoi leur interlocuteur était demeuré invisible toute cette journée. Sans doute avait-il besoin de se remettre, de se recaler après le voyage, mais il n'était guère dans ses habitudes de laisser le temps couler à perte.

La voiture grenat aux banquettes de cuir crème filait sur Nyerere Avenue en direction de Diani Reef où Marios avait loué une villa. La pluie venait seulement de cesser, les lampadaires jaunes se reflétaient dans le miroir du bitume et les trottoirs étaient à nouveau investis par ceux, nombreux, qui avaient coutume d'y tenir salon et même d'y servir le repas. Shrimp et Be-bop avaient dormi, s'étaient accordé un minimum de repos, depuis l'arrivée. Mais, dès qu'ils touchaient le quai, ils avaient mille comptes à rendre, mille livres à remplir. En outre, tous deux plaidaient depuis des mois pour que la compagnie leur accorde un passage en radoub, une révision méticuleuse du navire. Dans l'hypothèse où la requête serait entendue, ils avaient poli leurs arguments.

Durant la matinée, le commandant avait essayé, vainement, de rencontrer le commissaire. Mais l'adjoint lui avait dit qu'il était à terre, qu'il avait un rendez-vous en ville. Les excuses que Shrimp se faisait un point d'honneur de présenter attendraient donc un peu.

Ce soir, le personnel de bord avait quartier libre. Kyung, Park, Yang et Kim, fraîchement reconduits dans leur fonction annexe de professeurs de tai-chi par le Grand Animateur, s'en iraient fêter ça au bordel. Peut-être pourraient-ils enfin s'offrir le *pussy pussy* dont ils rêvaient de toute éternité. Creux, lui, tournerait en rond près de la gare maritime, attaquerait la nuit à l'Espadon Bleu, poursuivrait à la Pirogue, à la Calebasse, au Gri-Gri, aux Sables Rouges, puis ne serait plus en état de nommer clairement l'établissement

492 fréquenté. Ronnie et sa troupe s'habilleraient avec soin et se paieraient le restaurant, un bon restaurant de poissons, un vrai restaurant où rien ne sort du congélateur, et ils se mettraient les pieds sous la table, et ils discuteraient longuement de la carte, et ils jaugeraient le service d'un œil critique. Massimo Pajetta, lui, s'enfermerait dans sa cabine, écouterait Horowitz jouant le douloureux Schubert, ouvrirait le dernier chapitre de l'*Iliade*, et ruminerait sa déception de n'être que lui-même.

Ce soir, l'usine à vacances serait en vacances.

Marios avait insisté pour que Shrimp et Be-bop laissent les uniformes au vestiaire. Une soirée entre amis, sans complications, parfaitement décontractée. Lui-même ne portait qu'un slip de bain et une chemise à fleurs qui masquait sa bedaine. Il rayonnait. Près de la piscine, des fauteuils bas en teck attendaient les visiteurs et deux cuisiniers s'affairaient autour du barbecue.

– Salut les mutins ! hurla-t-il en guise de bienvenue.

– Bonsoir Marios, répondit prudemment Shrimp.

– Allons, Shrimp, allons, on ne va pas se tirer la gueule toute la vie.

Be-bop refusa de mollir.

– Toute la vie, non. Mais une vingtaine d'années, je dis pas.

Soteriades claqua des doigts. Les verres arrivaient. Un puligny-montrachet premier cru Les Pucelles. Blanc et sec. Un peu trop frais, peut-être, comme souvent.

– Les amis…

– Vous devez parler de quelqu'un d'autre…

Be-bop ne mollissait toujours pas. Marios non plus.

– Laissez-moi finir ma phrase, nom de Dieu. Les amis, vous êtes de mauvaise humeur. Mais moi, je vous fiche mon billet qu'avant minuit on se soûlera ensemble dans la piscine.

– Pari tenu, dit Shrimp. Donnez-moi une bonne raison de rigoler.

Ils étaient maintenant tous trois calés au fond de leur fauteuil.

– J'ai une excellente nouvelle.

– Là, vous me faites peur, dit Be-bop.

– La compagnie Splendid ne déposera pas le bilan. La guerre est finie.

– C'est sûr ?

Shrimp semblait franchement dubitatif.

– C'est certain.

– BB est au courant ? demanda Be-bop.

L'armateur ne put s'empêcher de rire.

– Son banquier est au courant, si lui l'a oublié. Et il y a de quoi, bordel, il y a de quoi, il m'a ratissé jusqu'à la moelle.

Le commandant de l'*Imperial Tsarina* commençait à avoir peur d'y croire.

– Tant que ça ?

– Plus que ça. J'ai baissé mon froc, les enfants. Je lui ai remboursé ses putains de chalutiers. Jusqu'au dernier dollar, et avec les intérêts.

– Il vous en reste quand même un peu ? questionna Be-bop avec toutes les apparences de l'ingénuité. Parce qu'on ne voudrait pas vous savoir dans la merde…

– Chef, vous avez mauvais esprit.

– Ma maman me l'a toujours dit.

– Vous avez mauvais esprit et vous êtes insolent.

– Ça aussi, elle le disait beaucoup.

– Mais vous êtes un bon chef. Un peu lent sur le coup des bactéries, mais ça n'aurait rien changé au final.

Instantanément, Be-bop perdit contenance.

– Si vous pensez que j'ai commis une faute, je suis prêt à…

– Il s'emballe ! Il s'emballe ! Qui parle de faute ? Est-ce que je vous ai reproché quoi que ce soit ? Ce que je voulais vous montrer, chef, c'est qu'entre une erreur et une faute, il y a de la marge. Des erreurs, on en commet tous. Et moi, là, devant vous, j'admets que j'ai commis une erreur d'appréciation…

– Pas seulement d'appréciation, coupa Shrimp, intraitable.

– Une erreur. Une erreur tout court. Vous êtes content, là ? C'est suffisant ? Vous en voulez encore une petite louche ?

– Attendez, Marios, attendez…

– Vous voulez que je vous demande pardon ? Je vous demande pardon. (Il devenait grandiloquent.) Je vous prie de m'excuser de vous avoir entraînés sur cette galère !

– C'est bon, c'est bon.

Shrimp commençait à ne plus savoir où se mettre.

– D'ailleurs, si vous ne me croyez pas, j'ai ici un témoin de tout ce que je viens de vous dire. Kissamos ! Kissamos !

Il gueulait à pleins poumons.

Le directeur technique apparut. C'était un homme jeune pas même la quarantaine, aux cheveux frisés, au nez droit et au teint mat. Praxitèle l'aurait sculpté sans hésitation.

– Raconte-leur Moscou.

Tandis qu'un serveur emplissait à nouveau les verres de montrachet, Kissamos relata la difficile négociation qu'il avait conduite en Russie. Boris Balakirev, expliqua-t-il, n'entendait, au départ, rien discuter. Rien de rien. Tout ce qui l'intéressait, c'était de se venger, de provoquer le naufrage de Splendid tout en en rejetant la responsabilité sur Marios. Heureusement, on ne sait pourquoi, il avait des ennuis à Moscou. Des bricoles. Mais des bricoles encombrantes, qui suscitent des échos dans la presse, qui vous valent des interpellations politiques. Il avait été obligé d'éteindre l'incendie, courant d'un foyer à l'autre, et, selon le directeur technique, il avait même soupçonné, un moment ou l'autre, les Grecs d'avoir attisé la braise – mais l'accusation ne tenait pas.

Quand les polémiques avaient paru se calmer, il s'était un brin détendu. L'argent l'avait emporté sur la vengeance et Kissamos avait compris que c'était le moment ou jamais de solder le conflit, qu'il fallait payer, massivement et *cash*. Il était revenu en consultation à Athènes et ça n'avait pas traîné. Marios avait lâché une fortune, sans barguigner, rubis sur l'ongle.

– On a pleuré, on a gémi, on s'est roulés par terre. On l'a convaincu qu'il avait gagné, qu'il avait réalisé un coup fumant. Et qu'en prime il s'était vengé.

– Ce qui n'est pas faux, enchaîna Soteriades. J'ai mangé mon chapeau. Il y a des moments où un chef doit avoir l'esprit de sacrifice.

– *Amen !*

C'était Be-bop, fatalement.

Shrimp cherchait la faille. L'histoire était trop belle, le roman finissait trop bien. Pourquoi Marios avait-il l'air si content de lui après avoir capitulé en rase campagne ?

On leur servit des amuse-gueules parfumés.

– Tout ça, c'est du passé, dit l'armateur. La surprise, elle est devant nous.

– Vous allez enfin nous accorder l'arrêt technique ? lança Shrimp qui se demandait si les contes de fées se concrétisaient cette nuit et cette nuit seulement. Vous savez très bien, Kissamos, que ça n'est pas un caprice.

Be-bop confirma.

– Les thrusters ont du mou, les bossoirs coincent, un des groupes commence à flancher…

– Et puis les dessous ne sont pas propres.

– Doucement, doucement, les amis, intervint Marios. On sait tout ça par cœur. Ne vous inquiétez pas. La *Tsarina*, on va la maintenir à flot. Juste ce qu'il faut.

– Ça n'est pas assez, dit Shrimp, serrant les mâchoires.

Be-bop virait au rouge brique.

– Moi, je n'ai plus rien à faire ici. Viens, Shrimp, on se casse.

Ils étaient sincèrement indignés. Soteriades et Kissamos éclatèrent d'un grand rire.

– Et ils se foutent de notre gueule, en plus !

L'armateur, les larmes aux yeux, le retint.

– Chef ! Chef ! Ne vous sauvez pas avant d'apprendre la nouvelle, la grande nouvelle.

– Quelle grande nouvelle ?

– Buvez d'abord un verre, c'est bon pour la tension.

Be-bop les regarda. Ils étaient vraiment souriants, vraiment amicaux. Il suivit le conseil, but deux gorgées d'excellent nectar.

– Je vous écoute.

L'armateur prit un ton pédagogue.

– La *Tsarina* est à vendre. On va faire juste ce qu'il faut pour la vendre correctement. Nous sommes des honnêtes gens.

Les deux marins ouvraient de grands yeux. Et le regard de Marios pétillait malicieusement.

– La *Tsarina* est à vendre, reprit-il, parce que la compagnie Splendid va vous offrir un autre joujou. Plus grand, plus beau, plus moderne, trois piscines, trois restaurants, la classe. On l'a déjà repéré, le joujou. Il s'ennuie à Miami, il attend le client. Il vous attend.

– À Miami ?

La voix de Shrimp était songeuse.

– Ça vous embêterait tant que ça d'aller l'expertiser là-bas, tous les deux ?

– C'est pas une blague ?

La voix de Be-bop, elle, était inquiète. Lui aussi commençait à y croire et craignait d'être abusé par un mirage. Kissamos lui répondit.

– Ça n'est pas une blague du tout. Non seulement Splendid n'arrête pas mais Splendid se développe. Avec Boris, nous avons cherché une sortie par le haut.

BB était devenu Boris, le camarade Boris, l'ami Boris. Et Soteriades exultait.

– La future *Tsarina II* s'appelle, pour l'instant, *Pink Harmony*. Pas tout neuf, vous me connaissez, mais un beau petit lot. La boîte était partie sur un concept qui ne tenait pas la route, une histoire de croisières gay. On les a approchés, on les laisse s'enfoncer en trésorerie, qu'ils soient dans l'urgence jusqu'au cou, et puis on emballe.

Shrimp et Be-bop digérèrent l'information en silence. Mais l'armateur n'avait nulle intention de les laisser méditer. Il poursuivit sur le ton du commandement.

– Chef, je pense que le directeur technique aimerait s'isoler un peu avec vous pour évaluer les travaux indispensables à la vente. Je dis bien à la vente, pas plus.

– Maintenant ? Tout de suite ?

– Évidemment. Pourquoi croyez-vous que nous avons sauté dans le premier avion ? Pour boire un coup de blanc ?

Kissamos et Be-bop se levèrent. Marios les suivit des yeux, s'assurant qu'ils s'étaient éloignés. Puis il claqua des doigts.

– Un coup de ce blanc-là, ça justifierait pourtant le déplacement. Allez, on se la finit tant qu'on est tous les deux.

Le serveur officiait déjà.

– La vérité, Shrimp, c'est que j'avais envie de vous parler en tête à tête.

– Je n'aime pas du tout quand vous commencez de cette façon.

– Je vais vous révéler un secret, un secret que je couve comme la prunelle de mes yeux. Et qui prouve que j'ai confiance en vous.

– J'en connais trop, de secrets. Je sais, par exemple, qui vous a renseigné.

– Ah ! Il est allé dire à papa qu'il n'avait pas été sage. Faut pas se fâcher, c'est un bon garçon, Pajetta. Il a juste besoin d'être aimé.

Shrimp n'ajouta aucun commentaire. Soteriades avala une gorgée, reposa son verre, et se pencha vers le commandant.

– J'ai pas mal de défauts mais il y en a un que je n'ai pas : je ne change pas une équipe au milieu de la partie. Vous avez des défauts, le chef a des défauts, Pajetta a des défauts, mais vous fonctionnez ensemble et ça s'appelle un équipage. Alors vous allez prendre ce nouveau paquebot, Shrimp. Et vous allez le prendre avec les mêmes, exactement les mêmes.

– Tous ?

– Tous, sans exception.

– Accordez-moi une exception.

– Non, Shrimp. Philippos Tribis restera commissaire.

– C'est un emmerdeur.

– Je sais. Les emmerdeurs, ça fait partie de la distribution.

– Vous le protégez parce que c'est votre homme. Je me demande d'ailleurs pourquoi vous avez eu besoin de faire appel à Massimo…

– Vous n'avez pas compris ?

– Franchement, non.

– Faut grandir, Shrimp. Le monde est dangereux.

– J'essaierai de m'en souvenir.

– Vous n'avez pas compris que le commissaire travaille pour BB ?

– Quoi ?

Le capitaine de l'*Imperial Tsarina* resta interloqué. Cent indices s'ordonnaient dans sa tête. Il revoyait l'étonnement sincère de Tribis à l'annonce du « décès » de Marios, ses protestations d'innocence, la fougue avec laquelle il semblait se porter garant que Boris Balakirev n'avait pu liquider son associé.

– Tribis ne sait pas que je sais. Moi aussi, j'ai mes espions. Et c'est la raison pour laquelle je l'aime tant, le commissaire. C'est mon joker. Si je veux refiler un tuyau crevé à Boris, je sais par où passer. Ça n'a pas de prix, un homme pareil.

– Pourquoi me mettez-vous dans la confidence, Marios ?

– D'abord, parce que vous vous tairez. Je vous connais, depuis le temps. Vous avez horreur de ces histoires-là, ça vous dégoûte. Si vous étiez patron d'industrie, vous vous feriez piquer vos brevets en moins de deux. L'autre raison, c'est que, si je ne vous mets pas dans le coup, vous allez me tanner pour changer de commissaire et vous serez furieux contre moi quand je vous dirai non, non, et encore non. Vous penserez que Tribis est mon larbin et que c'est ça que je veux dans la vie : une armée de larbins.

Maintenant, au moins, vous comprendrez le film. Et dites-vous bien que si j'aimais tant que ça les larbins, je ne vous aimerais pas.

– Merci pour le compliment.

La bouteille était vide. De la main, Soteriades ordonna qu'elle fût renouvelée. Des éclairs zébraient le ciel et se reflétaient dans la piscine mais ils n'étaient accompagnés ni de tonnerre ni de pluie. La chaleur cédait un peu, se muait en touffeur, les massifs de roses et d'orchidées libéraient leurs parfums. Le commandant et l'armateur demeurèrent un bon moment immobiles et silencieux.

Au retour du chef (le directeur technique resta dans ses quartiers), la conversation devint prospective. Tandis que langoustes grillées et champagne aux bulles fines se mariaient sur la table, on envisagea des itinéraires nouveaux, des thèmes inédits. On s'enthousiasma. Le ton montait, les desserts ouvraient la voie aux alcools charpentés. Marios Soteriades, sans même enlever sa chemise, alla s'installer dans la piscine un armagnac à la main. Des tabourets immergés permettaient de prendre place le long d'un bar aquatique.

– Venez, les mutins, venez ! Je vous avais prévenus, qu'on finirait dans l'eau. Un nouveau paquebot, ça s'arrose.

Shrimp et Be-bop, à ce stade, étaient trop imbibés pour ne pas le rejoindre.

– Et j'ai une autre surprise pour vous.

– Un deuxième paquebot, gloussa le chef.

– Mieux que ça, beaucoup mieux que ça.

Dix minutes plus tard, des éclats de voix emplirent la villa. Un timbre de basse tonitruante. La porte à volets claqua tandis qu'une silhouette massive pénétrait dans le patio.

– Marios, Marios, mon frère de lait, où te planques-tu ?

C'est peu dire que Boris Eduardovitch Balakirev avait un coup dans le nez. La démarche était plus que chancelante, il progressait en oscillant et gueulait son allégresse dans un anglais tout en rondeurs.

– Où es-tu, mon associé préféré ? Tu n'es quand même pas allé te coucher après sept petites heures de négociations ?

Soudain, il aperçut les trois hommes dans la piscine, mit le cap sur eux, et descendit les marches sans prendre garde à son élégant costume clair.

– Te voilà, escroc de mon cœur ! Et vous aussi, les gardiens de la tsarine !

Il tenta de s'asseoir lourdement sur un tabouret, glissa, plongea en éclaboussant les trois autres, réapparut barrissant de rire.

– Viens, petite, viens donc ! N'aie pas peur. C'est rien que des marins, des marins que tu connais.

Lors de son entrée, aucun des trois autres n'avait remarqué l'ombre menue qu'écrasait la stature du Russe. Svetlana en robe longue pailletée. Elle hésitait à l'orée des marches.

– Tu as peur pour ta robe ? Enlève-la. Après minuit, les robes, ça ne sert plus à rien.

Svetlana se déchaussa, garda sa robe, et pénétra dans l'eau.

– Il faut que je la console. Son méchant mari est parti. C'était un mari jaloux, bon débarras. Un mari de moins, c'est toujours ça de pris, hein ?

Ravissante, sa robe collée à la peau, Svetlana rit sans retenue. Marios tendit à Boris une bouteille et un verre.

– Qu'est-ce que tu me sers là ? De l'armagnac ? Je ne veux pas d'armagnac, je veux une boisson alcoolisée. Kissamos ! Kissamos !

À croire que le nom du directeur technique ne pouvait être prononcé qu'à pleins poumons. L'intéressé accourut.

– Puisque tu as appris à boire, donne-nous du ravitaillement.

À Moscou, Kissamos avait en effet payé de sa personne avec une endurance qui lui avait valu l'estime de la partie adverse. Il avait vite compris qu'une immense vertu de l'alcool de grains est que sa couleur ne le distingue guère de l'eau.

Quatre verres plus tard, le concours de toasts était ouvert.

– Je bois aux yeux de cette dame qui sait si bien se débarrasser des maris, dit Boris.

On but aux yeux de la dame.

– Je bois aux passagers et aux passagères de l'*Imperial Tsarina* deuxième du nom, dit Shrimp.

On but aux passagers.

Puis aux passagères.

– Je bois à nos cousins russes qui ont une aurore boréale dans le cœur, dit Kissamos qui n'avait pas, cette nuit, la possibilité de recourir à l'eau claire.

On but aux aurores boréales.

– Je bois aux milliards de bactéries qui prolifèrent ailleurs que dans nos cuves, dit Be-bop.

On but aux bactéries.

– Je bois à tous les hommes de ma vie, dit Svetlana, avant de basculer – il fallut l'étendre au bord de l'eau.

On but aux hommes de Svetlana. En bloc, parce qu'en détail cela paraissait irréalisable.

– Je bois aux pirates somaliens et à leur solidarité avec le peuple russe, dit Marios.

BB explosa de rire.

– Avoue qu'ils t'ont foutu la trouille, mes gars de Somalie ! Sans ces maudits Français, je t'obligeais à cracher.

– Mais j'ai craché, petit père, j'ai craché, qu'est-ce que tu avais besoin de pirates ?

– Je sais que c'est toi le roi des pirates, Grec de mon cœur. Alors j'avais pris mes précautions au cas où tu n'aurais pas craché. Ça a failli mal tourner, d'ailleurs. Ils refusaient de revenir à la maison sans tirer une petite roquette, ces abrutis.

– Des gars consciencieux, hein ?

On but aux pirates, et aux abrutis consciencieux. Tout en levant son verre, Shrimp sentit sa cervelle traversée par une fulgurance douloureuse. Il essaya d'attraper le regard de Be-bop, le croisa, et ne put déterminer s'il était réellement habité.

Plus rien n'arrêterait Balakirev et Soteriades.

– Marios, mon frère de lait, tu ne sais pas comme c'est bon de te voir cracher. Crache encore, mon jumeau, crache.

Le Grec propulsa dans les airs une nébuleuse de vodka. BB applaudit.

– Boris, mon ours polaire, tu sous-estimes ton associé.

– Impossible, impossible.

– Je te le prouve, mon Boris du Nord. Où crois-tu que j'aie trouvé l'argent que tu m'as fait cracher ?

– Sûrement pas dans ta poche. Tu l'as volé, vieux filou. Je sais que tu l'as volé. Mais je ne sais pas à qui.

– Devine.

BB remplit son verre. Le vida. Et abattit sa pogne sur l'épaule du Grec qui faillit se noyer.

– La pêche a été bonne, non ?

Marios sourit.

– Tu es intelligent, mon ours polaire. Tu es tellement intelligent que ça me fait peur.

– Tu étais bien assuré ?

– Très bien. Bateau fatigué mais grosse prime.

– Et les cales étaient pleines ?

– À ras bord. Les cours sont hauts.

– Et ton capitaine, il sait fermer sa gueule ?

– Comme une tombe. Il a été parfait.

– Ah ! Mon frère de lait, embrasse-moi comme un homme, tu as entubé l'assurance, tu as volé les voleurs.

Et il l'embrassa sur la bouche. Shrimp, malgré l'ivresse, fut traversé d'un frisson, comme si un poisson-torpille jouait dans la piscine. Le palangrier… Il observa Be-bop qui, cette fois, lui répondit par un geste flou.

– À la solidarité des gens de mer ! vociféra Boris. Mon associé est riche. J'aime les associés riches…

506 Ils n'avaient pas osé se traîner jusqu'au paquebot. Dans une langue très approximative, Shrimp avait demandé au chauffeur de les déverser – c'était le mot – sur un bout de quai, non loin du navire. Et là, ils avaient ronflé en chœur, à même le ciment graisseux.

C'était la pointe de l'aube. Be-bop entrouvrit une paupière chatouillée par le premier rayon de soleil. Des dockers se rendaient au travail sans leur prêter la moindre attention. Ni les sans-abri ni les ivrognes ne créaient ici l'événement. Au-dessus de lui, le chef distingua une forme verticale qui s'achevait en une boule dorée. Il se frotta les yeux, cligna, essaya de se redresser un peu. La gueule de bois était violente et légitime.

Creux. Pas net du tout. Son image n'était pas nette et sa réalité ne l'était pas non plus. Il flageolait lui-même, sa voix graillonnait épouvantablement.

– Heureusement que vous dormiez, chef. J'ai jamais pu noyer un homme qui dort. Mais maintenant que vous ne dormez plus, vaudrait mieux bouger.

Be-bop s'ébroua tant bien que mal, s'assit, empoigna Shrimp et le secoua aussi vigoureusement que possible. Le commandant émergea quelque peu.

– Est-ce que tu te rappelles ? bredouilla-t-il.

– Plus tard. Faut rentrer.

Vingt minutes leur furent nécessaires pour tenir debout, essayer de marcher. Et trente minutes supplémentaires pour atteindre l'*Imperial Tsarina*.

Pas question d'emprunter la coupée d'honneur. Ils entrèrent par une cale où l'on chargeait, présentement, des palettes de viande surgelée. Les coursives étaient désertes et silencieuses. Ils ne croisèrent pas âme qui vive jusqu'au pont Astrakhan. Et là, ils se virent pris en faute comme des collégiens faisant le mur. Rose Travis consultait le grand baromètre avec beaucoup d'attention. Prête à repartir pour une deuxième « croisière mystère », elle seule était demeurée à bord. Elle les salua.

– Bonjour messieurs. Vous n'avez pas l'air très frais.

– Excusez notre tenue, improvisa le chef sans y croire, nous arrivons de la machine.

– Mais non, voyons. Vous étiez en ville, comme disent les marins. Et vous tiriez une piste, comme disent les Français. Si j'étais plus leste, je serais bien allée avec vous. C'était drôle ?

– Pas tant que ça, dit Shrimp. Pas tant que ça. On a bu pour oublier que les méchants ne sont jamais punis.

– Et cela vous étonne ? Vous êtes encore jeunes !

La vieille dame anglaise sourit d'un bon sourire.

– Continuez. Continuez d'être étonnés tant que vous en êtes capables...

FIN

Du même auteur

• *L'Affaire Alata*
Pourquoi on interdit un livre en France
Seuil, « L'Histoire immédiate », 1977

• *Les Porteurs de valises*
La résistance française à la guerre d'Algérie
Albin Michel, 1979, et Seuil, « Points », 1982

• *L'Effet Rocard*
Stock, 1980

• *Les Intellocrates*
Expédition en haute intelligentsia
Ramsay, 1981, et Complexe Poche, 1985

• *La Deuxième Gauche*
Histoire intellectuelle et politique de la CFDT
Ramsay, 1982, et Seuil, « Points », 1984

• *Tant qu'il y aura des profs*
Seuil, 1984, et « Points », 1986
Prix de l'Association des journalistes universitaires

Génération
• *1. Les Années de rêve*
Seuil, 1987, et « Points », 1990
• *2. Les Années de poudre*
Seuil, 1988, et « Points », 1990
Prix Gutenberg

- *Tu vois, je n'ai pas oublié*
  Seuil / Fayard, 1990, et « Points », 1991

- *Montand raconte Montand*
  Seuil, 2001

  (Tous les ouvrages qui précèdent
  en collaboration avec Patrick Rotman)

- *Crète*
  Seuil, « Points Planète », 1989

- *La Cause des élèves*
  (Avec Marguerite Gentzbittel)
  Seuil, 1991, et « Points », 1992

- *Nos médecins*
  Seuil, 1994, et « Points », 1996
  Prix Médec

- *Les Bancs de la communale*
  Éd. Du May, « Album de famille », 1994

- *Je voudrais vous dire*
  (Avec Nicole Notat)
  Seuil, 1997, et « Points », 1998

- *Besoin de mer*
  Seuil, 1997, et « Points », 1999
  Grand prix Henri Queffélec du livre maritime
  Prix « Mer » de l'Association des écrivains de langue française

- *L'Abeille d'Ouessant*
  Seuil, 1999, et « Points », 2000
  Prix de l'ACORAM
  Coupe du Chef d'état-major de la Marine nationale

• *Le Voyage à Brest*
(Hors commerce)
Éd. Quelle belle journée, 2001

• *Au bout de la remorque*
(Avec Charles Claden)
Seuil, 2001
Prix du Cercle de la mer

• *Le Livre des tempêtes*
(Photographies de Jean Gaumy)
Seuil, 2001
Prix Nadar

• *Petits Propos irresponsables concernant l'école*
(Chroniques du *Monde de l'éducation*)
Éd. du Télégramme, 2001

• *Le Vent du plaisir*
Seuil, 2001, et « Points », 2002

• *Tant qu'il y aura des élèves*
Seuil, 2004, et « Points », 2006

• *Cargo*
Travaux et rêveries portuaires
(Peintures et dessins d'Anne Smith)
Seuil, 2005

• *De l'Abeille à l'Abeille*
La relève de l'Abeille Flandre
(Peintures et dessins d'Anne Smith)
Seuil, 2006

TABLE

www.hervehamon.fr

Conception graphique Pierre di Sciullo
Composition Nord Compo (Villeneuve-d'Ascq)
Achevé d'imprimer en avril 2007 sur les presses de Firmin-Didot
N° d'impression : 84737
Imprimé en France